本 試 験 型

'25年版

漢字検定 試験問題集

成美堂出版

目次

「準1級」試験問題・最新の傾向 ——— ＊

●受検者数と合格率

２０２３年度には志願者数が約１４１万５千人になった漢字能力検定試験ですが、「準1級」の受検者数は年間で約1万4千人、受検者数全体の1％程度です。合格率の平均は18％ですので、たいへん難易度の高い試験です。

●下級からの変更点

２級試験と比べると大幅な変更が行われています。①常用漢字表の表外読みを答える問題、②熟語の読みおよび、その語義にふさわしい訓読みを答える問題、③２つの難解な熟語に共通する常用漢字を答える問題、④問題文にあげられた意味にふさわしい四字熟語を選び、その読みを答える問題、⑤故事・諺を答える問題、⑥文章題中の読み・書き取りを答える問題などが出題されます。

どの問題も難易度は高く、正答率が低いため、しっかりと対策をしておく必要があります。

問題文に著名人の文芸作品を拝借し、便宜上、一部手を加えさせていただきました。末筆ながら著者および関係者各位に深謝いたします。

準1級の出題内容

対象漢字数は約三千字

準1級の対象漢字数は、約三、〇〇〇字あります。約三、〇〇〇字の中から出題されるという意味です。

この約三、〇〇〇字とは何かといいますと、常用漢字（二、一三六字）と準1級用漢字を合わせたものです。

準1級用漢字が重要

漢字検定では1級から10級までの各級にレベルに応じた漢字を配当して、その配当漢字が検定問題の核となります。ですから、準1級では準1級用漢字が非常に重要なのです。

どのような漢字かは136ページ以降に掲載してありますから、しっかりと見てください。準1級用漢字には国字（準1級に属するもの）も含まれています。

読み・書き・故事

準1級の出題領域は「読み」「書き」「故事・諺」の三つに大きく分類できます。

読み「読み」では準1級用漢字が問題の中心になります。特に「短文中の漢字の読み」では普段あまりつかわない言葉の読みが多く出題されます。本書のテストで学習と吟味をしてください。国字はこの「短文中の漢字の読み」の中に組み込まれます。

「常用漢字の表外の読み」も普段あまりつかわないものが出題されます。149ページにそれらを収録しましたので、これもしっかりと見てください。

書き「書き」では「短文中の書き取り」「四字熟語」「同音・同訓異字」「誤字訂正」「対義語・類義語」などがいずれも準1級用漢字を含む熟語、単純語の書きの問題になります。二つの文に共通する常用漢字を答える問題も出されるので、新たに常用漢字になったものを確認しておきましょう。

また、準1級用漢字のいくつかは、同音の常用漢字への書き換えが認められています。156ページに紹介してありますから参考にしてください。

故事・諺「故事・諺」でも準1級用漢字が出題の中心になります。故事・諺の広い知識と準1級用漢字の筆記力が問われます。

程　度	領　域	内　容
常用漢字を中心とし、約3000字の漢字の音・訓を理解し、文章の中で適切に使える。	読むことと書くこと	常用漢字の音・訓を含めて、約3000字の漢字の読みに慣れ、文章の中で適切に使える。 ●熟字訓、当て字を理解していること ●対義語、類義語、同音・同訓異字などを理解すること ●国字を理解していること ●複数の漢字表記について理解すること
	四字熟語・故事・諺	典拠のある故事成語、諺を正しく理解する。
	古典的文章	古典的文章の中での漢字・漢語を理解している。

約3000字の漢字は、JIS 第一水準を目安とする。

級別出題内容（一例）

3級～10級は省略。
「—」は出題なし。

内容＼級	1級	準1級
短文中の漢字の読み	短文中の漢字の読み（表外読みを含む）	短文中の漢字の読み（表外読みを含む）
常用漢字表外の読み	—	常用漢字表外の読み
短文中の書き取り（同音同訓異字、国字の書き取りを含む）	短文中の書き取り（同音同訓異字、国字の書き取りを含む）	短文中の書き取り（同音同訓異字を含む）
意味を的確に表す語の書き取り	意味を的確に表す語の書き取り	—
四字熟語	四字熟語（二字書き取りと意味の選択）	四字熟語（二字書き取りと意味にふさわしい四字熟語の読み）
熟字訓・当て字の読み	熟字訓・当て字の読み	熟字訓・当て字の読み
音訓相補の読み	音訓相補の読み	音訓相補の読み
対義語・類義語の書き取り	対義語・類義語の書き取り	対義語・類義語の書き取り
故事成語・諺の書き取り	故事成語・諺の書き取り	故事成語・諺の書き取り
共通の常用漢字	—	共通の常用漢字
誤字訂正	—	誤字訂正
文章題（書き取りと読み）	文章題（書き取りと読み）	文章題（書き取りと読み）

	2級	準2級
	短文中の漢字の読み	短文中の漢字の読み
	—	—
	—	—
	部首	部首
	熟語の構成	熟語の構成
	漢字と送りがな	漢字と送りがな
	対義語類義語	対義語類義語
	四字熟語	四字熟語
	同音・同訓異字	同音・同訓異字
	誤字訂正	誤字訂正
	短文中の書き取り	短文中の書き取り
	二、一三六字	一、九五一字

本書は出題が予想される形式で構成しています。実際の試験は、日本漢字能力検定協会の審査基準の変更の有無にかかわらず、出題形式や問題数が変更されることもあります。

受検級の目安

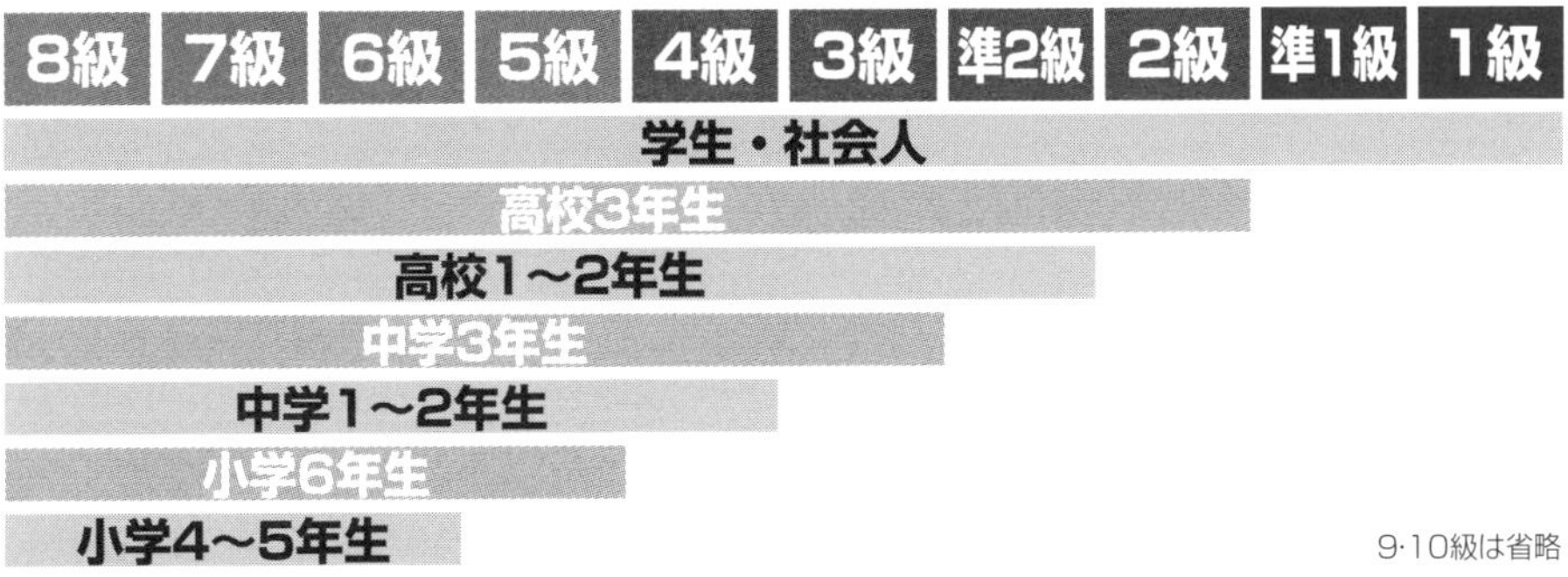
8級
7級
6級
5級
4級
3級
準2級
2級
準1級
1級
学生・社会人
高校3年生
高校1～2年生
中学3年生
中学1～2年生
小学6年生
小学4～5年生

9·10級は省略

準1級試験問題の傾向と対策

(一) 読み

●配点　1問1点×30問＝30点（総得点の15％）

最初の問題は読み問題で30問あります。検定全体の時間配分を考え、わからない問題は後回しにするのもひとつの方法です。

準1級用漢字からの出題が100％！

短文中の漢字の読みを答える問題で、**すべての問題が準1級用漢字**から出題されています。問題1〜20は**音読み**を問われ、問題21〜30は**訓読み**を問われます。

漢字の級別出題割合*

準1級
100%

中国の古典などからも出題あり！

中国の古典などを典拠にもつ問題が**毎回4〜6問**程度出題されています。意味を知ることで理解を深めましょう。過去に出題された問題の中から、出典があるものについて見てみましょう。

中国の古典をもとにした出例

出例　鶴**九皐**に鳴き声天に聞こゆ。

意味…鶴は深い谷底で鳴いてもその声は天まで届くという意味。優れた人物は隠れていてもその偉大さが知れ渡るというたとえ。「九皐」は奥深い沢。

答…きゅうこう

出典　鶴鳴于九皐、聲聞于野。（『詩経』小雅・鶴鳴）

出例　君必ず**弗弗**の臣有り。

意味…君主には必ず従わない家臣がいる。

答…ふつふつ

出典　君必有弗弗之臣、上必有詻詻之下。（『墨子』親士）

出例　我が心石に**匪**ず。

意味…私の心は石ではない。

答…あら

出典　我心匪石、不可轉也。（『詩経』国風・柏舟）

＊常用漢字表の表外読みは準1級用の漢字として集計しています。

出例 **逝く者は斯くの如きかな、昼夜を舍かず。** 答…か

意味…過ぎゆく人生は、昼夜を問わず流れゆく川のようなものだ。

出典 **逝者如斯夫！不舍昼夜。**（『論語』子罕）

日本の近代文学をもとにした出例

出例 **是は姑く恕すべしとす。** 答…しばら

意味…これはひとまず許すべきである。

出典 **是れは姑く恕すべしとするも、恕すべからざるは内国の士人流なり。**（『實業論』福沢諭吉）

（二）表外の読み

●配点 1問1点×10問＝10点（総得点の5％）

常用漢字には、「常用漢字表の表外読み」と呼ばれる読み方があります。『漢検要覧1／準1級対応』（日本漢字能力検定協会）（以下『要覧』）にある「常用漢字の表内外音訓表」を使って学習しましょう。

▶常用漢字には特別な読み方がある

常用漢字には、平成22年に内閣によって告示された「常用漢字表」に示されたもの以外の音や訓をもつ漢字が多数あります。これらの特別な読み方を「**表外読み**」と呼びます。訓読みは字義を含みます。

過去の出例

出例 **祖父は歯八十に垂とする。** 答…よわい

意味…「よわい」は生まれてきてから重ねた年数、年齢のこと。「齢(よわい)」とも書く。「垂とする」は、「なんなんとする」と読む。「齢」の部首が「歯」であることから、関連付けて覚えるとよいでしょう。

出例 **斜向かいに老夫婦が住んでいる。** 答…はす

意味…「斜向かい」とは、斜め前の意味。「斜」の表外読みがわからなくても、「はす向かい」という言葉を知っていれば答えられる問題。

出例 **形はでかいが気の小さい力士だ。** 答…なり

意味…物の形や体型、服装などをさす。読み方がわからない場合、問題文にある「でかい」と「小さい」の対比から、「気」と対応する語句を連想するとよいでしょう。

出例 **諸行無常の理を説く。** 答…ことわり

意味…「理」は道理や条理、もっともなこと、理由、理論という意味。「理論」など、漢字を表す意味の熟語と関連付けて覚えるとよいでしょう。

出例　物音に集中力を殺がれる。

意味…勢いや興味、関心などが奪われてしまうこと。

答…そ

出例　細やかな祝いの席を設ける。

意味…規模や形が大きくなく、控えめな様子。普通の読み方である「こま（やか）」と混同しないようにしましょう。

答…ささ

（三）熟語の読み・一字訓読み

●配点　1問1点×10問＝10点（総得点の5％）

漢字の読み方だけでなく、字義を正しく理解しているかが問われます。

漢字のもつ意味を正しく覚える

熟語の音読みと、その字義にふさわしい訓読みが問われます。出題される漢字は**準1級用漢字と、常用漢字表の表外読み**です。

過去の出例

出例　畢生／畢わる

答　ひっせい／お（わる）

音読み／訓読みをセットで書き出そう

『要覧』に出ている訓読みは、その漢字の字義を含みます。複数の訓読みをもつ漢字もたくさんありますので、その訓読みの意味に合う熟語を、漢和辞典を使って書き出してみるのもよい勉強になります。

（四）共通の漢字

●配点　1問2点×5問＝10点（総得点の5％）

二つの問題文の空欄に共通する常用漢字が問われます。ひらがな表記の選択肢の中から選び、漢字に直す形式です。

正答率は意外と低い

ほかの問題の正答率は6割から7割前後ですが、準1級配当漢字は出題されないこの問題の**正答率は3割程度**です（受検者全体）。もう一度、常用漢字をおさらいする必要がありそうです。

過去の出例

出例　一般的な概念に包（　）される。／自然の（　）理に適っている。

答…摂

（五）書き取り

●配点　1問2点×20問＝40点（総得点の20％）

短文中のカタカナ部分を漢字に直す問題です。音読みの漢字／訓読みの漢字が混然としています。2〜5問程度、同音・同訓異字の問題が出題されます。

出題の9割以上が準1級用漢字

短文はさほど難解なものではありませんが、出題の**9割以上が準1級用漢字**です。常用漢字同様、「とめ／はね／はらい」に注意して書きましょう。

漢字の級別出題割合*

2級以下 8%
準1級92%

同音異義語、同訓異字も書けるようにしよう

2問〜5問、**同音異義語**、**同訓異字**の問題が必ず出題されています。片方の問題は下級の漢字が使われていることが多いようです。

同音異義語の出例

出例
シイ的な行動が目に余る。
人間は考える葦、つまりシイする存在である。

答
恣（肆）意
思惟

解説…「肆」は1級用漢字ですが、1級用漢字を使った解答も認められています。

同訓異字の出例

出例
初夏にウの花が咲く。
川面にウ飼いの舟が浮かぶ。

答
卯
鵜

（六）誤字訂正

●配点　1問2点×5問＝10点（総得点の5％）

文中に誤って使われている漢字を見つけ出し、正しい漢字に直す問題です。使用漢字からみたパターンとしては、×準1級用漢字→〇準1級用漢字、×常用漢字→〇準1級用漢字、×準1級用漢字→〇常用漢字、×常用漢字→〇常用漢字の四通りがあります。

正答率は高くない

誤字訂正問題に使われている漢字は準1級用漢字が4割、

＊常用漢字表の表外読みは準１級用の漢字として集計しています。

常用漢字がおよそ6割くらいです。書き取りとしては難しくない部類に入りますが、**正答率は5割程度**です（受検者全体）。

漢字に対する感性を磨く

誤字には**同音、同訓の字**が使われています。すらっと読み流してしまうと気がつきません。

読みや書き取りの勉強の中で、また読書をする中で正しい表記を覚え、誤りにはすぐ気がつくようになるまで漢字に対する感性を磨きましょう。

漢字の級別出題割合*

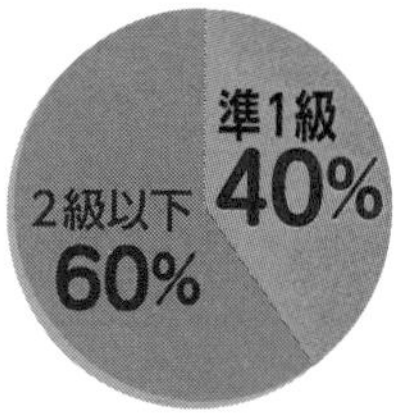

準1級	40%
2級以下	60%

誤字訂正の出例

出例 **土蔵に収納されていた故人蒐集の書画に骨董商は途徹もない値を付けた。**

答…（誤）徹→（正）轍

解説…「蒐集」「骨董」とほかにも準1級用漢字があるので注意を逸らされますが、落ち着いて判断しましょう。

（七）四字熟語

●配点 1問2点×10問＋1問2点×5問＝30点（総得点の15%）

問1は四字熟語中の二字を選択肢から選んで書く問題、問2は掲出された意味を表す四字熟語を選択肢の中から選び、そのうちの二字の読みを答える問題です。

漢字と一緒に意味も覚えよう

四字熟語は**中国の故事**がもとになっているものが数多くあります。四字熟語は口にしやすいので、つい棒暗記をしてしまいがちですが、成り立ちの背景を知ることは理解を深めるためにはとても重要です。

出題は「漢検　四字熟語辞典」から

平成23年度から令和5年度まで過去13年間の問題はすべて『**漢検四字熟語辞典（第二版）**』（日本漢字能力検定協会）から出題されています。辞典には検定級が示されていますので、準1級用四字熟語を書き出して覚えましょう。ただ

四字熟語の級別出題割合*

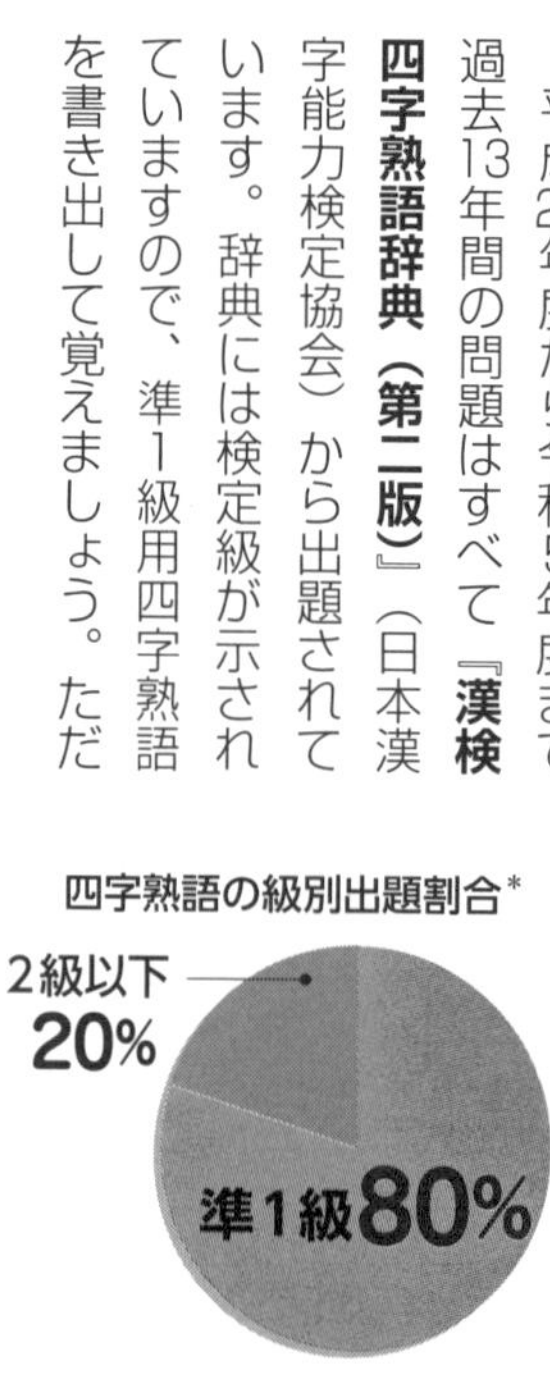

2級以下	20%
準1級	80%

＊常用漢字表の表外読みは準1級用の漢字として集計しています。

し、「漢検　四字熟語辞典」に載っていない四字熟語が出題される可能性もあります。

四字熟語(問1)の出例

出例　（　）社鼠　　答…**城狐**　選択肢…じょうこ

意味…君主や権力者の陰に隠れて悪事を働くもののたとえ。

出典　**隗誠始禍、然城狐社鼠也。**（『晋書』謝鯤伝）

出例　（　）走牛　　答…**蚊虻**　選択肢…ぶんぼう

意味…小さなものが強大なものを制すること。ささいなことが原因となって大事件や災難を引き起こすこと。

出典　**蠹蝝仆梁柱、蚊虻走牛羊。**（『説苑』談叢）

出例　一顧（　）　　答…**傾城**　選択肢…けいせい

意味…絶世の美人のたとえ。ひとたび振り返れば君主が惑わされて国を傾ける意味。

出典　**北方有佳人、絶世而獨立、一顧傾人城、再顧傾人國。**（『漢書』外戚伝）

出例　（　）瓢飲　　答…**箪食**　選択肢…たんし

意味…清貧に甘んじるたとえ。孔子が、弟子の顔回が清貧の中で学問に打ち込むのをたたえたことから。

出典　**賢哉回也！一箪食、一瓢飲、在陋巷。**（『論語』雍也）

四字熟語(問2)の出例

出例　どっちつかずの態度。→選択肢から「**首鼠**両端」を選ぶ　　答…しゅそ

(八) 対義語・類義語

対義語・類義語は対で覚えるようにしましょう。

●配点　1問2点×10問＝20点（総得点の10％）

問題をたくさん解いて覚える

対義語・類義語の問題は、多数の問題を解いて覚えるしかありません。中には、熟語の成り立ちの背景についての知識が必要とされる問題もあります。過去問題集なども活用するとよいでしょう。また、対義語・類義語は必ず二つの熟語を1組として覚え、どちらの熟語を問われても答えられるようにしておきましょう。

対義語の出例

出例　永劫 ⇔（　）　　答…**刹那**

出例　熟視 ⇔（　）　　答…**一瞥**

類義語の出例

出例 未明＝（　　）　答…昧爽

出例 医者＝（　　）　答…杏林

意味…三国時代の医者、董奉が治療代を取る代わりに杏の木を植えさせたところ、数年で杏の林ができたという故事に基づきます。

（九）故事・諺

●**配点** 1問2点×10問＝20点（総得点の10%）

中国の古典を典拠とする故事・成語、長い年月の間に出来上がってきた諺・慣用句が出題されます。カタカナ部分を漢字に直す形式です。

故事・成語は成り立ちから覚える

成立したエピソードを知ることで、より覚えやすくなるでしょう。

故事・成語の出例

出例 **ガベイ**に帰す。　答…画餅

意味…計画などが実現できず、無駄に終わることのたとえ。「絵に描いた餅」とも言う。

出典 選擧莫取有者、名如画地作餅、不可啖也。（『三国志』盧毓伝）

出例 **コチョウ**の夢の百年目。　答…胡蝶

意味…晩年に人生を振りかえってみて、夢のようだったと思うこと。「胡蝶の夢」は、荘周という人物が蝶々となった夢を見たが、自分が夢の中で蝶々となったのか、蝶々が夢の中で自分となったのか見定めることができなかったという故事。意味は、現実と夢の世界の区別がつかないことのたとえ。また、人生のはかないことのたとえ。

出典 昔者荘周夢為胡蝶……（『荘子』齊物論）

出例 **キンラン**の契り。　答…金蘭

意味…固く美しい友情のことで、「金蘭の交わり」とも言います。

出典 二人同心、其利断金。由不剛也。（『易経』繫辞・上）

出例 **テップ**の急。　答…轍鮒

意味…差し迫った危急のたとえ。車の轍の水たまりの中で、水を求めてあえいでいる鮒のさまから。

出典 周顧視車轍中、有鮒魚焉。（『荘子』外物）

準1級配当漢字が7割以上

次の出例のように、よく耳にする諺でも漢字で正しく書けるようにしましょう。

諺の出例

出例 濡れ手で**アワ**。　答…粟

意味…労せずして多数の利益を得ること。

出例 元のサヤに収まる。

意味…仲たがいしていた者同士が、再び以前のような仲のよい関係に戻ること。

答…鞘

出例 昔とったキネヅカ。

意味…若いときに身につけた技量のこと。また、それが衰えていないこと。

答…杵柄

出例 身から出たサビ。

意味…自らの犯した悪行のために、自分自身が苦しむこと。

答…錆（銹）

（十）文章題

●配点 1問2点×5問＋1問1点×10問＝20点（総得点の10％）

あるまとまりを持った文章の中から、書き取り問題が5問、読みの問題が10問出題されます。

前後の文脈から推測する

まずは問題文を読み、**問われている箇所の前後の文脈を確認**しましょう。文脈から問われている漢字の意味を推測することで、**同音異義語**、**同訓異字**との間違いをなくし、正答を導くことができます。

文語体の文章にも慣れよう

平成23年度から令和5年度まで過去13年間に出題された長文問題の約半数が文語体で書かれたものです。文語体に慣れておくことは、準1級の次に目指す1級受検の準備にもなります。

漢字の級別出題割合*

準1級	95%
2級以下	5%

常用漢字でも要注意！

令和5年度の書き取り問題に占める準1級用漢字の使用は9割以上でした。ほかは常用漢字ということになりますが、「オモムロに」「メンセキする」など一読して意味がわかりにくい語が多いので要注意です（解答は、「徐に」「面責する」）。読み問題では、準1級用漢字が9割以上を占めています。また、常用漢字の**表外読み**も問われるので要注意です。

令和5年度に出題された作品（一部）

中島敦『山月記』／**福沢諭吉『中元祝酒之記』**

夏目漱石『坊ちゃん』／**坪内逍遥『小説神髄』**

＊常用漢字表の表外読みは準1級用の漢字として集計しています。

準1級の採点基準

教科書体と明朝体

準1級では、常用漢字については教科書体、表外漢字については日本漢字能力検定協会で定めた字体が採点の基準になります。

教科書体とは、小学校の教科書につかわれている文字の字体のこと。

教科書体	明朝体
好 齢 請	好 齢 請

表外漢字の字体は明朝体で、細部については本書の「準1級用漢字表」（P.136）に紹介してあります。

許容字体・旧字体ＯＫ

準1級用漢字表には「標準字体」と「許容字体」がありますが、書取りではどちらで書いてもかまいません。例えば「禰宜（ねぎ）」と書く場合、「標準字体」をつかって「禰宜」と書いてもいいし、「許容字体」をつかって「祢宜」と書いても正解です。

また、問題に指定がなければ（例えば旧字体にせよ）、「亀」を旧字体で「龜」と書いても、字が正確であれば正解です。

一画一画丁寧に

教科書体と明朝体では字体が少し違いますが、明朝体が基本の表外漢字であっても、解答は教科書体のように書くのが基本です。

行書体や草書体のように崩した字体は、採点の対象にしてもらえません。一画一画、はねるところ、続けて書くところ、離して書くところ、点のあるなし、などにも注意して書くことが必要です。

⻍は⻌、⺬は⺭で可

部首が「⻍」「⺬」「飠」などの場合は、「⻌」「⺭」「𩙿」と書いてかまわないことになっています。「迄・迄」、「祇・祇」「餌・餌」、いずれも正解になります。

また、字の中に「艹・艹」の部分を含むものは「艹」と書いてもかまいません。例えば「蘇」でも「蘇」でも正解です。

漢字の骨組・組立を正しく

書き取りの解答では、

①画数が合っているか。

②字の骨組が正しく書けているか。

③字の組立が変わらないか。

などに注意して書かなくてはいけません。例えば、標準字体が「云」だからといってこのとおり書くと、一画増えてしまいます。「ム」のところは「ム」と二画で書かなくてはいけません。

また、「剝」を「剥」のように書くのは字の骨組みを崩してしまうことになり、不正解です。「萩」を「萩」と書いたりすると、字の組立を変えてしまうことになり、これも不正解となります。

八〇％程度正解で合格

合格は正解率八〇パーセント程度です。準1級は二〇〇点満点ですから、一六〇点程度取れば合格です。

準1級の実施要項

受検資格に制限なし

受検資格　小学校、中学校、高等学校、専門学校などの児童、生徒から大学生、社会人まで、だれでも受検できます。

申込方法　インターネット上にある専用の「受検者マイページ」で受付を行います。検定料の支払いはクレジットカードやコンビニ店頭で行います。学校や企業などで志願者が一定以上まとまると団体受検ができます。申込方法は個人の場合と変わります。

検定料　検定料は変わることがあるので、漢字検定の広告や問合せ先のホームページなどで見るようにしましょう。

申込期間　検定日の約二か月前から約一か月前まで。

申込後の変更　申込締切日までは、「マイページ」上で「住所」「電話番号」「受検地」の変更および「検定料が同じ級」への変更、申込キャンセルが可能です。「検定料が異なる級」への変更は、元の受検級のキャンセル後に再申し込みが必要です。

全国で定期的に実施

検定日　定期的に実施しています。検定協会に問い合せてください。

検定会場　全国主要都市。申込時に記載されている検定会場から自分の希望する会場を選択します。

検定時間　六〇分。開始時間の異なる級を選べば、二つ以上の級を受検することができます。

合否の発表　検定日から所定の日数後、合格者には合格証書、合格証明書、検定結果通知などが、また不合格者には検定結果通知が郵送されます。

問合せ先　公益財団法人日本漢字能力検定協会（本部：〒605-0074京都市東山区祇園町南側551番地）ホームページにある「よくある質問」を読んで該当する質問がみつからなければメールフォームでお問合せください。電話でのお問合せ窓口は〇一二〇-五〇九-三一五（無料）です。

検定日の心得

❶受検票を忘れず持参しましょう。受検中、受検票を机の上におかなくてはなりません。
❷検定会場へ自動車やバイクで行くのを禁止している会場が多いので事前に確認しましょう。
❸HBかBの鉛筆、または濃いシャープペンシルを持参しましょう。鉛筆は二本、また鉛筆がけずれる簡単なものを用意しておくと安心です。そして、消しゴムも。ボールペン、万年筆などの使用は認められません。
❹検定開始の一五分前に検定会場に入りますので、遅れないようにしましょう。
❺検定中は携帯電話の電源を必ずOFFにしておきます。
❻検定が終わると全員に標準解答が郵送されます。自分が書いた答えを覚えているうちに標準解答で自己採点をしましょう。
❼検定が終わっても受検票は捨てないで、合否通知が届くまで大切に保存しましょう。

※本書の情報は2024年10月現在のものです。

得点力UP!

覚えておきたい!

漢字の読み

解説

ここには過去の漢字検定において出題された読み問題を抜粋して例示しました。この中に干支の読みが左右のページに三つ挙げてあるのにお気付きでしょうか。干支（十干十二支）の読みの問題はよく出題されています。音読みの項にある「庚申」は訓読みにすると「かのえさる」です。反対に訓読みの項にある「丙午」を音読みにすると「へいご」です。干支の組み合わせは六十通りあるわけですが、それらの全てを音読み・訓読み、両方で読めるようにしておくことが大切です。

音読み

- 哀・咽・　あいえつ
- 郁・郁・　いくいく
- 一揖・　いちゆう
- 胤・嗣　いんし
- 蔚・然　うつぜん
- 胡乱・　うろん
- 穎・脱　えいだつ
- 叡・慮　えいりょ
- 嬰・鱗・　えいりん
- 壊死　えし
- 堰・堤　えんてい
- 掩・蔽　えんぺい
- 鶯・遷　おうせん
- 快哉・　かいさい

- 赫・灼・　かくしゃく
- 卦・辞　かじ
- 禾・穂　かすい
- 花蕊・　かずい
- 侃・直　かんちょく
- 祁・寒　きかん
- 亀卜・　きぼく
- 伽・羅・　きゃら
- 弓箭・　きゅうせん
- 暁・闇・　ぎょうあん
- 杏林　きょうりん
- 叶・和　きょうわ
- 欽・定　きんてい
- 欽・慕　きんぼ
- 謦・香　けいこう
- 頸・椎　けいつい
- 頁・岩　けつがん
- 剣戟・　けんげき
- 軒昂　けんこう

- 喧・伝　けんでん
- 萱・堂　けんどう
- 庚・申　こうしん
- 叩・頭　こうとう
- 豪宕・　ごうとう
- 壺・中　こちゅう
- 采・邑・　さいゆう
- 斯・界　しかい
- 此・岸　しがん
- 櫛・比　しっぴ
- 錫・杖　しゃくじょう
- 夙・夜　しゅくや
- 鍾・愛　しょうあい
- 捷・径　しょうけい
- 城砦・　じょうさい
- 芝・蘭・　しらん
- 砥・礪・　しれい
- 稔・歳　じんさい
- 辛酉　しんゆう

- 誰・何　すいか
- 推・挽・　すいばん
- 翠・嵐　すいらん
- 杜・撰・　ずさん
- 井蛙・　せいあ
- 清穆・　せいぼく
- 潟湖　せきこ
- 叢・書　そうしょ
- 藪・沢　そうたく
- 碓・声　たいせい
- 耽・溺　たんでき
- 紐・帯　ちゅうたい
- 薙・髪　ていはつ・ちはつ
- 禿・筆　とくひつ
- 禰・宜　ねぎ
- 逼・塞　ひっそく
- 粉黛・　ふんたい
- 勿・怪・　もっけ
- 或・問　わくもん

（「・」は準１級用漢字および常用漢字表外の読み、特別な読み）

解説

準1級ともなると対象の字数が増え、読み問題で使用される二字熟語は馴染みのない語が多くなります。必ず漢和辞典を傍らに置き、意味を確かめながら勉強を進めましょう。一方、訓読みの問題では「かさむ」「なだめる」「みずみずしい」など日常的に使う語の、漢字を用いた書き方がわかります。こう書くのか、こう読むのか、という新鮮な刺激を受けつつ得た知識は、自分のものになります。

訓読み

- □ 煽る　あお
- □ 足掻く　あが
- □ 鐙　あぶみ
- □ 袷　あわせ
- □ 沫雪　あわゆき

- □ 戚む　いた
- □ 坐ら　いなが
- □ 荊　いばら
- □ 歪　いびつ
- □ 芋粥　いもがゆ
- □ 弥栄　いやさか
- □ 愈　いよいよ
- □ 窺う　うかが
- □ 覗う　うかが
- □ 艮　うしとら
- □ 堆い　うずたか
- □ 夷　えびす
- □ 大鋸屑　おがくず
- □ 荻　おぎ
- □ 御伽噺　おとぎばなし
- □ 阿る　おもね
- □ 嵩む　かさ
- □ 樫　かし
- □ 畏まる　かしこ

- □ 姦しい　かしま
- □ 掠める　かす
- □ 轡　くつわ
- □ 厨　くりや
- □ 廓　くるわ
- □ 漉す　こ
- □ 甑　こしき
- □ 苛む　さいな
- □ 旺ん　さか
- □ 榊　さかき
- □ 魁　さきがけ
- □ 聡い　さと
- □ 宛ら　さなが
- □ 晒す　さら
- □ 柵　しがらみ
- □ 鴫　しぎ
- □ 蔀　しとみ
- □ 靭やか　しな
- □ 凌ぐ　しの

- □ 偲ぶ　しの
- □ 姑く　しばら
- □ 頃く　しばら
- □ 凋む　しぼ
- □ 掬う　すく
- □ 誹る　そし
- □ 岨道　そばみち
- □ 丞ける　たす
- □ 乍ち　たちま
- □ 辿る　たど
- □ 佃煮　つくだに
- □ 尤める　とが
- □ 虎斑　とらふ
- □ 乍ら　なが
- □ 宥める　なだ
- □ 俄か　にわ
- □ 野蒜　のびる
- □ 矧ぐ　は
- □ 硲　はざま

- □ 粥ぐ　ひさ
- □ 丙午　ひのえうま
- □ 遜る　へりくだ
- □ 殆　ほとほと
- □ 賂い　まいな
- □ 柾目　まさめ
- □ 纏う　まと
- □ 儘　まま
- □ 御簾　みす
- □ 瑞瑞しい　みずみず
- □ 蝕む　むしば
- □ 咽ぶ　むせ
- □ 裳裾　もすそ
- □ 饗す　もてな
- □ 籾殻　もみがら
- □ 椛　もみじ
- □ 八重葎　やえむぐら
- □ 忽せ　ゆるが

得点力UP!

覚えておきたい!

漢字の音訓

解説

漢字や熟語の理解のためには、ここにあるように音読語と訓読みのセットで覚えるのが一番です。訓読みは和語での読みとともに、その漢字の意味をも示しているからです。たとえば、「嘗」に「なめる」という読み方・意味があることがわかれば、「臥薪嘗胆」という四字熟語の意味もすぐ理解できます。左ページの「蚤」は普通「のみ」と読みますが、「早」と通用して「はやい」の意味があります。

□優渥・ ゆうあく
□渥い あつ

□夷坦・ いたん
□夷らか たい
□允許 いんきょ
□允す ゆる
□嬰鱗・ えいりん
□嬰れる ふ
□盈満 えいまん
□盈ちる み
□哀咽 あいえつ
□咽ぶ むせ
□堰堤 えんてい
□堰く せ
□掩蓋 えんがい
□掩う おお
□厭世 えんせい
□厭う いと

□厭悪 えんお
□悪む にく
□臆度 おくたく
□臆る おしはか
□嘉尚 かしょう
□嘉する よみ
□苛虐 かぎゃく
□苛む さいな
□俄然 がぜん
□俄か にわ
□晦匿 かいとく
□晦ます くら
□凱風 がいふう
□凱らぐ やわ
□咳気 がいき
□咳く せ
□阻碍・ そがい
□碍げる さまた
□灌漑・ かんがい
□灌ぐ そそ

□侃侃・ かんかん
□侃い つよ
□果毅 かき
□毅い つよ
□窺知 きち
□窺う うかが
□匡正 きょうせい
□匡す ただ
□欣喜 きんき
□欣ぶ よろこ
□欽慕 きんぼ
□欽う うやま
□永訣 えいけつ
□訣れる わか
□喧騒 けんそう
□喧しい かまびす
□粗忽・ そこつ
□忽せ ゆるが
□忽然 こつぜん
□忽ち たちま

□昏冥 こんめい
□昏い くら
□沙汰 さた
□沙げる よな
□頓挫 とんざ
□挫ける くじ
□悉皆 しっかい
□悉く ことごと
□櫛風 しっぷう
□櫛る くしけず
□惹起 じゃっき
□惹く ひ
□嘗胆 しょうたん
□嘗める な
□嘗試 しょうし
□嘗みる こころ
□捷径 しょうけい
□捷い はや
□鍾美 しょうび
□鍾める あつ

(「・」は準1級用漢字および常用漢字表外の読み、特別な読み)

解説

音読み・訓読みの組み合わせは漢字検定で「熟語の読みとその語義にふさわしい訓読み」として出題されます。ひとつの漢字に複数の訓読みがある場合は特に、語義にふさわしい訓読みをするよう注意が必要です。下から二段目に例示した「頓」のように、送り仮名の付け方にも注目して正しく読み分けましょう。スペースの都合でここには動詞性の語を中心に載せましたが、その他の語の読み方も確認してください。

- ☐ 昌運 しょううん
- ☐ 昌ん さか
- ☐ 擾乱 じょうらん
- ☐ 擾れる みだ
- ☐ 丞相 じょうしょう
- ☐ 丞ける たす

- ☐ 瑞雲 ずいうん
- ☐ 瑞い めでた
- ☐ 棲息 せいそく
- ☐ 棲む す
- ☐ 哀戚 あいせき
- ☐ 戚む いた
- ☐ 碩徳 せきとく
- ☐ 碩きい おお
- ☐ 爽約 そうやく
- ☐ 爽う たが
- ☐ 蚤起 そうき
- ☐ 蚤い はや
- ☐ 湊集 そうしゅう
- ☐ 湊まる あつ
- ☐ 巽言 そんげん
- ☐ 巽る ゆず
- ☐ 堆積 たいせき
- ☐ 堆い うずたか
- ☐ 歎傷 たんしょう
- ☐ 歎く なげ

- ☐ 肇国 ちょうこく
- ☐ 肇める はじ
- ☐ 剃髪 ていはつ
- ☐ 剃る そ
- ☐ 補綴 ほてい
- ☐ 綴る つづ
- ☐ 抜擢 ばってき
- ☐ 擢く ぬ
- ☐ 纏綿 てんめん
- ☐ 纏わる まつ
- ☐ 杜絶 とぜつ
- ☐ 杜ぐ ふさ
- ☐ 雑沓 ざっとう
- ☐ 沓なる かさ
- ☐ 檮昧 とうまい
- ☐ 昧い くら
- ☐ 蕩心 とうしん
- ☐ 蕩ける とろ
- ☐ 瀆職 とくしょく
- ☐ 瀆す けが

- ☐ 遁辞 とんじ
- ☐ 遁れる のが
- ☐ 頓首 とんしゅ
- ☐ 頓ずく ぬか
- ☐ 頓挫 とんざ
- ☐ 頓く つまず
- ☐ 汎称 はんしょう
- ☐ 汎い ひろ
- ☐ 氾濫 はんらん
- ☐ 氾れる あふ
- ☐ 挽歌 ばんか
- ☐ 挽く ひ
- ☐ 誹議 ひぎ
- ☐ 誹る そし
- ☐ 畢生 ひっせい
- ☐ 畢わる お
- ☐ 捧腹 ほうふく
- ☐ 捧える かか
- ☐ 牟食 ぼうしょく
- ☐ 牟る むさぼ

- ☐ 割烹 かっぽう
- ☐ 烹る に
- ☐ 蒙塵 もうじん
- ☐ 蒙る こうむ
- ☐ 冶金 やきん
- ☐ 冶る い
- ☐ 天佑 てんゆう
- ☐ 佑け たす
- ☐ 宥和 ゆうわ
- ☐ 宥める なだ
- ☐ 尤物 ゆうぶつ
- ☐ 尤れる すぐ
- ☐ 掠奪 りゃくだつ
- ☐ 掠める かす
- ☐ 明瞭 めいりょう
- ☐ 瞭らか あき
- ☐ 亮達 りょうたつ
- ☐ 亮らか あき
- ☐ 堅牢 けんろう
- ☐ 牢い かた

得点力UP!

覚えておきたい!

書き取り

解説

書き取り問題は読みの問題と異なり、難解な漢語はあまり出題されず、むしろここに例示したように、日常的に耳にする語が殆どです。準1級と1級の用字の字体には、標準字体と許容字体を持つものがあります（日本漢字能力検定協会発行「漢検要覧1級／準1級対応」参照）。許容字体で書いても正解とされますが、できるだけ標準字体で書けるよう、ふだんの勉強で心掛けましょう。

- ☐ **アカヌ**けた服装をしている。　垢・抜
- ☐ **アカネ**色の空を見上げる。　茜・

- ☐ **アサナギ**の海に漕ぎ出す。　朝凪・
- ☐ **アッケ**なく負けてしまった。　呆・気
- ☐ 仕事を**アッセン**する。　斡・旋
- ☐ **アマドイ**の修理をする。　雨樋・
- ☐ **アメ**玉を口に放り込む。　飴・
- ☐ 桜に続いて**アンズ**が花盛りだ。　杏・李・
- ☐ 彼は**イササ**か頼りない。　些・
- ☐ 父の**イハイ**を胸に抱く。　位牌・
- ☐ **イビツ**な形の箱。　歪・
- ☐ **ウバステ**山伝説を劇化する。　姥・捨
- ☐ 姉と妹と**ウリ**ふたつだ。　瓜・
- ☐ 今年は**ウルウ**年だ。　閏・

- ☐ 明日は**オイ**の誕生日。　甥・
- ☐ **オオゲサ**な物言いだ。　大袈・裟・
- ☐ 外出するのが**オックウ**だ。　億劫・
- ☐ 話に**オヒレ**がついて伝わる。　尾鰭・
- ☐ 優勝チームが**ガイセン**する。　凱・旋
- ☐ 刀**カジ**に弟子入りする。　鍛・冶・
- ☐ めでたく**カショク**の典を挙げる。　華燭・花燭・
- ☐ **カマボコ**を食べる。　蒲・鉾・
- ☐ **カリ**の群れが羽を休めている。　雁・
- ☐ **カレン**な少女に出会った。　可憐・
- ☐ **カンキツ**類のジュースを飲む。　柑・橘・
- ☐ 大人になって**カンロク**がついた。　貫禄・
- ☐ **キゼン**たる態度を示す。　毅・然
- ☐ **キママ**な旅をする。　気儘・

- ☐ きつくお**キュウ**をすえる。　灸・
- ☐ イソップの**グウワ**を読む。　寓・話
- ☐ 荒海に船で**コ**ぎ出す。　漕・
- ☐ 晩年は**コウコウヤ**然としていた。　好好爺・
- ☐ **ココウ**の臣を伴って行く。　股肱・
- ☐ **コセンキョウ**を渡る。　跨・線橋
- ☐ **コッケイ**な話に大笑いする。　滑稽
- ☐ 失敗をうまく**コト**する。　糊・塗
- ☐ 春菊の**ゴマ**和えを作る。　胡・麻
- ☐ **コンペキ**の海を航海する。　紺碧・
- ☐ 荷物を**コンポウ**する。　梱・包
- ☐ 目が**サ**えて眠れない。　冴・
- ☐ 神経を**サカナ**でする一言だ。　逆撫・
- ☐ 情報が**サクソウ**する。　錯綜・

- ☐ どうなるかは**サジカゲン**ひとつだ。　匙・加減
- ☐ **サワラビ**を摘む。　早・蕨・
- ☐ **サンゴショウ**の海を守ろう。　珊・瑚・礁
- ☐ **シイタケ**の栽培をしている。　椎・茸・
- ☐ 正月に**シシ**舞いを見る。　獅・子
- ☐ **シシ**に鞭打つ。　死屍・
- ☐ ハンカチに**シシュウ**をする。　刺繍・
- ☐ 青い**シソ**の葉の香りを楽しむ。　紫蘇・
- ☐ **シマウマ**が草を食んでいる。　縞・馬
- ☐ 晩酌の**シュコウ**を調える。　酒・肴・
- ☐ 紫は**ショウユ**の異称でもある。　醤・油
- ☐ 絵画の**シンガン**を見極める。　真贋・
- ☐ 壁が黒く**スス**ける。　煤・
- ☐ **スダレ**で西日を遮る。　簾・

解説

書き取りは楷書で丁寧に書くこと、止めや跳ね、払いに注意して書くことは2級以下と変わりありません。同音類字・異音類字に注意することも同様です（たとえば、「臆病」の「臆」を「億」「憶」と、「遼遠」の「遼」を「瞭」と書かないようにする）。

また、複数の書き方があるものを、複数解答した場合、そのうちのひとつが間違っていると誤答になりますので、注意が必要です。

- 出演者が**セイゾロ**いした。 勢揃
- **セッケン**で手を洗う。 石鹸
- 夜空に**センコウ**が走る。 閃光
- 部隊の**センポウ**として戦う。 先鋒

- 旅の**ダイゴ**味を味わう。 醍醐
- **ダイリビナ**を飾る。 内裏雛
- **ダエン**の面積を出す。 楕円
- ダム湖が水を**タタ**えている。 湛
- 倦まず**タユ**まず勉強する。 弛
- **タンパク**質を摂取する。 蛋白
- 夕食をご**チソウ**してもらう。 馳走
- 猟銃を一**チョウ**手に入れた。 挺
- ドアの**チョウツガイ**が外れた。 蝶番
- 夢も希望も**ツイ**えた。 潰
- 小鳥が餌を**ツイバ**む。 啄
- 最後**ツウチョウ**を突きつける。 通牒
- **ツクダニ**をおかずにする。 佃煮
- 作戦の**テハズ**は整った。 手筈

- 両者を**テンビン**にかける。 天秤
- 馬鈴薯から**デンプン**を取る。 澱粉
- 手紙を**トウカン**する。 投函
- 歳末の**トリ**の市が賑わう。 酉
- 親を**ナイガシ**ろにする。 蔑
- 音楽を聴き**ナガ**ら本を読む。 乍
- 泣く子を**ナダ**める。 宥
- 連休で観光地が**ニギ**わう。 賑
- **ニワカ**雨が降ってきた。 俄
- **ヌカヅ**けを食べる。 糠漬
- 水**ハ**けの悪い庭だ。 捌
- 羽織**ハカマ**で威儀を正す。 袴
- 古墳から**ハニワ**が出土する。 埴輪
- **ハマグリ**を吸い物にする。 蛤

- 宮中**バンサン**会が催された。 晩餐
- **バンジャク**の構えで臨む。 磐石
- **ヒッセイ**の大事業を成し遂げた。 畢生
- 事態は**ヒッパク**している。 逼迫
- 事件の**ビホウ**策を講じる。 弥縫
- 事故で**ヒンシ**の重傷を負う。 瀕死
- **フトウ**から海風が吹く。 埠頭
- **ブドウ**がたわわに実っている。 葡萄
- 他人に**フン**して尾行する。 扮
- 竹の**ヘラ**を粘土細工に使う。 箆
- **ホウトウ**息子が帰宅した。 放蕩
- 新聞は社会の**ボクタク**。 木鐸
- 亡き人の**ボダイ**を弔う。 菩提
- **ホラ**を吹く。 法螺

- **ホリュウ**の質でよく寝込む。 蒲柳
- 宣伝ビラを**マ**く。 撒
- 夏祭りの**ミコシ**をかつぐ。 神輿・御輿
- **ミス**の奥に貴人がおられる。 御簾
- 川の**ミズカサ**が増す。 水嵩
- 誕生日の贈り物を**モラ**った。 貰
- 古い火の見**ヤグラ**を取り壊す。 櫓
- 行軍から**ラクゴ**者が出る。 落伍
- 塔の上まで**ラセン**階段が続く。 螺旋
- **リュウチョウ**な英語で通訳する。 流暢
- まだまだ前途**リョウエン**だ。 遼遠
- **リンゴ**の歯ざわりを楽しむ。 林檎
- 国家機密を**ロウエイ**する。 漏洩
- **ワニ**皮の財布を使う 鰐

得点力UP!

覚えておきたい！

同音・同訓異字

解説

同音・同訓異字はここに挙げた二つ一組とは限りません。例示した中で、「コウショウ」ならばほかに「交渉・考証・口承・咬傷・鉱床…」など複数あります。

同音・同訓異字問題に正しく解答するには、漢字そのものの意味と熟語の意味を正確に把握し、文中に的確に当てはめなければなりません。たとえば、「翰墨」の「翰」は「筆」を意味します。「書斎にカンボクを～」という文だったら、即座に「翰墨」が意識にのぼるようにする、そのような勉強が日常的に必要です。

- 父の**イハイ**を胸に抱く。　位牌・
- 規則に**イハイ**する。　違背
- 条約批准の**インキョ**がおりる。　允・許
- 横丁のご**インキョ**さん。　隠居
- **ウロ**の争い。　烏・鷺・
- **ウロ**を辿って行く。　迂・路
- **エンエン**三時間にも及ぶ会議。　延延・延々
- 気息**エンエン**の有様だ。　奄奄・奄々
- **エンセイ**観が強まる。　厭・世
- 他国に**エンセイ**軍を送る。　遠征
- **ガイトウ**を着て寒さを防ぐ。　外套・
- **ガイトウ**する項目に印をつける。　該当

- **カコク**が豊かに実る。　禾・穀
- **カコク**な訓練に耐える。　苛酷
- 敵の**ガジョウ**に迫る。　牙城
- 花を描いた**ガジョウ**を開く。　画帖・
- 人の目を**カス**める。　掠・
- 春の野山が**カス**む。　霞・
- **ガゼン**勢力を取り戻す。　俄・然
- 玉砕すべきも**ガゼン**を恥ず。　瓦全
- **カンガイ**用水を引く。　灌・漑・
- **カンガイ**無量の面持ちだった。　感慨
- 書斎に**カンボク**をそろえる。　翰墨
- 野原に**カンボク**が生えている。　灌・木
- 知人の家に**キグウ**する。　寄寓・
- ここで会うとは**キグウ**だ。　奇遇

- 帽子に**キショウ**をつける。　徽・章
- **キショウ**動物を保護する。　稀少・希少
- 紙**クズ**を捨てる。　屑・
- **クズ**餅を食べる。　葛
- **ケイシ**に作表する。　罫・紙
- 将軍家の**ケイシ**となる。　継嗣
- **ケイショウ**な身のこなし。　軽捷・
- **ケイショウ**を鳴らす。　警鐘
- 意気**ケンコウ**。　軒昂・
- 勢力の**ケンコウ**を保つ。　権衡
- **ケンセイ**球を投げる。　牽・制
- 政界で**ケンセイ**を振るう。　権勢
- 世に**ケンデン**される。　喧・伝
- 筆耕**ケンデン**の生活。　硯・田

- 被告人を**コウイン**する。　勾引・拘引
- 王家の**コウイン**は断絶した。　後胤・
- 被服**コウショウ**で働く。　工廠・
- **コウショウ**な趣味を持つ。　高尚
- 無責任な**コウセツ**に過ぎない。　巷・説
- 字の**コウセツ**は問わない。　巧拙
- やっと**ココウ**をしのぐ。　糊・口
- **ココウ**の臣として重きをなす。　股肱・
- 思わぬ**ゴサン**があった。　誤算
- **ゴサン**会を催す。　午餐
- 神社に**コマ**犬がいる。　狛・
- **コマ**を回して遊ぶ。　独・楽・
- 金属が**サビ**る。　錆・
- **サビ**た声で歌う。　寂・

（「・」は準１級用漢字および常用漢字表外の読み、特別な読み）

解説

同音・同訓異字の問題は、現在の検定では書き取り問題の一部として出題されます。問題量としてはそう多くはありませんが、重要な問題であることに変わりはありません。特に準1級以上では、ここに例示したような「宥恕・叩頭・寵姫」のように現代日本語では使われない漢語が登場しますので、ふだんから読書などで語彙を増やしておくことが必要です。

- □ 商品を売り**サバ**く。 捌
- □ 公正に事件を**サバ**く。 裁
- □ **シカイ**の第一人者と言われる。 斯界
- □ **シカイ**また燃ゆ。 死灰

- □ 二人は**ジジョ**の間柄だ。 爾汝
- □ **ジジョ**伝を書き著す。 自叙
- □ **シュコウ**でもてなす。 酒肴
- □ **シュコウ**を凝らす。 趣向
- □ 桃の節句は**ジョウシ**ともいう。 上巳
- □ **ジョウシ**に報告をする。 上司
- □ たんすに**ショウノウ**を入れる。 樟脳
- □ どうぞご**ショウノウ**ください。 笑納
- □ **ジョウラン**を鎮める。 擾乱
- □ 将軍の**ジョウラン**に供する。 上覧
- □ 風邪をひいて**セキ**こむ。 咳
- □ 川の水を**セキ**止める。 堰
- □ **セッケン**で汚れを落とす。 石鹼
- □ 世界中を**セッケン**する勢いだ。 席捲

- □ **セッコウ**像を**デッサン**する。 石膏
- □ 敵地に**セッコウ**を放つ。 斥候
- □ 胃に**センコウ**が生じる。 穿孔
- □ 夜空に**センコウ**が走る。 閃光
- □ **センダン**は双葉より芳し。 栴檀
- □ 知事の**センダン**で処理する。 専断
- □ 権力の**ソウク**となる。 走狗
- □ 病後の**ソウク**が痛々しい。 瘦軀
- □ 古人の**ソウハク**をなめる。 糟粕
- □ 顔面**ソウハク**となる。 蒼白
- □ **ソセイ**品をつかまされた。 粗製
- □ 人工呼吸で**ソセイ**した。 蘇生
- □ 落ち葉を**タ**く。 焚
- □ 赤飯を**タ**く。 炊

- □ **タコ**を酢の物にする。 蛸・章魚
- □ 正月に**タコ**揚げをする。 凧
- □ **テンサイ**を栽培する。 甜菜
- □ 雑誌に**テンサイ**する。 転載
- □ 速達を**トウカン**する。 投函
- □ 事態を**トウカン**視する。 等閑
- □ 修験者が**トキン**をいただく。 兜巾
- □ 金属に**トキン**をほどこす。 鍍金
- □ 濫伐で山が**ハ**げる。 禿
- □ 絵の具が**ハ**げる。 剝
- □ のこぎりを**ヒ**く。 挽
- □ ピアノを**ヒ**く。 弾
- □ **ビワ**の実が熟した。 枇杷
- □ 平家**ビワ**の演奏を聴く。 琵琶

- □ 文質**ヒンピン**として君子なり。 彬彬・彬々
- □ 最近**ヒンピン**と地震が起こる。 頻頻・頻々
- □ 汗を**フ**く。 拭
- □ 屋根を**フ**く。 葺
- □ **ホウジョウ**の秋を迎えた。 豊穣
- □ 寺の**ホウジョウ**で寝起きする。 方丈
- □ 泉の水を**ム**すぶ。 掬
- □ ネクタイを**ム**すぶ。 結
- □ 天の**ユウジョ**があった。 佑助
- □ 寛大な**ユウジョ**を請う。 宥恕
- □ **ロウコ**たる意志を持つ。 牢乎
- □ **ロウコ**の如き野心を持つ。 狼虎

テストに入る前に

①テストに取りかかる前に、P.136からの「チカラがつく資料」に目を通されることをおすすめします。

②解答は筆画を正しく、明確に記すこと。

③解答時間を守ること。

④最後の第18回までやりとげること。

⑤自己採点は厳格に行うこと（別冊の解答と照合する）。

⑥間違えたところは二度と間違えないように心がけること。

テスト&資料

チカラがつく

［テストの構成］

㈠ 読み
㈡ 表外の読み
㈢ 熟語の読み・一字訓読み
㈣ 共通の漢字
㈤ 書き取り
㈥ 誤字訂正
㈦ 四字熟語
㈧ 対義語・類義語
㈨ 故事・諺
㈩ 文章題

本試験型

準1級 第1回★テスト

〈60分〉

合計点

200点満点の

点

- 160点以上 合格
- 130点以上 もう一度学習を
- 100点以上 猛勉強が必要
- 99点以下 受検級を考え直しましょう

1×30

/30

(一)

次の傍線部分の読みをひらがなで記せ。
1〜20は音読み、21〜30は訓読みである。

1 融通無碍の境地に遊ぶ。（　）
2 波頭の窪隆を描き分ける。（　）
3 正月の晴れ着を衣桁に掛ける。（　）
4 対戦相手に一瞥を投げる。（　）
5 東大寺は天竺様で再建された。（　）
6 弓箭の道を歩む。（　）
7 行い矩縄に中りて本を傷らず。（　）
8 山開きで禰宜のお祓いを受けた。（　）
9 十五歳で笈を負う。（　）
10 砦柵を乗り越えて攻め込む。（　）
11 禾穂が実らないうちに霜が降りた。（　）
12 硯池に新しい水を入れる。（　）
13 稗官は民間伝承採集の役目を負った。（　）
14 幡然と態度を改める。（　）
15 懸吊してあるランプが風に揺れた。（　）
16 天候に恵まれ稔熟の年となった。（　）
17 台所の片隅に竈君をまつる。（　）
18 俊異なる者は四門穆清の所以なり。（　）
19 上は碧落を窮め、下は黄泉。（　）
20 碩徳名儒、真に以て大義を諮るべし。（　）

21 名と実を秤に掛けて思案する。（　）
22 山の硲の村で生まれた。（　）

23 御簾を巻き上げて月を眺めた。（　　）
24 巧みに筏を操り川を下る。（　　）
25 天を怨まず人を尤めず。（　　）
26 肩を窄めて早足で歩く。（　　）
27 踏み碓で麦をつく。（　　）
28 祖父とは共に辛丑の年の生まれだ。（　　）
29 戦いに備えて矢を矧ぐ。（　　）
30 枝茎大にして之く所有るに象る。（　　）

(二)

1×10　／10

次の傍線部分は常用漢字である。その**表外の読み**を**ひらがな**で記せ。

1 隠していた不正行為が露になった。（　　）
2 社長に亜ぐ人物と面会した。（　　）
3 逸り立つ心を抑える。（　　）
4 少くして宰相の地位にのぼりつめた。（　　）
5 一族挙って結婚を祝した。（　　）
6 よく熟している果物を簡ぶ。（　　）
7 年長けた人に上座をすすめる。（　　）
8 遥か宇宙を星が運る。（　　）
9 子供を拐し、身代金を要求する。（　　）
10 父はいつも言葉が寡ない。（　　）

(三)

1×10　／10

次の**熟語の読み**（**音読み**）と、その**語義**にふさわしい**訓読み**を（送りがなに注意して）**ひらがな**で記せ。

〈例〉健勝…勝れる → けんしょう／すぐ

ア 1 華僑（　　）…2 僑る（　　）
イ 3 剴然（　　）…4 剴る（　　）
ウ 5 丞史（　　）…6 丞ける（　　）
エ 7 饗膳（　　）…8 饗す（　　）
オ 9 偓促（　　）…10 偓わる（　　）

2×5 ／10

(四)

次の各組の二文の（　）には**共通**する漢字が入る。その読みを後の□から選び、**常用漢字（一字）**で記せ。

1
友人の成功に（1）発される。
その行為は法に抵（1）する。（　）

2
風邪をこじらせて肺（2）になった。
（2）天下で汗を流す。（　）

3
スキーの（3）具を新調する。
正（3）で式典に列席した。（　）

4
作品の仕上げに（4）心する。
豆（4）のみそ汁を作る。（　）

5
育（5）資金を返済する。
首相が（5）断を下した。（　）

えい・えん・ぐ・けつ
しょく・そう・ふ・まん

2×20 ／40

(五)

次の傍線部分の**カタカナ**を**漢字**で記せ。

1 ヨットを港に**エイコウ**する。（　）
2 **アンバ**で体操の種目別優勝を果たす。（　）
3 試合後半、**ガゼン**攻勢に転じた。（　）
4 名物の**カマボコ**を土産に買う。（　）
5 列強に**ゴ**して海外に派兵する。（　）
6 果ても無く六道に**リンネ**する。（　）
7 年末に**スス**払いを行う。（　）
8 ポットに茶**コ**しを添えて供する。（　）
9 **アマドイ**の修理を依頼する。（　）
10 飼料用の**ヒエ**を栽培する。（　）
11 **カナエ**が沸き立つような騒ぎだ。（　）
12 江戸時代から**ショウユ**問屋を営む。（　）
13 家の隅々まで**クマ**なく探す。（　）
14 元気が**オウイツ**している。（　）
15 国はやぶれても山河は昔の**ママ**だ。（　）

16 ケンタイ感を覚えて本を閉じる。（　　）
17 エイケツの悲しみを新たにした。（　　）
18 一代のエイケツの功績を称える。（　　）
19 苦しそうにセく。（　　）
20 川の流れをセく。（　　）

2×5　/10

(六)

次の各文にまちがって使われている**同じ音訓の漢字**が**一字**ある。**上に誤字**を、**下に正しい漢字**を記せ。

1 杜撰な書類審査問題に対して揮然たる態度で臨み厳重な処分を決定した。（　・　）
2 明代陶磁器中の白眉とされるこの壺は嘗て皇帝専用釜で焼かれた逸品だ。（　・　）
3 大規模な干漑用水路の補修を行って収穫量を上げることを計画している。（　・　）
4 感染症発生から三年に垂とし救急医療体制の畢迫と関係者の疲弊が続く。（　・　）
5 僻村の分校に赴任したが水道の敷設がなく井戸水を酌んで用立てている。（　・　）

問1／2×10
問2／2×5　/30

(七)

次の 問1 と 問2 の四字熟語について答えよ。

問1 次の四字熟語の（1～10）に入る適切な語を後の□から選び**漢字二字**で記せ。

1（　　）落月
2（　　）煮鶴
3（　　）一触
4（　　）蜜語
5（　　）凡介

6 通暁（　　）
7 百歩（　　）
8 伏竜（　　）
9 千里（　　）
10 温柔（　　）

おくりょう・がいしゅう・じょうりん
せんよう・ちょうたつ・てんげん
とんこう・ふんきん・ほうすう・めいが

問2 次の1～5の**解説・意味**にあてはまる四字熟語を後の□から選び、その**傍線部分だけの読み**を**ひらがな**で記せ。

1 詩文を作るすぐれた才能のこと。（　　）

2 人に疑われるような言動は慎むべきだ。（　）
3 自分から禍いを招くたとえ。（　）
4 僧として守るべき道。（　）
5 水攻めの作戦のこと。（　）

円頓止観・開門揖盗・李下瓜田・時雨之化
慈悲忍辱・三尺童子・七歩八叉・嚢沙之計

2×10 /20

(八)

次の1～5の**対義語**、6～10の**類義語**を後の□の中から選び、**漢字**で記せ。□の中の語は一度だけ使うこと。

対義語

1 進取（　）
2 晩成（　）
3 静寂（　）
4 失墜（　）
5 懸念（　）

類義語

6 月並（　）
7 花形（　）
8 行脚（　）
9 苛烈（　）
10 世間（　）

あんど・けんそう・こうかん・しゅくせい
しゅんげん・じょうとう・たいえい
ちょうじ・ばんかい・ひしゃく

2×10 /20

(九)

次の故事・成語・諺の**カタカナ**の部分を**漢字**で記せ。

1 **セイア**は以て海を語るべからず。（　）
2 **イソギワ**で船を破る。（　）
3 鴨が**ネギ**をしょって来る。（　）
4 大海は**アクタ**を選ばず。（　）
5 **キンラン**の契り。（　）
6 十日の菊六日の**ショウブ**。（　）
7 命は**フウショク**のごとし。（　）
8 千日の**カヤ**を一日に焼く。（　）
9 貧は**ボダイ**の種、富は輪廻（りんね）のきずな。（　）
10 **ミノ**着て火事場へ入る。（　）

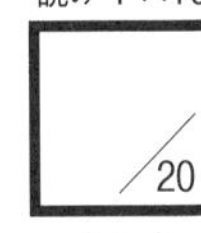
書き2×5
読み1×10
/20

(十)

文章中の傍線（1～5）の**カタカナ**を**漢字**に直し、波線（ア～コ）の**漢字の読み**を**ひらがな**で記せ。

A カーライル老年に及び、貴族に列せられんとせしも固辞して受けず。意気頗る昂[ア]がれる頃に当たり、一日或る公園に散策を試みんとし、途に乗合馬車に乗ず。同乗の客其の何人なるを知らず、**ホウハツ**[1]疎髯(そぜん)、素服して飾らず、眼光のみ炯々(けいけい)として人を射り、容貌の極めて奇異なるを凝視し「あの老人の醜さよ」と嘲笑す。予[イ]め此の醜き老人こそ文豪カーライルなれと知り居りたる馬丁は其の嘲笑を聞き、顧みて客に謂って曰(いわ)く「汝は彼の帽子の下に如何なる宇宙の存在するかを知らざるなり」と。然り、其の容貌は如何に醜悪なりしとするも、其の帽子の蔽[ウ]いたる脳裡[エ]には雄大深遠なる宇宙こそ存在したりしなれ。文学者の伝を綴らんとせば、其の材料に限りあり、又其の区域の定まりたるものあるが故に僅々数百頁の小冊と雖(いえど)も略[オ]其の大体を包括して之を伝うる事を得ん。（中略）されど如何に材料に限りあり区域に定まりありとは言え、決して博文館若しくは春陽堂に於いて出版する滔々(とうとう)たる今日の稗史[カ]小説を読むが如く何の苦もなく読み得べしとは思う可からず。

（内村鑑三「月曜講演」より）

B 当夜子牌（原注…深夜十二時頃）、暗雲四(よも)に合し、仰げども一星を見ず。四隣人定まり、弊家も亦[キ]将に寝に就かんとす。忽然**コンジク**[2]震[ク]蕩し、巨熕(きょこう)地を震うが如く、**ハトウ**[3]の屋を撼(うご)かすが如し。家人**ロウバイ**[4]し、戸を排(おしひら)いて出走するに遑(いとま)あらず。屏(へい)倒れ燭滅す。門牆(もんしょう)戸枢、皆潰裂傾倒す。唯柱の挫する声、**ハリ**[5]の圧する声、瓦の潰[ケ]ゆる声、壁の崩るる声、爆然、砉然(かくぜん)（注1）、硼硼然(ほうほうぜん)（注2）たるを聞くのみ。僕も亦幾[コ]ど其の圧する所と為る。

（菊池三溪「本朝虞初新誌（抄）」より）

（注1）砉然……ばりばり剝がれる音。
（注2）硼硼然……がらがら崩れる音。

1	ア
2	イ
3	ウ
4	エ
5	オ
	カ
	キ
	ク
	ケ
	コ

本試験型 準1級 第2回★テスト 〈60分〉

合計点

200点満点の　　点

- 160点以上 合格
- 130点以上 もう一度学習を
- 100点以上 猛勉強が必要
- 99点以下 受検級を考え直しましょう

1×30

/30

(一)

次の傍線部分の読みをひらがなで記せ。
1～20は音読み、21～30は訓読みである。

1 衣に伽羅を薫きしめる。（　　）
2 父祖は祐筆として大名家に仕えた。（　　）
3 叩頭して非礼を詫びる。（　　）
4 誌上で尖鋭的な論陣を張る。（　　）
5 劫火の後は静寂の世界と化した。（　　）
6 待望の儲嗣が誕生した。（　　）
7 両家の境界を劃定する。（　　）
8 思わぬ椿事が出来した。（　　）
9 兜率天には弥勒（みろく）菩薩がすむ。（　　）
10 僻遠の地に赴任する。（　　）
11 父は豪宕な性格だ。（　　）
12 丞相として難局に対処する。（　　）
13 この間の事情をご憐察ください。（　　）
14 侃直な姿勢を貫き通す。（　　）
15 条約の批准を允可する。（　　）
16 代々の霊廟を掃き清める。（　　）
17 凱風が南から吹き心和らぐ。（　　）
18 「魏（ぎ）志倭人伝」は重要な史料だ。（　　）
19 乍寒水の如くして羅裳を浸す。（　　）
20 間関たる鶯語花庭に滑らかなり。（　　）

21 病状が俄かにあらたまった。（　　）
22 「ええい、儘よ」と腹を括る。（　　）

23 不吉な黒雲が空を掩う。（　）
24 この街には廓の名残りがある。（　）
25 風は坤の方角に去った。（　）
26 銀の鐙を掛けた鞍を置く。（　）
27 海が凪ぐのを待って船を出す。（　）
28 その件は姑く置いておく。（　）
29 這の意を省みてただ苦辛するのみ。（　）
30 水深く利き鎌鳴らす真菰刈り。（　）

(二)

1×10　／10

次の傍線部分は常用漢字である。その**表外の読み**を**ひらがな**で記せ。

1 今更詰ることもあるまい。（　）
2 出席者の意見を諾う。（　）
3 すすきが風に戦いでいる。（　）
4 漸ぬるい湯に入るのが好きだ。（　）
5 準備が粗ととのったようだ。（　）
6 陸海空全軍を総べる。（　）
7 子供が広場を燥ぎ回っている。（　）
8 転職の伝を頼って上京する。（　）
9 年を越すまで存えられるだろうか。（　）
10 辺りには夕暮れが薄る。（　）

(三)

1×10　／10

次の**熟語の読み**（**音読み**）と、その**語義**にふさわしい**訓読み**を（送りがなに注意して）**ひらがな**で記せ。

〈例〉健勝…勝れる → けんしょう／すぐ

ア 1 喋血（　）…2 喋む（　）
イ 3 牢記（　）…4 牢い（　）
ウ 5 牟食（　）…6 牟る（　）
エ 7 畢生（　）…8 畢わる（　）
オ 9 盈虚（　）…10 盈ちる（　）

（四）

2×5　/10

次の各組の二文の（　）には**共通**する漢字が入る。その読みを後の□から選び、**常用漢字（一字）**で記せ。

1 毎年（1）例の祭礼を行う。
太陽は（1）星である。　（　　）

2 （2）眠暁を覚えず。
立（2）を過ぎてもまだ寒い。　（　　）

3 傷んだ絵画を（3）復する。
入社して一週間は研（3）期間だ。　（　　）

4 新しい（4）路を開拓する。
市（4）の薬をのんで治す。　（　　）

5 敵に（5）復する。
同好会の会（5）が刷り上がった。　（　　）

かん・きょう・こう・しゅう
しゅん・とう・はん・ほう

（五）

2×20　/40

次の傍線部分の**カタカナ**を**漢字**で記せ。

1 難解な書を読み**アグ**む。（　　）
2 抽斗を開けると**ショウノウ**の匂いがした。（　　）
3 子犬の頭をやさしく**ナ**でる。（　　）
4 **タユ**まぬ努力が実を結んだ。（　　）
5 端午の節句に**ショウブ**湯に入る。（　　）
6 **デンプン**は重要な栄養素だ。（　　）
7 正午の時報に合わせて**モクトウ**を捧げる。（　　）
8 来年は**ウルウドシ**に当たる。（　　）
9 火の見**ヤグラ**の上で見張る。（　　）
10 大統領選の**ゼンショウ**戦が始まった。（　　）
11 色糸で**テマリ**をかがる。（　　）
12 頂上に至る**リョウセン**をたどる。（　　）
13 **カモイ**に頭をぶつけた。（　　）
14 船は次の**トウビョウ**地に向かった。（　　）
15 良いアイディアが**ヒラメ**いた。（　　）

16 貢物を頭上にホウジする。（　　）
17 社長直々のホウジを賜る。（　　）
18 将来が楽しみなホウジだ。（　　）
19 田畑をスく。（　　）
20 海苔をスく。（　　）

(六)

2×5　/10

次の各文にまちがって使われている同じ音訓の漢字が一字ある。上に誤字を、下に正しい漢字を記せ。

1 無人の廃屋の庭に鬱壮と草木が生い茂って陽光を遮り昼でも暗い有様だ。（　・　）
2 数学の中で特に幾何は得意で円垂の表面積を求める問題は簡単に解けた。（　・　）
3 味爽降り止んだ雨の雫が葉末から零れて清々しい暑光が庭に満ち溢れた。（　・　）
4 弟は所謂知命を迎えて容膨から背恰好に至るまで亡父と見間違える程だ。（　・　）
5 父が漕運業を営む港には埠頭に大小の船舶が総集して賑わいが絶えない。（　・　）

(七)

問1／2×10
問2／2×5　/30

次の四字熟語について答えよ。 問1 と 問2 の四字熟語につい
て答えよ。

問1 次の四字熟語の（1〜10）に入る適切な語を後の□から選び漢字二字で記せ。

1（　　）無頼
2（　　）暮蚊
3（　　）両端
4（　　）斉駆
5（　　）走狗
6 雲竜（　　）
7 宛転（　　）
8 蘭亭（　　）
9 吉日（　　）
10 終南（　　）

がび・しゅそ・じゅんそう・しょうけい
せいあ・ちょうよう・ひよう・へいが
ほうとう・りょうしん

問2 次の1〜5の解説・意味にあてはまる四字熟語を後の□から選び、その傍線部分だけの読みをひらがなで記せ。

1 雄大な海の形容。（　　）

2 座右に置いて戒めとするもの。（　　）
3 戦乱が終わり風俗が同化すること。（　　）
4 天地と等しい大きな徳を持つこと。（　　）
5 古いしきたりを固く守ること。（　　）

知己朋友・参天弐地・宥坐之器・旧套墨守
採薪之憂・雲濤煙浪・六合同風・博聞彊識

2×10
/20
（八）

次の1～5の**対義語**、6～10の**類義語**を後の□の中から選び、**漢字**で記せ。□の中の語は一度だけ使うこと。

対義語

1 強健（　　）
2 安泰（　　）
3 断絶（　　）
4 鮮明（　　）
5 膨大（　　）

類義語

6 豊年（　　）
7 賢明（　　）
8 片腕（　　）
9 詩集（　　）
10 暴漢（　　）

きょうと・ここう・さしょう・じんさい
ぜいじゃく・そうじょう・そうめい
へんじゅう・もこ・れんこう

2×10
/20
（九）

次の故事・成語・諺の**カタカナ**の部分を**漢字**で記せ。

1 金と**チリ**は積もるほど汚い。（　　）
2 大海を手で**セ**く。（　　）
3 敵を見て矢を**ハ**ぐ。（　　）
4 **チョウアイ**昂じて尼になす。（　　）
5 日、西山にせまり気息**エンエン**たり。（　　）
6 大**カン**は忠に似たり。（　　）
7 麦と**シュウトメ**は踏むが良い。（　　）
8 **ロギョ**章草の誤り。（　　）
9 千丈の堤も**ギケツ**より崩れる。（　　）
10 **アゼ**から行くも田から行くも同じ。（　　）

書き2×5
読み1×10

/20

(十)

文章中の傍線（1～5）の**カタカナ**を**漢字**に直し、波線（ア～コ）の**漢字の読み**を**ひらがな**で記せ。

A

嘉永年間或る友人より洋製石版画を借観せしに、[1]シッカイ真に[ア]逼りたるが上に一の趣味あることを発見し忽ち習学の念を起こしたれども、其の伝習の道を得ること難きより日夜苦心焦慮しける中、官に請うて海外人に[イ]随うの外あるべからずとの考えつきしが（中略）幸いに甲州産の道具屋利兵衛という者麴町に居り[ウ]入魂なりしかば同人に尋問せしに同人の曰（いわ）く、親戚なる同国人真下専之丞氏目下[エ]蕃書調所の組頭を奉職せり、速やかに同人に委託せば良結果あるべしと。由一これを聞き[2]ジャクヤクの余り厚く紹介を委託せしに、日を置きて真下氏の答えに本人の志願[3]ヨミすべし、調所内には[4]ツトに画図局あり、先輩の教官ありて学生を教導せり、早く入学願書を出すべしとありし由通ぜられしかば、天にも昇る心地して文久二年九月五日免許を得、入学を終わり、画局教官川上万之丞の指示を受け通学勉学せり。

（高橋由一「高橋由一履歴」より）

B

時に（注）珂碩（かせき）、名声漸く喧しく、信徒日に集まること数十人。厨間[オ]烹茶の[5]カナエ、纔（わず）かに数升を容る。衆に供するに足らず。伯父と児と謀り、斗大のカナエを寄贈せんと欲す。帰来し工に命じて之を鋳さしむ。カナエ成る。携えて江戸に到らんと欲す。業務鞅掌（おうしょう）、[カ]荏苒数日を経る。将に行李を[キ]理めて途に就かんとす。忽然としてカナエを失う。[ク]以為、「賊の奪う所なり」と。然れども門戸皆[ケ]鎖す、携去の迹（あと）を見ず。四方捜索するも獲る所無し。因って[コ]念う、「師は活仏なり。或いはカナエの在る所を知らん」と。

（石川鴻斎「夜窓鬼談（抄）」より）

（注）珂碩……十七世紀の浄土宗僧侶。

1	ア
2	イ
3	ウ
4	エ
5	オ
	カ
	キ
	ク
	ケ
	コ

本試験型 準1級 第3回★テスト

〈60分〉

合計点

200点満点の　　点

- 160点以上　合格
- 130点以上　もう一度学習を
- 100点以上　猛勉強が必要
- 99点以下　受検級を考え直しましょう

1×30

/30

(一)

次の傍線部分の読みをひらがなで記せ。1〜20は音読み、21〜30は訓読みである。

1 部下に瀆職の罪をなすりつける。（　）
2 隣国を奄有せんとして侵攻する。（　）
3 抵抗民族の集落を焚滅する。（　）
4 港に各種船舶が湊集する。（　）
5 一流料亭で烹煎を任される。（　）
6 電柱に碍子を取り付ける。（　）
7 湛湛たる湖に小舟を出す。（　）
8 凋残の民を救う。（　）
9 世界経済が危殆に瀕する。（　）
10 機密漏洩容疑で取り調べる。（　）
11 鶏肋は肉は少ないが棄て難い。（　）
12 紙燭を手に奥殿に向かった。（　）
13 職業に貴賤は無い。（　）
14 この涌水は名水に指定されている。（　）
15 この先、水路は暗渠となっている。（　）
16 両人の証言がぴたりと吻合した。（　）
17 山の斜面は灌木で覆われている。（　）
18 邑宰を呼んで城門を開けさせる。（　）
19 天下を席巻し四海を囊括す。（　）
20 書生の卯飯動もすれば午に及ぶ。（　）
21 水を取り替えつつ米を淘げる。（　）
22 情況を悉に伝える。（　）

23 置網は一浬以内の所に張る。（　　）
24 薬の効き目が灼だ。（　　）
25 蝦蔓の葉は葡萄に似ている。（　　）
26 小豆を煮て漉しあんを作る。（　　）
27 小鳥が芝生で何か啄んでいる。（　　）
28 春沢の渥い恩みをめぐらす。（　　）
29 橡の喪衣ひとかさね着たり。（　　）
30 艱難(かんなん)爾を玉にす。（　　）

1×10

/10

(二)

次の傍線部分は常用漢字である。その**表外の読み**を**ひらがな**で記せ。

1 海外留学の願いを聴す。（　　）
2 火鉢の灰に炭火を埋ける。（　　）
3 古きを温ね新しきを知る。（　　）
4 道が左右に岐れている。（　　）
5 自分の立場をよく弁えている。（　　）
6 小説の稿を清書する。（　　）
7 南側に書斎を設える。（　　）
8 従業員に労いの言葉をかける。（　　）
9 そのような事例はとても鮮ない。（　　）
10 だいぶ気分が解れてきた。（　　）

1×10

/10

(三)

次の**熟語の読み**（**音読み**）と、その**語義**にふさわしい**訓読み**を（送りがなに注意して）**ひらがな**で記せ。

〈例〉健勝…勝れる → けんしょう／すぐ

ア 1 醗酵（　　）…2 醗す（　　）
イ 3 強靫（　　）…4 靫やか（　　）
ウ 5 幡幡（　　）…6 幡る（　　）
エ 7 閃光（　　）…8 閃く（　　）
オ 9 鞠問（　　）…10 鞠べる（　　）

2×5

/10

(四)

次の各組の二文の（　）には**共通**する漢字が入る。その読みを後の□から選び、**常用漢字**（**一字**）で記せ。

1 海（1）で体を洗う。
（1）密な打ち合わせをする。（　　）

2 返事を保（2）する。
健康に（2）意する。（　　）

3 直接対決は不可（3）だろう。
屋根に（3）雷針を立てる。（　　）

4 規（4）正しい生活をする。
（4）動的な音楽を聴く。（　　）

5 法案を（5）定する。
朝の公園を散（5）する。（　　）

けっ・さく・そく・ちゅう
ひ・めん・りつ・りゅう

2×20

/40

(五)

次の傍線部分の**カタカナ**を**漢字**で記せ。

1 不手際をうまく**コト**する。（　　）
2 ここに**イササ**か持ち合わせがある。（　　）
3 この街は**カキョウ**の人々が作った。（　　）
4 **ノギ**偏の字を書き出してみる。（　　）
5 九官鳥は人の言葉を真似て**シャベ**る。（　　）
6 **カンキツ**類の香りが広がった。（　　）
7 **ケイモウ**思想が欧州に広まった。（　　）
8 **ワラビ**餅に黄粉をまぶす。（　　）
9 **ウンカ**の如き大軍が侵攻してきた。（　　）
10 花粉症に備えて**テンチャ**を飲む。（　　）
11 睡眠薬が効いて**コンコン**と眠った。（　　）
12 台風は関東沿岸を**カス**めて北上した。（　　）
13 論文には少なからぬ**ゴビュウ**があった。（　　）
14 指先で**ケイドウミャク**を探り当てる。（　　）
15 皆が口を**ソロ**えて言っている。（　　）

16 大火事で何もかも**ウユウ**に帰した。（　　）

17 心が**トロ**けるような甘い旋律だ。（　　）

18 一**マイル**は約一・六キロメートルだ。（　　）

19 **シカイ**の第一人者といわれる。（　　）

20 **シカイ**復燃ゆ。（　　）

(六)

2×5　／10

次の各文にまちがって使われている**同じ音訓の漢字**が**一字**ある。**上に誤字**を、**下に正しい漢字**を記せ。

1 穎敏な学究として将来を属望される青年は人格的な総明さに欠陥がある。（　・　）

2 足の浮種の原因として内臓疾患が疑われ地域の基幹病院に検査入院した。（　・　）

3 近什の斧正を乞うた碩学の師に逸美と思う程のお褒めの言葉を頂戴した。（　・　）

4 刻苦勉励の甲斐あって学問の泰斗の集う大学に入学が叶い謹喜雀躍した。（　・　）

5 君寵深き妃が待望の儲嗣を産み外戚たる条相の内裏での専恣は弥増した。（　・　）

(七)

問1／2×10　問2／2×5　／30

次の**問1**と**問2**の四字熟語について答えよ。

問1 次の四字熟語の（1～10）に入る適切な語を後の□から選び**漢字二字**で記せ。

1（　　）湖光

2（　　）手段

3（　　）三遷

4（　　）一節

5（　　）万里

6 因循（　　）

7 泥車（　　）

8 街談（　　）

9 和光（　　）

10 社燕（　　）

いけん・がこう・こうせつ・こそく
しゅうこう・じょうとう・どうじん
ほうてい・もうぼ・らんえい

問2 次の1～5の**解説・意味**にあてはまる四字熟語を後の□から選び、その**傍線部分だけの読み**を**ひらがな**で記せ。

1 凶暴な者は教化しがたい。（　　）

2 賢者が用いられず民間にいるたとえ。（　　）
3 父母が共に健在であること。（　　）
4 国を滅ぼすほどのみだらな音楽のこと。（　　）
5 つとめて食し、体を大切にすること。（　　）

彊食自愛・白駒空谷・鄭衛桑間・臨淵羨魚
狼子野心・椿萱並茂・碧血丹心・益者三楽

2×10
/20

(八)

次の1～5の**対義語**、6～10の**類義語**を後の□の中から選び、**漢字**で記せ。□の中の語は一度だけ使うこと。

対義語

1 率直（　　）
2 瞬間（　　）
3 冷静（　　）
4 頑健（　　）
5 没頭（　　）

類義語

6 言行（　　）
7 格言（　　）
8 吉祥（　　）
9 突如（　　）
10 土手（　　）

うえん・うんい・えいごう・かずい
がぜん・げっこう・けんたい・こげん
ていとう・ほりゅう

2×10
/20

(九)

次の故事・成語・諺の**カタカナ**の部分を**漢字**で記せ。

1 雨垂れ石を**ウガ**つ。（　　）
2 **シラン**の室に入るが如し。（　　）
3 夜目遠目**カサ**の内。（　　）
4 **リョウキン**は木を択んで棲む。（　　）
5 管をもって天を**ウカガ**う。（　　）
6 百尺**カントウ**に一歩を進む。（　　）
7 心の欲するところに従えども**ノリ**(注)をこえず。（　　）
8 天の**ビロク**。（　　）
9 升で量って**ミ**でこぼす。（　　）
10 **コショウ**鳴らし難し。（　　）

(注) ノリ…おきて。きまり。

書き2×5
読み1×10
/20

(十)

文章中の傍線（1～5）のカタカナを漢字に直し、波線（ア～コ）の漢字の読みをひらがなで記せ。

A

時方[ア]に沍寒（ごかん）に向かい炉を擁して書室に冬籠もりし、其の嘗[イ]て東海道を旅せしときの事抔（など）を思い出で山河のショウケイ[1]を想像せんに、傍らに人有りて「箱根路を我越え来れば伊豆の海や沖の小島に波の寄る見ゆ」と打ち吟じたらんには、当時の風景忽ち胸中に湧出し、函嶺[ウ]の巓（いただき）より遥かに伊豆地方の海面を打ち眺めんには斯[エ]くも有りなん斯くも見ゆべしと徐（そぞ）ろに其の風景を我が眼前に見るが如き心地するなるべし。又嘗て他郷にリュウグウ[2]し、病に臥[オ]したる往時を追懐するの際、傍らにて「旅に病みて夢は枯野を駈け廻[カ]る」と打ち吟ずる者あらんには、親戚知友の少なき他郷にリュウグウして外出することも叶[キ]わず、孤枕を友として空しく近郊の景色を想像し居る哀れなる有様は忽ち其の胸中に現出すべし。

（矢野龍溪「詩歌俳諧論」より）

B

然れども西郷は必ずしも凡[ク]ての朝政に向かって不平を抱きしにあらず。彼維新の大業を為したる後は、殆ど一の武人となれり。その眼光は武事の一方に注射せり。而して新進の武人が、その才能巧智によりて頻[ケ]りに累遷し、曽て自家の手足となりて九州の原野を転戦せる武人が、空しく後（しり）えに瞠若（どうじゃく）たるものあるを憤り、此[コ]くの如きヘンパ[3]軽巧の政治は、必ず国家を誤ると信じ、憂鬱転じて不平となり、而して人民が新政府の政に服せず、所在蜂起し、一方には新進の少年が、新聞雑誌に時弊を摘発するを見て、此の不平は一変して驕慢（きょうまん）となり、ダイコウ[4]出でずんば夫（それ）ソウセイ[5]を如何と為すに至れり。

（竹腰與三郎「新日本史」より）

1	ア
2	イ
3	ウ
4	エ
5	オ
	カ
	キ
	ク
	ケ
	コ

本試験型 準1級 第4回★テスト

〈60分〉

合計点

200点満点の　　点

- 160点以上 合格
- 130点以上 もう一度学習を
- 100点以上 猛勉強が必要
- 99点以下 受検級を考え直しましょう

(一)

1×30　　/30

次の傍線部分の読みを**ひらがな**で記せ。
1～20は**音読み**、21～30は**訓読み**である。

1 桓桓たる若武者が陣頭に立つ。（　　）
2 首都は文化文物の淵藪である。（　　）
3 伽藍一院建立して修行の場とした。（　　）
4 花弁の中に十数本の雌蕊がある。（　　）
5 香気のある蠟梅の花が開く。（　　）
6 庭木を揃刈する。（　　）
7 鳥の餌に牡蠣を混ぜる。（　　）
8 蠅頭細字の書を読む。（　　）
9 世をはかなんで薙髪する。（　　）
10 王妃は蟬蜎たる美女であった。（　　）
11 二国間の紐帯を重視する。（　　）
12 思い切り殴打して溜飲を下げた。（　　）
13 清明近く蕨拳動かんと欲す。（　　）
14 犯行について厳しく鞠訊する。（　　）
15 我衰えて政に臨むに謬錯多し。（　　）
16 亙久の平和を祈念する。（　　）
17 井蛙は海を語るべからず。（　　）
18 蔦の色は紅、蘇芳の濃き薄き。（　　）
19 街談巷説にも必ず採るべき有り。（　　）
20 太祖は聡明叡達、大度弘遠なり。（　　）
21 絢ある織物を贈り物にした。（　　）
22 さも白く咲きていたる苧環の花。（　　）

23 この襖絵は狩野派の絵師が描いた。（　）
24 春の風が裳裾を翻す。（　）
25 出立は朝夙であった。（　）
26 木の俣に腰掛けて本を読む。（　）
27 腕のよい杢に新築を任せる。（　）
28 侍女を呼んで蔀を上げさせる。（　）
29 蔓る悪人の一掃に乗り出す。（　）
30 胡ぞ故郷に帰らざる。（　）

(二)

1×10　/10

次の傍線部分は常用漢字である。その**表外の読み**を**ひらがな**で記せ。

1 あの比はまだ世界は平穏だった。（　）
2 貿易の門戸が鎖された。（　）
3 古道具屋で掛軸を購う。（　）
4 経歴を詐り知事選に立つ。（　）
5 取り残された被災者を済う。（　）
6 任地から実に便りをよこす。（　）
7 雪のひと枚が舞い落ちてきた。（　）
8 手法が陳くて面白みに欠ける。（　）
9 眉を細く刷いて化粧する。（　）
10 奇しくも同じ飛行機に乗り合わせた。（　）

(三)

1×10　/10

次の**熟語の読み**（**音読み**）と、その**語義**にふさわしい**訓読み**を（送りがなに注意して）**ひらがな**で記せ。

〈例〉健勝…勝れる → けんしょう / すぐ

ア 1 弥漫（　）…2 弥し（　）
イ 3 匡弼（　）…4 弼ける（　）
ウ 5 按針（　）…6 按べる（　）
エ 7 恢廓（　）…8 恢い（　）
オ 9 荒蕪（　）…10 蕪れる（　）

（四）

2×5　／10

次の各組の二文の（　）には**共通**する漢字が入る。その読みを後の［　］から選び、**常用漢字**（**一字**）で記せ。

1
詳しい（1）歴を記す。
原稿の校（1）をする。
（　　）

2
ダムの水が枯（2）する。
名声を得たいと（2）望する。
（　　）

3
昼食は各自で（3）行する。
他社と技術提（3）を行う。
（　　）

4
台風の被害は（4）大だ。
深（4）な謝意を述べる。
（　　）

5
恩師の言葉を心に（5）記する。
この本には深い感（5）を受けた。
（　　）

えつ・かつ・ぎょう・けい
じん・せい・たい・めい

（五）

2×20　／40

次の傍線部分の**カタカナ**を**漢字**で記せ。

1 仲間外れにされたと思い**ヒガ**む。（　　）
2 どちらが有利か**テンビン**にかける。（　　）
3 小鳥が餌を**ツイバ**む。（　　）
4 **シャクネツ**のサハラ砂漠を行く。（　　）
5 史上に**サンゼン**と輝く業績を残す。（　　）
6 二百十日の風が草を**ナ**ぎ倒す。（　　）
7 本番を前にしてさすがに**ヒル**んだ。（　　）
8 **シャハン**の事情により中止する。（　　）
9 荷物を丁寧に**コンポウ**する。（　　）
10 餅を**ヒシガタ**に切って重ねる。（　　）
11 医者が**サジ**を投げる程の容態だった。（　　）
12 **シタン**のテーブルを買った。（　　）
13 古墳から多くの**ハニワ**が出土した。（　　）
14 遺された**メイ**を引き取って育てた。（　　）
15 **サジン**を巻き上げて隊商は去った。（　　）

16 生まれたばかりのエイジを抱き上げた。（　　）
17 カコクが豊かに実る秋がきた。（　　）
18 カコクな税の取り立てを行う。（　　）
19 将来の夢がツイえる。（　　）
20 貴重な時間がツイえる。（　　）

2×5 ／10

(六)

次の各文にまちがって使われている**同じ音訓の漢字**が**一字**ある。**上に誤字**を、**下に正しい漢字**を記せ。

1 敏腕編集者が詰める中を別荘に楼城して小説を執筆し上梓に漕ぎ着けた。（　・　）
2 等閑な責任追及で表面を固塗しても野党議員の鋭い批判から逃れ得まい。（　・　）
3 不正な株取引で起訴された元重役が報道陣を鋭く蔑見して法廷に入った。（　・　）
4 沈香等の香料を煉り合わせて伏籠の中で炊き籠に被せた衣に香を移した。（　・　）
5 拙速を戒め産まず弛まず孜孜として日夜努力することが成功の鍵である。（　・　）

問1／2×10 問2／2×5 ／30

(七)

次の**問1**と**問2**の四字熟語について答えよ。

問1 次の四字熟語の（1～10）に入る適切な語を後の□から選び**漢字二字**で記せ。

1（　　）三尺
2（　　）猛進
3（　　）奮迅
4（　　）弱水
5（　　）李下
6 亡羊（　　）
7 一虚（　　）
8 周章（　　）
9 箪食（　　）
10 楚材（　　）

いちえい・かでん・ぎょうかい・しし
しんよう・ちょとつ・ひょういん・ほうらい
ほろう・ろうばい

問2 次の1～5の**解説・意味**にあてはまる四字熟語を後の□から選び、その**傍線部分だけの読み**を**ひらがな**で記せ。

1 戦いをやめること。（　　）

2 息も絶え絶えで今にも死にそうなさま。（　　）

3 子孫が繁栄することのたとえ。（　　）

4 現世の迷いを断ち切ること。（　　）

5 聡明ですぐれていること。（　　）

> 気息奄奄・遠塵離垢・高軒寵過・按甲休兵
> 多士済済・竜興致雲・有智高才・蘭桂騰芳

2×10 ／20

(八) 次の1～5の**対義語**、6～10の**類義語**を後の□□の中から選び、**漢字**で記せ。□□の中の語は一度だけ使うこと。

対義語

1 板目（　　）

2 弊風（　　）

3 褒美（　　）

4 晦日（　　）

5 絶版（　　）

類義語

6 慈雨（　　）

7 長寿（　　）

8 剛直（　　）

9 悦楽（　　）

10 切迫（　　）

> かんかん・きんき・こうう・さくじつ
> じゅんぷう・じょうし・ちんじゅ・てっつい
> ひっぱく・まさめ

2×10 ／20

(九) 次の故事・成語・諺の**カタカナ**の部分を**漢字**で記せ。

1 片手で**キリ**はもまれぬ。（　　）

2 **ヌ**れぬ先の傘。（　　）

3 どじょう汁に**キンツバ**。（　　）

4 門前**ジャクラ**を張る。（　　）

5 **サヤ**走りより口走り。（　　）

6 駄賃馬に**カラグラ**（注）。（　　）

7 **コウキョク**の形には縄直の影なし。（　　）

8 女房と**ナベカマ**は古いほど良い。（　　）

9 **サイシン**の憂いあり。（　　）

10 元の**モクアミ**。（　　）

（注）カラグラ…儀式に使う馬具。

書き2×5
読み1×10

/20

(十)

文章中の傍線（1～5）の**カタカナ**を**漢字**に直し、波線（ア～コ）の**漢字の読み**を**ひらがな**で記せ。

A

此のころは余が1**キョウキョ**の庭に毎日2**ウグイス**の来たり鳴く。あまりに可愛ければ飯粒なりと3**マ**き与えよと命ずれば家人皆嘻々（きき）として口をア掩う。余平生実に鳥獣草木の事にイ昧く、能く名を識り形を弁ずるものは指を僂（ま）げるほどに過ぎず。膳に対するも多くはラムが謂わゆる自ら食う所の何物なるやを知らざるたぐいなり。常に周詩をウ悦び読めども、4**チュウジ**の特に挙げて称せる鳥獣草木の名に至りては却って矇々（もうもう）たり。嘗て衛風を講じてエ碩人の卒章に及び、(注)鱣（てん）鮪（い）発々の鮪は定めてマグロのようなるものにやという。諸生笑いて河水にマグロは似合わずという。余心におかしく然らばナマズ乎といい、相視てオ復共にカ軒渠す。

（森田思軒「南窓渉筆」より）

注……**鯉としび。**

B

一両日後、予ら寓居の留守たりし高二来たりて、柴中佐に報ぜしところによれば（中略）キ団匪は、同館に留まりおりし高二、看門（門番）および予らのク僕をみな門外に出でしめ、奉教者なるや否やを問い、奉教者にあらずば焼ケ香叩頭して神を拝せよと命ぜしかば、みなそのごとくにして生命だけは助かりぬ。老公館の対面なる錦記号商店は、多年公使館の用を弁ぜしものなれば、団匪はこれをも焼かんとしてその門に火を放ちしに、近隣の人々きたりて、その奉教の徒にあらざることを弁じたるため、しからばコ宥すとて去りぬと。予は台基廠に移る時、書籍だけは全部これを携えきたりて現公使館に預けおきしかば、さいわいにこの夜の火をまぬかれたるが、その他の所持品はこの夜みな5**ウユウ**となりぬ。

（服部宇之吉「北京籠城日記」より）

1	ア
2	イ
3	ウ
4	エ
5	オ
	カ
	キ
	ク
	ケ
	コ

本試験型

準1級 第5回★テスト

〈60分〉

合計点

200点満点の　　点

- 160点以上 合格
- 130点以上 もう一度学習を
- 100点以上 猛勉強が必要
- 99点以下 受検級を考え直しましょう

1×30 　/30

(一)

次の傍線部分の読みをひらがなで記せ。1～20は**音読み**、21～30は**訓読み**である。

1 世諺を引用して教え諭した。（　）
2 先人の徽言を以て告げる。（　）
3 計画の実行を阻碍する。（　）
4 這裡の事情を汲み取る。（　）
5 政争に敗れて地方に逼塞した。（　）
6 夙夜怠らず勉学に励む。（　）
7 貰貸無しとなりすっきりした。（　）
8 赫赫たる戦果を挙げる。（　）
9 城門の番兵に誰何された。（　）
10 近隣諸国と友誼を結ぶ。（　）
11 単調な仕事に倦色を示す。（　）
12 辛酉革命は中国古代の予言説だ。（　）
13 食邑を賢く経営する。（　）
14 恩師の推挽により今の地位を得た。（　）
15 師に向かって一揖する。（　）
16 倉を開いて民に賑給する。（　）
17 鬱蒼たる森が眼下に広がる。（　）
18 幼君を輔導して学問を修めしむ。（　）
19 竪子（とも）与に謀るに足らず。（　）
20 天地の醇和を含み日月の休光を吸う。（　）
21 縁故を辿って旧友の消息を知る。（　）
22 荒れ地に莱が生い茂る。（　）

第5回

23 山小屋に逗まって天候回復を待つ。（　　）
24 手づから笥子の器ものに盛る。（　　）
25 雨後の轍にタイヤを取られる。（　　）
26 敷居を跨げば七人の敵がいる。（　　）
27 轡をかましておく。（　　）
28 邪気除けに卯槌を飾る。（　　）
29 令の行わるる所多ければ民は誹らず。（　　）
30 山賤（やまがつ）のおとがい閉づる葎かな。（　　）

(二)

1×10 ／10

次の傍線部分は常用漢字である。その**表外の読み**を**ひらがな**で記せ。

1 幾わくは世界が平和にならんことを。（　　）
2 現場の有様は本当に惨い。（　　）
3 集団が三方に散ける。（　　）
4 一代で阜かな富を築いた。（　　）
5 板を斜に打ちつけた。（　　）
6 邪な思いを抱く。（　　）
7 その行為は法律に抵れる。（　　）
8 兄に集って酒を飲む。（　　）
9 お互いの立場を慮って決める。（　　）
10 空想を縦にする。（　　）

(三)

1×10 ／10

次の**熟語の読み**（**音読み**）と、その**語義**にふさわしい**訓読み**を（送りがなに注意して）**ひらがな**で記せ。

〈例〉健勝…勝れる → けんしょう｜す　ぐ

ア 1 雑沓（　　）…2 沓なる（　　）
イ 3 敦厚（　　）…4 敦い（　　）
ウ 5 暢叙（　　）…6 暢べる（　　）
エ 7 擾化（　　）…8 擾らす（　　）
オ 9 杜口（　　）…10 杜ぐ（　　）

2×5
/10

(四)

次の各組の二文の（　）には**共通**する漢字が入る。その読みを後の□から選び、**常用漢字（一字）**で記せ。

1
精神（1）乱状態に陥る。
期待と不安が交（1）する。
（　　）

2
近代史に関する文（2）を調べる。
慰霊碑に（2）花する。
（　　）

3
全国優勝の栄（3）に輝く。
英語の（3）詞について学ぶ。
（　　）

4
両者の証言がぴったり（4）合する。
問題に終止（4）を打つ。
（　　）

5
思い出は（5）明に残る。
生（5）食料品店を営む。
（　　）

かん・きょう・けん・こう
さく・せん・とう・ふ

2×20
/40

(五)

次の傍線部分の**カタカナ**を**漢字**で記せ。

1 クーラーのきく部屋で暑さを**シノ**ぐ。（　　）
2 才能に**ホ**れ込んで主役に決めた。（　　）
3 無事を知って**アンド**した。（　　）
4 罪を悔いて心から**ユウジョ**を請う。（　　）
5 背中に**キュウ**をすえる。（　　）
6 書き上げた新作を**ジョウシ**する。（　　）
7 羽織**ハカマ**で威儀を正す。（　　）
8 **バレイショ**で温かいスープを作る。（　　）
9 人事上**ヘンパ**な取り扱いがあった。（　　）
10 無痛**ブンベン**で母子ともに元気だ。（　　）
11 大統領を**イサ**める人がいない。（　　）
12 この**カイワイ**にはおしゃれなカフェが多い。（　　）
13 不振を**バンカイ**する本塁打を打った。（　　）
14 武力の脅しで**ケンセイ**する。（　　）
15 **モット**もらしい理屈をこねる。（　　）

16 哲学の意義についてシイを深める。（　　）
17 中華の王朝は異民族をシイと呼んだ。（　　）
18 シイ的に政治を行う。（　　）
19 寒さがイヤ増してきた。（　　）
20 乱れた世の中がイヤになった。（　　）

（六）

2×5

/10

次の各文にまちがって使われている**同じ音訓の漢字**が**一字**ある。**上に誤字**を、**下に正しい漢字**を記せ。

1 傑作と評判の作品と聞くが仔細に読めば古人の層粕を嘗める愚作である。（　・　）
2 世界遺産の富士山は独立峰として秀麗な山容から芙羊峰なる美称を持つ。（　・　）
3 帝の叡慮を拝した宰相が廟議を貫直な姿勢で通し儲嗣問題を決着させた。（　・　）
4 防戦一方だった軍は俄然攻勢に出るや忽ち敵を潰走させて快済を叫んだ。（　・　）
5 稀少価値のある骨陶品の収集が道楽だった父が小規模な展示館を作った。（　・　）

（七）

問1／2×10
問2／2×5

/30

次の**問1**と**問2**の四字熟語について答えよ。

問1 次の四字熟語の（1～10）に入る適切な語を後の□から選び**漢字二字**で記せ。

1（　　）天助（　　）
2（　　）帯河（　　）
3（　　）準縄（　　）
4（　　）蓬矢（　　）
5（　　）紅毛（　　）
6 馬牛（　　）
7 夏侯（　　）
8 綱挙（　　）
9 煩悩（　　）
10 道傍（　　）

きく・きんきょ・くり・しゅうかい
しんゆう・そうこ・へきがん・ぼだい
もうそ・れいざん

問2 次の1～5の**解説・意味**にあてはまる四字熟語を後の□から選び、その**傍線部分だけの読み**を**ひらがな**で記せ。

1 老人をいたわること。（　　）

2 人情のない陰険な人相。（　　）
3 世俗を脱した高尚な人のたとえ。（　　）
4 少しも弛まず仏道修行に励むこと。（　　）
5 和やかな気分が満ちていること。（　　）

教唆煽動・安車蒲輪・平沙万里・滴水嫡凍
満腔春意・清浄無垢・蜂準長目・雲中白鶴

2×10
/20

(八)

次の1～5の**対義語**、6～10の**類義語**を後の□の中から選び、**漢字**で記せ。□の中の語は一度だけ使うこと。

対義語

1 安穏（　　）
2 高貴（　　）
3 崇拝（　　）
4 解放（　　）
5 彼岸（　　）

類義語

6 模造（　　）
7 料理（　　）
8 危篤（　　）
9 断固（　　）
10 頑丈（　　）

かっぽう・がんさく・きぜん・きたい
けんろう・こうけい・しがん・ひせん
ひんし・ぼうとく

2×10
/20

(九)

次の故事・成語・諺の**カタカナ**の部分を**漢字**で記せ。

1 知らぬ神より**ナジ**みの鬼。（　　）
2 鯛の尾より**イワシ**の頭。（　　）
3 **オウム**よく言えども飛鳥を離れず。（　　）
4 **カデン**に履を納れず。（　　）
5 鯊（はぜ）は飛んでも一代、**ウナギ**はのめっても一代。（　　）
6 事が延びれば**オヒレ**が付く。（　　）
7 目から**ウロコ**が落ちる。（　　）
8 燕雀いずくんぞ**コウコク**(注)の志を知らんや。（　　）
9 **エンオウ**の契り。（　　）
10 **キュウソ**猫を噛む。（　　）

（注）コウコク…大型の鳥。転じて、大人物のこと。

第5回

書き2×5
読み1×10

/20

(十)

文章中の傍線（1～5）の**カタカナ**を**漢字**に直し、波線（ア～コ）の**漢字の読み**を**ひらがな**で記せ。

A

此処[ア]に着くと鉄道社員らしい男が突如自分等の処に遣[イ]って来て、吾々三人に金を凡[ウ]そ六円ほど恵んで呉れた。これは吾々がこの異郷に捕らわれの身となったのを同情して呉れたので、吾々も実にウレ[1]しく思った。此の停車場には今回の戦に負傷した露兵が沢山集まって居たが、吾々を見ても別に悪感情を起こすような模様もなく、却って馴れ馴れしく吾々の傍[エ]に遣って来て、自分の写真と負傷した傷所などを詳細に認[オ]めて、今国に手簡を出す所だなどと、フクゾウ[2]なく其の手紙を私等に見せるものさえあった。私等の附き添いの将校が、何う[ど]だ、一緒に昼飯を食いに行かんかと言うので、私と久保井は汽車を下りて其の後に跟[つ]いて行った（中略）で、とある室で御チソウ[3]になって昼飯を食って居ると、俄[カ]かにドヤドヤと人の入って来た様子。将校は立ち上がったが、これを見ると忽[キ]ち起立して最上の敬礼を施した。

（伊藤久吉郎（談）「敵国の一年有半」より）

B

八月初七。人の語るをきくに今日より秋になりしと云う。我が庭の秋海棠[しゅうかいどう]サンプク[4]の炎熱あまりに激しかりしためにや、其の葉はただれ花の蕾[つぼみ]も半ば萎[ク]れて落ちたり。夾竹桃[きょうちくとう]の花は今にさかりなり。隣家の空地に玉蜀黍[とうもろこし]高くのびて熟し、朝鮮牽牛花[ケ]さかりに開くを見る。（後略）

八月十日。先月頃より市中にチリガミ[5]品切れなりしが、この度配給制となり一日一人分三枚当の由。

八月十一日。朝夕の風俄かに涼しく昼過ぎには傾く日脚秋も末ちかくなりし思いあり。終日曝書[コ]。随園の新齋譜をよむ。

（永井荷風「断腸亭日乗」昭和十七年より）

1	ア
2	イ
3	ウ
4	エ
5	オ
	カ
	キ
	ク
	ケ
	コ

本試験型

準1級 第6回★テスト

〈60分〉

合計点

200点満点の　　　点

- 160点以上 合格
- 130点以上 もう一度学習を
- 100点以上 猛勉強が必要
- 99点以下 受検級を考え直しましょう

1×30

/30

(一)

次の傍線部分の読みをひらがなで記せ。
1～20は**音読み**、21～30は**訓読み**である。

1 四年ごとに二月を閏月とする。（　　）
2 塵芥処理場を建設する。（　　）
3 硝声が絶えて夜の闇が広がる。（　　）
4 弘誓の海に船を浮かべる。（　　）
5 包囲軍の中から鉦鼓の音が響き渡る。（　　）
6 諒闇のため娯楽を慎む。（　　）
7 醍醐は酪の精なるものなり。（　　）
8 太閤検地により石高制が確立した。（　　）
9 社会の木鐸として敬愛される。（　　）
10 箕坐することなかれと教えられた。（　　）
11 魚醬を調味料として用いる。（　　）
12 榛蕪の地が空しく広がる。（　　）
13 石棺の側で腕釧が見付かった。（　　）
14 郁郁乎として文なる哉。（　　）
15 終生の師として寅恭する。（　　）
16 双つの瞳は閃閃として電の若し。（　　）
17 寒来たりて雁影連なる。（　　）
18 律師、陀羅尼いと尊く読むなり。（　　）
19 竜駒に非ずんばまさに鳳雛なるべし。（　　）
20 善く鉤距を為し以て事情を得たり。（　　）
21 平家の大軍は海の藻屑となった。（　　）
22 難局を靭やかな精神力で乗り切る。（　　）

23 会社の上役に阿る。（　　）
24 鍔広の帽子を愛用している。（　　）
25 まるで奴凧のように飛んで行った。（　　）
26 短刀の鋒を突き付ける。（　　）
27 梢の枝を払う作業を行う。（　　）
28 月光は清けれど心の隈は照らさず。（　　）
29 鏑矢が戦場の空を切り裂いた。（　　）
30 綿を芯にして鞠を作った。（　　）

(二)

1×10

/10

次の傍線部分は常用漢字である。その**表外の読み**を**ひらがな**で記せ。

1 複雑な機械を使い熟す。（　　）
2 退職後は倹やかに暮らした。（　　）
3 解決の緒がつかめない。（　　）
4 向かい合って徐に話し始める。（　　）
5 外出した序でに花を買う。（　　）
6 喜びを象った彫刻を造る。（　　）
7 剰え風まで吹いてきた。（　　）
8 ご親切辱くお受けします。（　　）
9 美辞麗句で文った祝辞を読む。（　　）
10 生死を審らかにしない。（　　）

(三)

1×10

/10

次の**熟語の読み**（**音読み**）と、その**語義**にふさわしい**訓読み**を（送りがなに注意して）**ひらがな**で記せ。

〈例〉 健勝…勝れる → けんしょう／すぐ

ア 1 椎破（　　）…2 椎つ（　　）
イ 3 葱青（　　）…4 葱い（　　）
ウ 5 亨通（　　）…6 亨る（　　）
エ 7 夷坦（　　）…8 夷らか（　　）
オ 9 瀦水（　　）…10 瀦まる（　　）

2×5
/10

(四)

次の各組の二文の（　）には**共通**する漢字が入る。その読みを後の□から選び、**常用漢字**（**一字**）で記せ。

1
真情を吐（1）する。
どうにか（1）命をつなぐ。
（　　）

2
海辺の別（2）で過ごす。
（2）重な音楽が流れる。
（　　）

3
手紙に追（3）を書き足す。
国力を（3）張させる。
（　　）

4
特（4）のある顔立ちをしている。
住民税を（4）収する。
（　　）

5
行（5）が悪いとしかられた。
地球（5）で位置を確かめる。
（　　）

かく・ぎ・しん・そう
ちょう・のう・はく・ろ

2×20
/40

(五)

次の傍線部分の**カタカナ**を**漢字**で記せ。

1 父の遺言を胸に**ロウキ**する。（　　）
2 寝不足で頭が**サ**えない。（　　）
3 名演奏を聴く**ダイゴミ**を味わう。（　　）
4 思いが伝わらずに**ミモダ**えする。（　　）
5 至極もっともと**アイヅチ**をうつ。（　　）
6 米を用意して**タクハツ**僧を待つ。（　　）
7 雨があがったので傘を**スボ**めた。（　　）
8 疲れて口をきくのも**オックウ**だ。（　　）
9 「**ハニュウ**の宿」を合唱する。（　　）
10 この庭はとても水**ハ**けがよい。（　　）
11 新しい環境に**ジュンチ**させる。（　　）
12 工事が順調に**ハカド**る。（　　）
13 疲労が**オリ**のようにたまる。（　　）
14 一瞬の油断が大事故を**ジャッキ**した。（　　）
15 **カクラン**戦法が功を奏した。（　　）

16 仲間同士で**カバ**い合う。（　　）
17 大群衆で**リッスイ**の余地もない。（　　）
18 馬小屋の敷き**ワラ**を取り替える。（　　）
19 百官が**ビョウドウ**に居並ぶ。（　　）
20 **ビョウドウ**に食糧を分ける。（　　）

(六)

2×5　/10

次の各文にまちがって使われている**同じ音訓の漢字**が**一字**ある。**上に誤字を**、**下に正しい漢字**を記せ。

1 虐げられた民衆が一斉に武装報起して軍事政権は実に呆気なく崩壊した。（　・　）
2 嚢底に一文半銭も無き旧友の窮状を傍観出来ずに差少乍ら幾らか包んだ。（　・　）
3 親から勘当されていた放盗息子が一転事業に成功して故郷に錦を飾った。（　・　）
4 劣勢の蛮回を図り反撃を試みたが衆寡敵せず敢え無く全員戦死を遂げた。（　・　）
5 拳で強く殴打され眼鏡の蔓を破損したが眼球を負傷せずに済み安度した。（　・　）

(七)

問1／2×10　問2／2×5　/30

次の**問1**と**問2**の四字熟語について答えよ。

問1 次の四字熟語の（1〜10）に入る適切な語を後の［　］から選び**漢字二字**で記せ。

1（　　）栄華
2（　　）辺地
3（　　）百利
4（　　）名人
5（　　）入袋
6 情緒（　　）
7 辛苦（　　）
8 清濁（　　）
9 無知（　　）
10 竜跳（　　）

> えいよう・こが・こそん・せきし・そうほう
> ぞくさん・てんめん・ひゃくれい・へいどん
> もうまい

問2 次の1〜5の**解説・意味**にあてはまる四字熟語を後の［　］から選び、その**傍線部分だけの読み**を**ひらがな**で記せ。

1 素晴らしさを誰も気づかず、つまらないこと。（　　）

2 うわさは信じるが、実際に見たものを信じない。（　　）
3 実現不可能なこと。（　　）
4 至るところに難民があふれているさま。（　　）
5 見晴らしのよいたとえ。（　　）

哀鴻遍野・衣繡夜行・智者一失・貴耳賤目
寸指測淵・画虎類狗・一望千頃・法爾自然

(八)

2×10　/20

次の1～5の**対義語**、6～10の**類義語**を後の□の中から選び、**漢字**で記せ。□の中の語は一度だけ使うこと。

対義語

1 愚鈍（　　）
2 怠惰（　　）
3 野鳥（　　）
4 公平（　　）
5 下向（　　）

類義語

6 月日（　　）
7 抑止（　　）
8 猛進（　　）
9 庶民（　　）
10 突然（　　）

うと・かきん・けんせい・さいり
じょうらく・せつせつ・そうせい・そつじ
ちょとつ・へんぱ

(九)

2×10　/20

次の故事・成語・諺の**カタカナ**の部分を**漢字**で記せ。

1 鳥に**ハンポ**の孝あり。（　　）
2 **ゴトベイ**の為に腰を折る。（　　）
3 親の欲目と他人の**ヒガメ**。（　　）
4 **リョウウン**の志。（　　）
5 **タタ**くに小を以てすれば、則ち小鳴す。（　　）
6 **フグ**戴天の敵。（　　）
7 **モウ**け ぬ前の胸算用。（　　）
8 大海の**イチゾク**。（　　）
9 一斑を見て**ゼンピョウ**を知る。（　　）
10 勝って**カブト**の緒を締めよ。（　　）

書き2×5
読み1×10

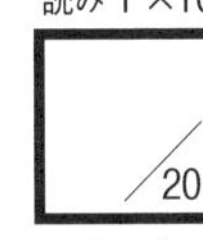

(十)

文章中の傍線（1～5）のカタカナを漢字に直し、波線（ア～コ）の漢字の読みをひらがなで記せ。

A 月は、依然として照って居た。山が高いので、光りにあたるものが少なかった。山を照らし、谷を輝かして、剰[ア]る光りは、又空に跳ね返って、残るクマグマ[1]までも、鮮やかにうつし出した。足もとには、沢山の峰があった。（中略）其れが見えたり隠れたりするのは、この夜更けになって、俄かに出て来たカスミ[2]の所為だ。其れが又、此のサ[3]えざえとした月夜を、ほっとりと、暖かく感じさせて居る。広い端山の群がった先は、白い砂の光る河原だ。目の下遠く続いた、輝く大佩帯（おおおび）は、石川である。その南北に渉[イ]って居る長い光の筋が、北の端で急に広がって見えるのは、凡河内（おおしこうち）の邑[ウ]のあたりであろう。其れへ、山間を出たばかりの堅塩川―大和川―が落ちあって居るのだ。そこから、乾[エ]の方へ、光を照り返す平面が、幾つも列[オ]なって見えるのは、日下江（くさかえ）・永瀬江・難波江などの水面であろう。寂[カ]かな夜である。やがて鶏鳴近い山の姿は、一様に露にヌ[4]れたように、しっとりとして静まって居る。

（折口信夫「死者の書」より）

B 草の花が、どっとドトウ[5]の寄せるように咲き出して、山全体が花原見たようになって行く。里の麦は刈り急がれ、田の原は一様に青みわたって、もうこんなに伸びたか、と驚くほどになる。家の庭苑にも、立ち替わり咲き替わって、栽[キ]え木、草花が、何処まで盛り続けるかと思われる。だが其れも一盛りで、坪はひそまり返ったような時が来る。池には葦[ク]が伸び、蒲が秀[ケ]（ほ）き、藺（い）が抽[コ]きんで来る。遅々として、併し忘れた頃に、俄かに伸し上がるように育つのは、蓮の葉であった。

（同前）

1	ア
2	イ
3	ウ
4	エ
5	オ
	カ
	キ
	ク
	ケ
	コ

本試験型

準1級 第7回★テスト

〈60分〉

合計点

200点満点の　　点

- 160点以上 合格
- 130点以上 もう一度学習を
- 100点以上 猛勉強が必要
- 99点以下 受検級を考え直しましょう

1×30　／30

(一)

次の傍線部分の読みをひらがなで記せ。
1～20は音読み、21～30は訓読みである。

1 鳶肩の若侍に呼び止められた。（　）
2 亡き父の廻向をする。（　）
3 野生の猿を馴致する。（　）
4 家業を顧みず茶屋遊びに耽溺した。（　）
5 雨が黍苗を潤す。（　）
6 筆も及び難い翠黛の景色である。（　）
7 二人は鴛鴦の契りを結んだ。（　）
8 雑駁な議論に閉口する。（　）
9 山巓に日の丸がはためく。（　）
10 世に馨聞が伝わる。（　）
11 同期の鶯遷を祝って乾杯する。（　）
12 興奮した群衆で鼎沸の騒ぎだ。（　）
13 頁岩の表面をはがす。（　）
14 新調した綾子の帯を締める。（　）
15 夜空に紅蓮の炎が舞い上がった。（　）
16 事故で頸椎を痛める。（　）
17 隣国侵攻という暴挙を諫止する。（　）
18 事実を歪曲して伝える。（　）
19 鷹隼は骨勁(つよ)くして気猛なり。（　）
20 宿雨に沙堤潤い秋風に樺燭香ばし。（　）

21 梅の花は春の魁だ。（　）
22 浦の苫屋こそ懐かしき生家である。（　）

23 鴇色のスカーフが首元に覗く。（　　）

24 饗しもできず心苦しい。（　　）

25 庭に楪の老木がある。（　　）

26 洗濯や染め物などに鹼を使う。（　　）

27 麴をもとに味噌を作る。（　　）

28 尾鰭がついて話が大きくなる。（　　）

29 それは頗る不都合な話だ。（　　）

30 汝（な）こそは若草の嬬持たせらめ。（　　）

（二）

1×10 ／10

次の傍線部分は常用漢字である。その**表外の読み**を**ひらがな**で記せ。

1 小さな事件を故に大きくする。（　　）

2 電話の話が一時間に垂とする。（　　）

3 銅臭を悪まれ失脚する。（　　）

4 家を斉え、身を修める。（　　）

5 図書館で数調べものをした。（　　）

6 落第した友人が萎れている。（　　）

7 手遊びに琴を習う。（　　）

8 汚名を雪ぐことに努める。（　　）

9 手続きを践んで申し入れる。（　　）

10 戦争の悪夢が脳裏を過る。（　　）

（三）

1×10 ／10

次の**熟語の読み**（**音読み**）と、その**語義**にふさわしい**訓読み**を（送りがなに注意して）**ひらがな**で記せ。

〈例〉健勝……勝れる → けんしょう／すぐ

ア 1 溜滴（　　）……2 溜る（　　）

イ 3 冒瀆（　　）……4 瀆す（　　）

ウ 5 允可（　　）……6 允す（　　）

エ 7 欽慕（　　）……8 欽う（　　）

オ 9 郁文（　　）……10 郁ん（　　）

2×5 /10

(四)

次の各組の二文の（　）には**共通**する漢字が入る。その読みを後の□から選び、**常用漢字**（**一字**）で記せ。

1
精（1）を込めて書き上げた。
卑しい（1）胆が見え隠れする。
（　）

2
（2）守ところを変える。
大学で英文学を専（2）した。
（　）

3
長（3）場を乗り切る。
落（3）本を取り換えてもらう。
（　）

4
雨で地（4）が弛む。
（4）石の備えで臨む。
（　）

5
複雑な問題を内（5）している。
委員会で（5）括質疑を行う。
（　）

がん・こう・こん・しん
ちょう・てい・ばん・ほう

2×20 /40

(五)

次の傍線部分の**カタカナ**を**漢字**で記せ。

1 書き上げた手紙を**トウカン**する。（　）
2 文学賞受賞で作家として**ハク**が付いた。（　）
3 **ズサン**な検査体制が明るみに出る。（　）
4 帰る客に**クツベラ**を差し出す。（　）
5 暮れに**フスマ**を張り替えた。（　）
6 **ヒョウ**は死して皮を留む。（　）
7 幸運にも主役に**バッテキ**された。（　）
8 **ソツジ**ながらお尋ねしたいことがある。（　）
9 避難所を訪れて被災者を**イブ**する。（　）
10 美術室で**セッコウ**像をデッサンする。（　）
11 猛火を**カ**い潜って逃げる。（　）
12 先輩に就職の**アッセン**を頼む。（　）
13 蔵書を日に**サラ**す。（　）
14 **タチマ**ち姿が見えなくなった。（　）
15 冬至に**ユズ**湯に入る。（　）

16 清流でアユ釣りに挑む。（　　）
17 私はミ年の生まれだ。（　　）
18 穀物をミでふるう。（　　）
19 成功を信じたのがゴサンだった。（　　）
20 ホテルでゴサン会が開かれた。（　　）

2×5

/10

(六) 次の各文にまちがって使われている同じ音訓の漢字が一字ある。上に誤字を、下に正しい漢字を記せ。

1 廟堂に文武百官が都列する中節刀を賜り西域目指して征夷の途についた。（　・　）
2 伯父は考古学に造啓が深く地域の博物館で埴輪復元作業を指導している。（　・　）
3 疾風怒濤の時代に敢えて背離して孤高を保ち世界情勢の帰数を見究める。（　・　）
4 雨を請う祈禱の声が都邑に満ちて幾許もなく日輪は黒雲に援蔽せられた。（　・　）
5 今季最終試合に全て捧げて闘う選手の強甚な精神力に尊崇の念を覚えた。（　・　）

問1／2×10
問2／2×5

/30

(七) 次の 問1 と 問2 の四字熟語について答えよ。

問1 次の四字熟語の（1～10）に入る適切な語を後の□から選び漢字二字で記せ。

1（　）托生
2（　）危言
3（　）十菊
4（　）夕虚
5（　）択木
6 韓海（　）
7 秋風（　）
8 尭風（　）
9 稲麻（　）
10 暮色（　）

いちれん・しゅんう・そうぜん・そうぼう
そちょう・ちくい・ちょうえい・らくばく
りくしょう・りょうきん

問2 次の1～5の解説・意味にあてはまる四字熟語を後の□から選び、その傍線部分だけの読みをひらがなで記せ。

1 貧しい服装のこと。（　　）

2 絶対あり得ないこと。（　　）
3 見かけと実際が一致しない。（　　）
4 長命のこと。（　　）
5 こそどろのこと。（　　）

羊頭狗肉・衣履弊穿・大智如愚・鼠窃狗盗
以夷征夷・烏白馬角・水到渠成・鶴寿千歳

2×10 /20

(八)

次の1～5の**対義語**、6～10の**類義語**を後の□の中から選び、**漢字**で記せ。□の中の語は一度だけ使うこと。

対義語

1 着工（　　）
2 内陸（　　）
3 平然（　　）
4 凝視（　　）
5 天神（　　）

類義語

6 過褒（　　）
7 大家（　　）
8 群盗（　　）
9 満作（　　）
10 憤激（　　）

いちべつ・いつび・かくど・しゅんこう
せきがく・ちぎ・ひぞく・ひんかい
ほうじょう・ろうばい

2×10 /20

(九)

次の故事・成語・諺の**カタカナ**の部分を**漢字**で記せ。

1 **ガイダ**珠(たま)を成す。（　　）
2 月に**ムラクモ**　花に風。（　　）
3 **シックイ**の上塗りに借金の目塗り。（　　）
4 相手見てから**ケンカ**声。（　　）
5 **ノウチュウ**の物を探るがごとし。（　　）
6 尋常の溝には**ドンシュウ**の魚なし。（　　）
7 **オイ**の草を伯父が刈る。（　　）
8 **ハッケ**の八つ当たり。（　　）
9 **コウフン**の花を生ず。（　　）
10 幽谷よりいでて**キョウボク**(注)に遷る。（　　）

（注）キョウボク…高い木。

書き2×5
読み1×10

(十)

文章中の傍線（1～5）の**カタカナを漢字**に直し、波線（ア～コ）の**漢字の読みをひらがな**で記せ。

A

爾来[ア]物に触れ事に就き論述したる一年間、幾百篇の社説を累[イ]ねて余輩が内政外交に関する意見は粗[ウ]読者諸君に知られたるべく、専制政体藩閥内閣中央集権より完然たる立憲政体責任内閣地方自治に移るの一大進歩を目的とし、此の目的に達するの手段は穏和平滑を旨とし歩々回顧して秩序を忘れず暴力を慎み賄賂を戒め施政上のヘンパ[1]を除き公事に於いて公争をなす良好の慣習を作り（中略）輿論[エ]を訓練し政党を教育して国民多数の議を識者の卓見と相調和せしめ以て盲千人の代議政治に陥るの弊を防ぐことに於いて余輩が及ばずながら微力を尽くしシシ[2]として怠らざりしは、又必ず諸君の諒せらるる所なるべし。

（朝比奈知泉「創業開刊の一周年に当たり敢えて読者諸君に告ぐ」より）

B

予輩は頃日[オ]鎌倉に於いて予輩を甚だ感動せしめたるものを見たり。僅かに数尺の高さに過ぎざる一個の墓標なり。墓標は全くツタ[3]のマト[4]う所となりて恰もツタを以て作りたるものの如き観あるものなり。冷たき石も寒からざるの観あるものなり。老朽せる墓石も常に青々たる形を存し居るなり。コケ[5]を以て掩[カ]われたる墓石は時代の古きことを徴するに足るものなり。墓石に沿うて其の周囲にやさしき姿を成して咲き聯[キ]ねたる紫花地丁（すみれ）は妙なる首を振りて心有りげに点頭（うなず）くぞ哀れなる。後ろには大なる常盤木[ク]あり、茂れる枝葉は墓を衛[ケ]りて雨露の為に犯さしめざるなり。（中略）数尺の墓標、後ろには動かざるの山の扣（ひか）ゆるあり。前には毫塵（ごうじん）[コ]の障碍もあらざるなり。此は是何人の墓なるぞ、伊豆の片隅より起こりて旭将軍を粟津が原に亡ぼして先ず源氏の一統を遂げ、平家を西海に沈めて終に海内を一統したる源頼朝の墓なり。

（外山正一「日本絵画の未来」より）

1	ア
2	イ
3	ウ
4	エ
5	オ
	カ
	キ
	ク
	ケ
	コ

本試験型 準1級 第8回★テスト

〈60分〉

合計点

200点満点の　　点

- 160点以上　合格
- 130点以上　もう一度学習を
- 100点以上　猛勉強が必要
- 99点以下　受検級を考え直しましょう

(一)

1×30　／30

次の傍線部分の読みをひらがなで記せ。1～20は音読み、21～30は訓読みである。

1 三十歳を而立という。（　）
2 世界の潮流を読み蚤知の明があった。（　）
3 倉に粟粒を積む。（　）
4 待望の膏雨が地を潤す。（　）
5 君の卿佐、これを股肱と謂う。（　）
6 卑賤の身から立身出世した。（　）
7 聾唖者の手助けをする。（　）
8 胡乱な人物を見とがめる。（　）
9 脆弱な組織の強化を図る。（　）
10 不安な思いが胸中に纏綿する。（　）
11 書きためた作品の補綴をする。（　）
12 芋粥を腹いっぱい馳走された。（　）
13 将軍のご落胤と噂される。（　）
14 軒溜の音を聞きつつ眠った。（　）
15 世の悪人を鋤除する。（　）
16 心身の繋縛を解き放つ。（　）
17 県民の輿望を担って立候補する。（　）
18 力尽くるも杵声休(や)むことを得ず。（　）
19 幼にして明穎、父の鍾愛する所なり。（　）
20 事は沈思に出で、義は翰藻に帰す。（　）
21 陣営の門に哨を置く。（　）
22 朝から小糠雨が降っている。（　）

23 賃仕事で糊ぎをする。（　　）
24 篠突く雨に見舞われる。（　　）
25 鯛を粕に漬ける。（　　）
26 夜更けまで砧を打つ音が聞こえた。（　　）
27 見渡す限り翠滴る山並みだ。（　　）
28 議事の運営を碍げる。（　　）
29 ここは紬織の名産地だ。（　　）
30 船去って鰤場に雨の粗く降る。（　　）

(二)

1×10　/10

次の傍線部分は常用漢字である。その**表外の読み**を**ひらがな**で記せ。

1 鶏は鋭い距を持っている。（　　）
2 この指輪は擬物ではないか。（　　）
3 藤の英が見事に垂れる。（　　）
4 舞台への階をゆっくり上る。（　　）
5 グラウンドをきれいに均す。（　　）
6 金の返済日を確と約束させる。（　　）
7 国政を貞しい方向に導く。（　　）
8 乾の方角から黒雲が湧いてきた。（　　）
9 頃く控室で待機した。（　　）
10 課てられた仕事をこなす。（　　）

(三)

1×10　/10

次の**熟語の読み**（**音読み**）と、その**語義**にふさわしい**訓読み**を（送りがなに注意して）**ひらがな**で記せ。

〈例〉健勝…勝れる → けんしょう / すぐ

ア 1 堰塞（　　）…2 堰く（　　）
イ 3 稗官（　　）…4 稗かい（　　）
ウ 5 謬説（　　）…6 謬る（　　）
エ 7 咳気（　　）…8 咳く（　　）
オ 9 叢集（　　）…10 叢がる（　　）

2×5 /10

(四)

次の各組の二文の（　）には**共通**する漢字が入る。その読みを後の□から選び、**常用漢字（一字）**で記せ。

1
味方に声（1）を送る。
（1）助物資を輸送する。

2
伝染病患者を（2）離する。
機械を遠（2）操作する。

3
裁判を傍（3）する。
（3）覚の検査を受ける。

4
心から（4）悼の意を示す。
人生の悲（4）を味わう。

5
制（5）装置が作動する。
国王が崩（5）された。

あい・えん・かく・かん
ぎょ・さん・ちょう・どう

2×20 /40

(五)

次の傍線部分の**カタカナ**を**漢字**で記せ。

1 初節句の孫に**カブト**飾りを贈った。
2 泣く子を**ナダ**める。
3 違反行為に対し**キゼン**たる姿勢を貫く。
4 **タ**め池に釣り糸を垂らす。
5 エキストラの**フンソウ**を手伝う。
6 テロ組織の**シュカイ**が捕まった。
7 クリスマスに**ヒイラギ**を飾る。
8 千里を行く**シュンメ**を求める。
9 **セイコク**を射た意見を言う。
10 紅い**リンゴ**がたわわに実る。
11 **ケシ**粒のように小さい。
12 **ネズミ**花火が地面を駆けめぐる。
13 **ドンシュウ**の魚のような大人物だ。
14 手によく**ナジ**んだグローブを使う。
15 兵士が**トレツ**している。

16 **スダレ**で強い西日を防ぐ。（　　）
17 校舎の外壁を**ツタ**が覆っている。（　　）
18 忠心から主君に**カンゲン**する。（　　）
19 **カンゲン**楽を聴く。（　　）
20 利益を社会に**カンゲン**する。（　　）

2×5

/10

(六)

次の各文にまちがって使われている**同じ音訓の漢字**が**一字**ある。**上に誤字**を、**下に正しい漢字**を記せ。

1 白無垢の衣装に包まれ鎌倉時代創建の由緒ある神社で華飾の典を挙げた。（　・　）
2 雪が斑に残る畷道を辿り暫く行くと環木に囲まれた茅葺きの庵が見えた。（　・　）
3 付近を捜索して藪蔭に書類の燃えさしが混入した焚火の根跡を発見した。（　・　）
4 権力の走軀として暗躍し憎悪の的であった諜報員が突如不審死を遂げた。（　・　）
5 神社の本殿前に鎮座している駒犬の表情はどこか愛敬があり見飽きない。（　・　）

問1／2×10
問2／2×5

/30

(七)

次の**問1**と**問2**の四字熟語について答えよ。

問1 次の四字熟語の（1～10）に入る適切な語を後の□から選び**漢字二字**で記せ。

1（　　）輪輿
2（　　）詩人
3（　　）昇天
4（　　）浄土
5（　　）鉄硯
6 四面（　　）
7 鱗次（　　）
8 張三（　　）
9 意気（　　）
10 矛盾（　　）

きょくじつ・けいかん・けんこう・ごんぐ
ししょう・しっぴ・そか・どうちゃく
ません・りし

問2 次の1～5の**解説・意味**にあてはまる四字熟語を後の□から選び、その**傍線部分だけの読み**を**ひらがな**で記せ。

1 態度や言動が穏やかで礼儀正しい。（　　）

2 絶世の美女。（　　）
3 よい評判が盛んなこと。（　　）
4 法や制度を変更すること。（　　）
5 ひそかに人を陥れる卑劣な行為。（　　）

改弦易轍・万劫末代・温文爾雅・名声赫赫
餓狼之口・暗箭傷人・獣蹄鳥跡・一顧傾城

2×10

/20

(八)

次の1～5の**対義語**、6～10の**類義語**を後の□の中から選び、**漢字**で記せ。□の中の語は一度だけ使うこと。

対義語

1 敗走（　　）
2 椿庭（　　）
3 仕官（　　）
4 混同（　　）
5 緊張（　　）

類義語

6 軽率（　　）
7 紛争（　　）
8 容赦（　　）
9 精通（　　）
10 養育（　　）

がいせん・かんじょ・きが・きくいく
けんどう・しかん・しゅんべつ・そこつ
ちしつ・もんちゃく

2×10

/20

(九)

次の故事・成語・諺の**カタカナ**の部分を**漢字**で記せ。

1 おぼれる者は**ワラ**をもつかむ。（　　）
2 **コウモウ**を以て炉炭の上に焼く。（　　）
3 **カナエ**の軽重を問う。（　　）
4 布施ない経に**ケサ**を落とす。（　　）
5 **バクギャク**の交わり。（　　）
6 **コウゼン**の気を養う。（　　）
7 紺屋の**シロバカマ**。（　　）
8 **クモ**の子を散らすよう。（　　）
9 命長ければ**ホウライ**(注)を見る。（　　）
10 **ブンボウ**も牛羊を走らす。（　　）

(注) ホウライ…中国の想像上の霊山。神仙が住むという。

書き2×5
読み1×10

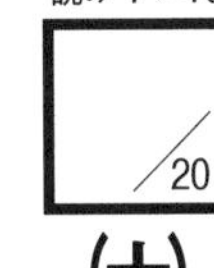

(十)

文章中の傍線（1～5）の**カタカナ**を**漢字**に直し、波線（ア～コ）の**漢字の読み**を**ひらがな**で記せ。

A 足尾銅山鉱毒の事件はその範囲広くして関係多し。其の被害の地は数県に[1]マタがり、毒流沿岸の一帯数万人民の生命財産を[2]キタイならしむと告ぐ。政府は過般之を中央の問題と為して調査委員会を組織せり。委員諸氏が其の担任の職責を尽くして此の問題に適当の解釈を与え、以て民衆の驚擾を鎮めんことは吾人の佇立（ちょりつ）して期待する所なり。

（島田三郎「足尾銅山鉱毒事件」より）

B 鉱業の拡張するに随い銅粉硫酸の流出次第に多く、田畠に灌ぐの水漸く其の性質を変じ沿岸の耕地を害するに至れり。（中略）一旦洪水氾濫の変に遭えば平素河底に[3]チンデンする所の鉱土硫泥を攪起して之を四辺に散敷するが為に著しく其の害を感ぜしむるに至る。大抵普通洪水の害は（中略）砂石を押し出さざる限りは却って土質を肥やすの効ありて其の明年[4]カコクの穣々（じょうじょう）を見るは一般水災後の常態なるに、異質を含める泥土は之と異にして大いに植物の発育を妨ぐ。

（同前）

C 今日嗷々（ごうごう）たる苦情を聴くに田畠全く[5]コウブに就くという。一町十五円四十銭を以て永久示談を為すは抑何の標準によれるや。苦情の言真実ならば此の少額の示談金に満足するの理なく若し又此の示談金に満足するとせば苦情の過大なるに疑いなき能わず。（中略）此の一事を見るも従来の示談には仲裁者鉱業主の間及び総代人地主の間に幾多纏綿錯綜する事情ありて、其の裏面に埋伏する者あるべしと推断せざるを得ざるなり。乃ち本件の疑問が根底より解釈せられずして遷延今日に至り一旦潰裂するに及びて無前の紛擾を湧出すること豈（あに）其の故無からんや。

（同前）

1	ア
2	イ
3	ウ
4	エ
5	オ
	カ
	キ
	ク
	ケ
	コ

本試験型

準1級 第9回★テスト

〈60分〉

合計点

200点満点の　　点

- 160点以上 合格
- 130点以上 もう一度学習を
- 100点以上 猛勉強が必要
- 99点以下 受検級を考え直しましょう

1×30　　/30

(一)

次の傍線部分の読みをひらがなで記せ。
1～20は**音読み**、21～30は**訓読み**である。

1 椿庭死し萱堂によりて人と成れり。（　　）
2 卿相雲客が次々に参内する。（　　）
3 水滴が漉漉として落ちる。（　　）
4 卦兆で国の行く末を見る。（　　）
5 荒莱の地を切り拓く。（　　）
6 庫裡で若い修行僧が働く。（　　）
7 文の末尾に云爾と記す。（　　）
8 背嚢を負うて出征して行った。（　　）
9 廼翁の後を継ぎ家を富ませよ。（　　）
10 美しい宮娃に強く惹かれた。（　　）
11 かん高い喧叫の声に驚く。（　　）
12 塵垢を忘れ悠久の自然に遊ぶ。（　　）
13 鴨緑江は朝鮮半島北端を流れる。（　　）
14 他国を侵略して併呑する。（　　）
15 日光中禅寺湖は堰塞湖である。（　　）
16 一日も此君無かるべけんや。（　　）
17 もはや之適する所無し。（　　）
18 呉楚東南に坼(ひら)け乾坤日夜浮かぶ。（　　）
19 ただ葵花の日に向かって傾く有り。（　　）
20 山林や皐壌や、我をして楽しましむ。（　　）

21 永年にわたる功績を嘉する。（　　）
22 猛火が商店街を嘗め尽くした。（　　）

23 歌人は坐らにして名勝を知る。（　　）
24 呪いをかけられた錘で指を刺す。（　　）
25 駅から自宅まで一粁ある。（　　）
26 叢にうごめくものあり。（　　）
27 匙加減ひとつで変わってくる。（　　）
28 香久山の埴をとりて瓦を焼く。（　　）
29 ぬきんでて稲よりも濃く稗熟れぬ。（　　）
30 愈日本初公開である。（　　）

（二）

1×10　／10

次の傍線部分は常用漢字である。その**表外の読み**を**ひらがな**で記せ。

1 全く与り知らぬことで告発される。（　　）
2 悪い事が起きる徴かもしれない。（　　）
3 山と川が城市を衛る。（　　）
4 千の兵を提げて攻め入る。（　　）
5 芸名と本人の感じが泥まない。（　　）
6 事故の現場を適目撃した。（　　）
7 列の殿に控えて待つ。（　　）
8 復興は偏に多大な援助のお蔭だ。（　　）
9 泥に塗れて横たわる。（　　）
10 大学で国文学を攻める。（　　）

（三）

1×10　／10

次の**熟語の読み**（**音読み**）と、その**語義**にふさわしい**訓読み**を（送りがなに注意して）**ひらがな**で記せ。

〈例〉健勝…勝れる → けんしょう　すぐ

ア 1 窺管（　　）…2 窺く（　　）
イ 3 叉手（　　）…4 叉く（　　）
ウ 5 瑞穣（　　）…6 穣る（　　）
エ 7 啄木（　　）…8 啄む（　　）
オ 9 穆清（　　）…10 穆らぐ（　　）

（四）

2×5　／10

次の各組の二文の（　）には**共通**する漢字が入る。その読みを後の□から選び、**常用漢字**（**一字**）で記せ。

1 昭和文学大（1）を読破する。
（1）統立てて説明する。　（　　）

2 （2）日のおもかげはない。
往（2）の人々をなつかしむ。　（　　）

3 介護福祉士を（3）成する。
海辺の保（3）地で過ごす。　（　　）

4 これは痛快無（4）の小説だ。
（4）類なき美しさを誇る。　（　　）

5 税金の督（5）状がきた。
つまる音を（5）音という。　（　　）

けい・こ・しゅう・せき
そく・はつ・ひ・よう

（五）

2×20　／40

次の傍線部分の**カタカナ**を**漢字**で記せ。

1 外は**シノツ**く雨だった。　（　　）
2 若い頃から**エンセイカン**を抱いていた。　（　　）
3 肩や腰を**アンマ**してもらう。　（　　）
4 話に**オヒレ**が付いて伝わる。　（　　）
5 我が子の受験に**キュウキュウ**とする。　（　　）
6 **ノコギリ**の目立てをする。　（　　）
7 **シソ**の葉を天ぷらに揚げる。　（　　）
8 怒りで顔を**ユガ**ませる。　（　　）
9 幼くして天才の**ヘンリン**を見せる。　（　　）
10 旬の食材で食卓を**ニギ**わせる。　（　　）
11 人違いだったことを**ワ**びる。　（　　）
12 物置に**スス**けた日記帳があった。　（　　）
13 **ニワ**か雨が降って来た。　（　　）
14 創業の精神に**ハイチ**する。　（　　）
15 自転車を**コ**いで通学した。　（　　）

16 ワクチン開発のセンベンをつける。（　　）
17 ケイカン詩人と褒め称えられる。（　　）
18 金利引き上げにカジを切る。（　　）
19 セッケンで顔を洗う。（　　）
20 セッケンを心掛け、出費を抑える。（　　）

（六）

2×5　/10

次の各文にまちがって使われている**同じ音訓の漢字**が**一字**ある。**上に誤字**を、**下に正しい漢字**を記せ。

1 遺作の長編は彫琢を窮めて砥礪に孜めた故人筆生の大作の名に恥じない。（　・　）
2 贈収賄事件関与の廉で官界を逐われ挑残の身を僻遠の地の柴扉に寄せた。（　・　）
3 幼帝を輔弼する筈の丞相が垂蓮の政を望む母后と結託し国政を恣にした。（　・　）
4 唐の都長安は国際的な都邑で絹の道を経て来た紅毛璧眼の人々で溢れた。（　・　）
5 畳敷きの廊下を鍵の手に折れると参籠の間から微かに灯火が漏れていた。（　・　）

（七）

問1／2×10
問2／2×5
/30

次の**問1**と**問2**の四字熟語について答えよ。

問1 次の四字熟語の（1～10）に入る適切な語を後の□から選び**漢字二字**で記せ。

1 （　　）青青
2 （　　）一水
3 （　　）頻伽
4 （　　）首丘
5 （　　）一斑
6 百尺（　　）
7 熱願（　　）
8 天神（　　）
9 浮花（　　）
10 加持（　　）

いくいく・えいえい・かりょう・かんとう
きとう・こし・ぜんぴょう・ちぎ
れいてい・ろうずい

問2 次の1～5の**解説・意味**にあてはまる四字熟語を後の□から選び、その**傍線部分だけの読み**を**ひらがな**で記せ。

1 大きな志のたとえ。（　　）

2 著書がさかんに売れること。（　　）

3 融通がきかないこと。（　　）

4 人にへつらいおもねること。（　　）

5 病気に悩む美女の姿。（　　）

西施捧心・斗酒百篇・洛陽紙価・守株待兎
阿附迎合・竜頭蛇尾・無妄之福・図南鵬翼

2×10

/20

(八)

次の1～5の**対義語**、6～10の**類義語**を後の□の中から選び、**漢字**で記せ。□の中の語は一度だけ使うこと。

対義語

1 必然（　　）

2 僅少（　　）

3 定住（　　）

4 有能（　　）

5 出立（　　）

類義語

6 払拭（　　）

7 学生（　　）

8 洗脳（　　）

9 早道（　　）

10 兆候（　　）

いっそう・がいぜん・きょうぐう・けいもう
しょうけい・せいきん・そそ・ちょざい
ばくだい・ほうが

2×10

/20

(九)

次の故事・成語・諺の**カタカナ**の部分を**漢字**で記せ。

1 天網**カイカイ**疎にして漏らさず。（　　）

2 大勇は**キョウ**なるが如く大智は愚なるが如し。（　　）

3 君子**ホウチュウ**に入るに忍びず。（　　）

4 愛、**オクウ**に及ぶ。（　　）

5 **ノミ**の眼に蚊のまつげ。（　　）

6 梅に**ウグイス**。（　　）

7 **アオ**りを食う。（　　）

8 **ミス**を隔てて高座を覗く。（　　）

9 縁と命は**ツナ**がれぬ。（　　）

10 **リカ**に冠を正さず。（　　）

第9回

書き2×5
読み1×10
/20

(十)

文章中の傍線（1～5）の**カタカナ**を**漢字**に直し、波線（ア～コ）の**漢字の読み**を**ひらがな**で記せ。

A

眸（ひとみ）を転じて望めば、火山の輪郭は一抹の軽雲の如く、美しき青海原の上に現れたり。われは小児の情もて此の景物を迎え、心の裡[ア]に名状すべからざる喜びを覚えき。われ等は相携えて果園に下りぬ。われは枝上の果に**セップン**[1]して、又地に墜ちたるを拾い、毬（まり）の如くに玩[イ]びたり。友の云うよう。げに伊太利はめでたき国なる**カナ**[2]。北方の故郷に在りし間、常に我が懐に往来せしものはこの景なり、この情なり。嘗[ウ]て夢裡に呑みつる**カスミ**[3]は、今うつつに吸うカスミなり。故郷の牧を望みては、此の橄欖（かんらん）の林を思い、故郷の**リンゴ**[4]を見ては、此の柑子[エ]を思いき。されど北海の緑なる波は、終に地中海の水の藍碧[オ]なるに似ず、北国の低き空は、終に伊太利の天の光彩あるに似ざりき。

（森鷗外「即興詩人」より）

B

わが情はいと高くいと深くして、われ若し姫を獲たらんには、此の世の中には最早何の欲望をも残さざりしならん。さるを姫は我を棄てて渠[カ]を取りたり。我が黄金なす夢は一旦にして**ジンカイ**[5]となり畢[キ]りぬ。（中略）好し好し。我は我が恋人を獲たり。我が恋人は自然なり。自然よ。汝はわがためにその霽（は）れやかなる天を打ち明けて何の隠すところもなし。汝はそよ吹く風の優しきを送りて、我が額我が脣（くちびる）に触るることを嫌わず。我は汝が美しさを歌わん、汝が我が心を動かす所以[ク]を歌わん。言うこと莫[ケ]、汝が心の痍（きず）は尚血を瀝（したた）らすと。針に貫かれたる蝶の猶その五彩の翼を揮[コ]うを見ずや。落ちたぎつ滝の水の沫と散りて猶麗しきを見ずや。

（同前）

1	ア
2	イ
3	ウ
4	エ
5	オ
	カ
	キ
	ク
	ケ
	コ

本試験型

準1級 第10回★テスト

〈60分〉

合計点

200点満点の　　点

- 160点以上 合格
- 130点以上 もう一度学習を
- 100点以上 猛勉強が必要
- 99点以下 受検級を考え直しましょう

1×30 　/30

(一)

次の傍線部分の読みをひらがなで記せ。
1～20は**音読み**、21～30は**訓読み**である。

1 上巳は五節句の一つである。（　　）
2 元旦には十人の甥姪も集まる。（　　）
3 赫灼たる炎夏の日を避く。（　　）
4 文壇の寵児としてもてはやされる。（　　）
5 師の慧眼に敬服する。（　　）
6 屢次の内戦で国力が疲弊する。（　　）
7 家業を継いで屑屑と働く。（　　）
8 大軍を擁して嬰城する。（　　）
9 初霜で岡陵が白くなった。（　　）
10 こぢんまりした妾宅に住まう。（　　）
11 若者は端近に尻坐した。（　　）
12 東夷の国を討つ。（　　）
13 古書の集輯を趣味とする。（　　）
14 春塘をそぞろ歩く。（　　）
15 壺中の天に遊ぶ心地がする。（　　）
16 巽与の言、能く説ぶこと無からんか。（　　）
17 阿堵物を挙げてしりぞけよ。（　　）
18 超俗の人は尤物を尚ばず。（　　）
19 幼主明智にして夙成の徳有り。（　　）
20 其の才を砥礪し超然として独り立つ。（　　）

21 無事に新年を迎えて瑞い。（　　）
22 籾摺りの作業を手伝う。（　　）

23 信頼していた友人に詑かれた。（　　）
24 急峻な山が幾重にも岨つ。（　　）
25 直径三吋の鉄管をつなぐ。（　　）
26 面舵をいっぱいに取る。（　　）
27 嵩にかかって攻め込む。（　　）
28 尉と姥の人形を飾る。（　　）
29 昨年の干支は庚辰だった。（　　）
30 桟（かけはし）や命とからむ蔦葛。（　　）

1×10
/10

(二)

次の傍線部分は常用漢字である。その**表外**の**読み**を**ひらがな**で記せ。

1 幾つかの不明点を質す。（　　）
2 虚ろな目を向ける。（　　）
3 動もすれば休みがちになる。（　　）
4 犯人を匿い続ける。（　　）
5 コンビニに中学生が屯する。（　　）
6 鈍色の空から雪が舞う。（　　）
7 件の用件で話し合いたい。（　　）
8 雨が一入強くなってきた。（　　）
9 大事な約束を爽える。（　　）
10 追い詰められて進退谷まった。（　　）

1×10
/10

(三)

次の**熟語の読み**（**音読み**）と、その**語義**にふさわしい**訓読み**を（送りがなに注意して）**ひらがな**で記せ。

〈例〉健勝…勝れる → けんしょう / すぐ

ア 1 纏綿（　　）…2 纏わる（　　）
イ 3 匝旬（　　）…4 匝る（　　）
ウ 5 脆味（　　）…6 脆らかい（　　）
エ 7 翫笑（　　）…8 翫る（　　）
オ 9 奄有（　　）…10 奄う（　　）

(四) 2×5 ／10

次の各組の二文の（　）には**共通**する漢字が入る。その読みを後の［　］から選び、**常用漢字**（**一字**）で記せ。

1 法会で僧たちが（1）華する。そろそろ退（1）しようか。（　　）

2 すきのない（2）陣をする。妙なうわさが流（2）している。（　　）

3 （3）略な扱いを受ける。空（3）な言葉を口にする。（　　）

4 戦後の復（4）がめざましい。いまだに（4）奮が覚めやらない。（　　）

5 物価が（5）貴する。やかんが沸（5）する。（　　）

きゃく・きゅう・けん・こう
さん・そ・とう・ふ

(五) 2×20 ／40

次の傍線部分の**カタカナ**を**漢字**で記せ。

1 我が子の額に**セップン**する。（　　）

2 堂々たる**タイク**の青年に育った。（　　）

3 身を**テイ**して包囲網を突破する。（　　）

4 若者たちが**キュウトウ**打破を目指した。（　　）

5 洗い**オケ**に食器をつけておく。（　　）

6 忘れ得ぬ面影が**ヨウエイ**していた。（　　）

7 感染症が世界中に**マンエン**する。（　　）

8 依頼された文章に**チョウタク**を施す。（　　）

9 飛球を後ろに**ソ**らしてしまった。（　　）

10 老人は**オウヨウ**にうなずいた。（　　）

11 日が**サンサン**と照りつける。（　　）

12 世紀を**マタ**いで活動を続けた。（　　）

13 **コマイヌ**は魔除けとして置かれる。（　　）

14 驚く**ナカ**れ、真相はこの通りだ。（　　）

15 **エンビ**服を着て指揮棒をふる。（　　）

16 **アシ**を編んですだれを作る。（　　）
17 **サショウ**ながらお贈りします。（　　）
18 空港で入国**サショウ**を見せる。（　　）
19 亡き母を**シノ**んで涙する。（　　）
20 人目を**シノ**んで会う。（　　）

2×5　／10

(六)

次の各文にまちがって使われている**同じ音訓の漢字**が**一字**ある。**上に誤字**を、**下に正しい漢字**を記せ。

1 筏は憩留の綱を切るや忽ち灘響の中を下り瀞に至って漸く動きを緩めた。（　・　）
2 敬愛する作家の全集を毎夜深更迄読み耽り読書の題醐味を味わっている。（　・　）
3 数十年に亘り樽に眠る葡萄酒を試飲すると忽ち鼻腔に芳順な香が満ちた。（　・　）
4 斯界の俊元たる人物が或る疑獄事件を惹起し司直から厳しく審訊された。（　・　）
5 漢の高祖は厭しい出自乍ら幕僚に恵まれ遂に項羽との覇権争いを制した。（　・　）

問1／2×10
問2／2×5
／30

(七)

次の**問1**と**問2**の四字熟語について答えよ。

問1 次の四字熟語の（1〜10）に入る適切な語を後の□から選び**漢字二字**で記せ。

1（　　）万頃
2（　　）一触
3（　　）叫喚
4（　　）雷鳴
5（　　）粛粛

6 門前（　　）
7 史魚（　　）
8 紫電（　　）
9 沈魚（　　）
10 一世（　　）

あび・いっせん・いっぺき・がいしゅう
がふ・しかん・じゃくら・べんせい
ぼくたく・らくがん

問2 次の1〜5の**解説・意味**にあてはまる四字熟語を後の□から選び、その**傍線部分だけの読み**を**ひらがな**で記せ。

1 盛大なごちそう。（　　）

2 自分で自分をあざむくたとえ。（　　）
3 兄弟姉妹の長幼の順序。（　　）
4 古いものを改めて新しいものをとる。（　　）
5 広大な仁徳、大らかな心。（　　）

一琴一鶴・天覆地載・孟仲叔季・掩耳盗鐘
高鳳漂麦・革故鼎新・詠雪之才・太牢滋味

（八）

2×10 /20

次の1～5の**対義語**、6～10の**類義語**を後の□の中から選び、**漢字**で記せ。□の中の語は一度だけ使うこと。

対義語

1 出陣（　　）
2 蓄積（　　）
3 失神（　　）
4 賢明（　　）
5 還俗（　　）

類義語

6 極意（　　）
7 苦悩（　　）
8 容赦（　　）
9 雌雄（　　）
10 花畑（　　）

あんぺい・かほ・そせい・ていはつ
とうじん・とうまい・はんもん・ひけつ
ひんぼ・ゆうじょ

（九）

2×10 /20

次の故事・成語・諺のカタカナの部分を漢字で記せ。

1 **シャクシ**で腹を切る。（　　）
2 旅の恥は**カ**き捨て。（　　）
3 **ハッサク**は麦まんじゅうの食いじまい。（　　）
4 **ホウユウ**は六親にかなう。（　　）
5 昔とった**キネヅカ**。（　　）
6 **ゲキリン**に触れる。（　　）
7 **ランデン**玉を生ず。(注)（　　）
8 **ウケ**に入る。（　　）
9 **コウサ**は拙誠に如かず。（　　）
10 **ロウソク**は身を減らして人を照らす。（　　）

(注) ランデン…中国の県名。

書き2×5
読み1×10

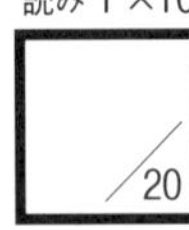

(十)

文章中の傍線（1～5）のカタカナを漢字に直し、波線（ア～コ）の漢字の読みをひらがなで記せ。

A

「左へ寄っていやはったら、大丈夫どす、波はかかりまへん」と船頭が云う。船頭の数は四人である。真っ先なるは、二間の[1]タケザオ、続く二人は右側に櫂（かい）、左に立つは同じくサオである。ぎいぎいと櫂が鳴る。粗削りに平げたる[2]カシの[ア]頸筋を、太い[3]フジヅルに[イ]捲いて、余る一尺に丸味を持たせたのは、両の手にむんずと握る便りである。握る手の節の隆きは、真黒きは、松の小枝に青筋を立てて、うんと[ウ]掻く力の脈を通わせた様に見える。フジヅルに頸根を抑えられた櫂が、掻く毎に撓（しわ）りでもする事か、[4]コワき[エ]項を真直に立てた[オ]儘、フジヅルと擦れ、舷（こべり）と擦れる。櫂は一掻き毎にぎいぎいと鳴る。

（夏目漱石「虞美人草」より）

B

紙と人生との関係は広大無辺なり。我等の生活は衣食住の三者を重んずれども、三者に譲らぬ必要品は紙なり。仮令ば食に依りて生命を[5]ツナぐは、犬も猫も同然にして、衣は体を[カ]蔽い屋は身を安んずるは、[キ]亦彼の羽毛と鱗介との如く、巣穴と樹枝の如くにして、人と飛走の物との差別あらず。只其の差別あるは心霊の発達のみ。此は之を食餌より得るに非ず、之を[ク]単衣と綿入れとより得るに非ず、之を九尺二間と大廈（たいか）高楼とより得るにも非ず、[ケ]尤も多く紙の上より之を得るなり。我等の此の世に生まれて、両眼の見え初むるより老死に至るまで、一日片時として紙に接せざるはなし。殊に東洋に於いて[コ]然り。未だ字を識らざる間とても、壁紙と障子とは寸刻も眼を離れず。

（西村天囚「北国物語」より）

1	ア
2	イ
3	ウ
4	エ
5	オ
	カ
	キ
	ク
	ケ
	コ

本試験型

準1級 第11回★テスト

〈60分〉

合計点

200点満点の　　点

- 160点以上 合格
- 130点以上 もう一度学習を
- 100点以上 猛勉強が必要
- 99点以下 受検級を考え直しましょう

1×30

/30

(一)

次の傍線部分の読みをひらがなで記せ。
1〜20は音読み、21〜30は訓読みである。

1 普く俊彦を求め国政の要諦を問う。（　　）
2 滝の飛沫を浴びる。（　　）
3 掩蓋の隙間から這い出す。（　　）
4 廐舎の敷き藁を取り替える。（　　）
5 人生の意味について思惟する。（　　）
6 高位の人の庇護を蒙る。（　　）
7 人柄に軽忽なところがある。（　　）
8 なかなか恰幅のいい紳士だ。（　　）
9 戊辰戦争は一八六八年に起こった。（　　）
10 或問形式の入門書にしている。（　　）
11 慌てて弥縫策をとる。（　　）
12 輔弼の大任に与る。（　　）
13 軍隊が廠舎で休息をとる。（　　）
14 ある疑獄の内幕を知悉している。（　　）
15 敵将に敢えて逼近する者無し。（　　）
16 元気横溢して自信に満ちている。（　　）
17 日本人形の顔に胡粉を塗る。（　　）
18 君子は以て自彊してやまず。（　　）
19 廟堂の高きに居りては民を憂う。（　　）
20 君子に徽猷あらば小人与(とも)に属せん。（　　）
21 韮と卵で炒め物を作る。（　　）
22 捌けた人柄に好感を持つ。（　　）

第11回

23 些かも恥じることはない。（　　）
24 戎金をつかまされる。（　　）
25 厨から旨そうな匂いが流れてくる。（　　）
26 出端を挫かれて怯んだ。（　　）
27 庭の一角に樫のベンチを据えた。（　　）
28 山の清水を掬んで飲む。（　　）
29 むずかる子を宥める。（　　）
30 其祁いに孔だ有し。（　　）

(二)

1×10　/10

次の傍線部分は常用漢字である。その**表外の読み**を**ひらがな**で記せ。

1 くりの実が焼けて爆ぜる。（　　）
2 昨年にも倍して暑い。（　　）
3 番いのインコを飼っている。（　　）
4 北窓の帳を下ろす。（　　）
5 ひたすら好機を須つ。（　　）
6 庭に落葉が散り布く。（　　）
7 数名の廷臣で政を掌った。（　　）
8 併しここは広い公園だなあ。（　　）
9 弟に託けを頼んだ。（　　）
10 いやな予感が中たった。（　　）

(三)

1×10　/10

次の**熟語の読み**（**音読み**）と、その**語義**にふさわしい**訓読み**を（送りがなに注意して）**ひらがな**で記せ。

〈例〉健勝⋯勝れる → けんしょう　すぐ

ア 1 蒙昧（　　）⋯2 蒙い（　　）
イ 3 鋪装（　　）⋯4 鋪く（　　）
ウ 5 葺繕（　　）⋯6 葺う（　　）
エ 7 董理（　　）⋯8 董す（　　）
オ 9 舛午（　　）⋯10 舛く（　　）

2×5

/10

(四)

次の各組の二文の（　）には**共通**する漢字が入る。その読みを後の□から選び、**常用漢字（一字）**で記せ。

1
広（1）な邸宅に招かれる。
アルプスの（1）観を眺める。
（　）

2
（2）煙室を設ける。
休暇を満（2）する。
（　）

3
教科書に準（3）した問題を作る。
生産（3）点を海外に移す。
（　）

4
古新聞を回（4）する。
事態を（4）拾する。
（　）

5
米を集（5）場に運ぶ。
悪事に（5）担する。
（　）

か・かい・きつ・きょ
しゅう・そう・だい・てっ

2×20

/40

(五)

次の傍線部分の**カタカナ**を**漢字**で記せ。

1 首位を奪還して**カイサイ**を叫ぶ。（　）
2 **モウキン**のように鋭い目付きだ。（　）
3 **シマガラ**のブラウスを仕立てる。（　）
4 川**マス**のソテーをいただく。（　）
5 レジの金を**ワシヅカ**みにして逃走した。（　）
6 **バテイ**形のアーチを潜る。（　）
7 野菜を**ミジン**切りにする。（　）
8 **ワ**国は日本国の古称だ。（　）
9 **コキュウ**を弾きながら街を流す。（　）
10 **セキ**を切ったように話し始めた。（　）
11 今日は**ギオン**祭の宵山だ。（　）
12 陣営の門に**ホショウ**を立てる。（　）
13 **コンペキ**の空に白球が飛んだ。（　）
14 夕方の空で雷が**トドロ**く。（　）
15 **イカダ**を操って下流に向かう。（　）

16 夕立にあってヌれねずみになった。（　　）
17 雲間から陽光がモれてきた。（　　）
18 国家財政がキタイに瀕している。（　　）
19 人倫の廃れた世にキタイを抱く。（　　）
20 何ともキタイな出来事だ。（　　）

（六）

2×5　／10

次の各文にまちがって使われている**同じ音訓の漢字**が**一字**ある。**上に誤字**を、**下に正しい漢字**を記せ。

1 初夏の青嵐を胸に険粗な山道を中腹まで登ると展望が開け山巓が迫った。（　・　）
2 焼夷弾の火焰が嘗め尽くした跡に亡然として立った記憶が愈鮮明に蘇る。（　・　）
3 高速道路で多重衝突事故が発生し現場の惨状には肌が泡立つ思いがした。（　・　）
4 街を周匝する堀を真鯉緋鯉が悠容迫らず泳ぐ姿を眺めて倦むことがない。（　・　）
5 嘗ては学内で傲慢な上級生が行う鉄堅制裁と称する暴力が横行していた。（　・　）

（七）

問1／2×10
問2／2×5　／30

次の**問1**と**問2**の四字熟語について答えよ。

問1 次の四字熟語の（1〜10）に入る適切な語を後の□から選び**漢字二字**で記せ。

1（　）大呂
2（　）章草
3（　）露宿
4（　）潔飢
5（　）凝議
6 麦秀（　）
7 一飲（　）
8 不失（　）
9 甲論（　）
10 魚網（　）

いったく・おつばく・きゅうしゅ・きゅうてい・こうり・しょり・せいこく・ふうさん・めいせん・ろぎょ

問2 次の1〜5の**解説・意味**にあてはまる四字熟語を後の□から選び、その**傍線部分だけの読み**を**ひらがな**で記せ。

1 のんびりした老後のこと。（　　）

2 戦いに敗れて逃げること。（　　）
3 心がわだかまりなくからっと広いこと。（　　）
4 民間の話を記録したもの。（　　）
5 融通がきかないさま。（　　）

伯牙絶弦・棄甲曳兵・稗官野史・廓然大公
名誉挽回・含飴弄孫・永劫回帰・杓子定規

2×10
／20
(八)

次の1～5の**対義語**、6～10の**類義語**を後の□□の中から選び、**漢字**で記せ。□□の中の語は一度だけ使うこと。

対義語

1 捕縛（　　）
2 直行（　　）
3 一斑（　　）
4 富貴（　　）
5 艶麗（　　）

類義語

6 領地（　　）
7 友情（　　）
8 忠告（　　）
9 密偵（　　）
10 動向（　　）

うかい・かんげん・かんちょう・さいゆう
すうせい・ぜんぴょう・とうりゅう・とんそう
ひんせん・ゆうぎ

2×10
／20
(九)

次の故事・成語・諺の**カタカナ**の部分を**漢字**で記せ。

1 絶景という**タル**(注)、肴ありてこそ。（　　）
2 大魚は小池に**ス**まず。（　　）
3 **リョウジョウ**の君子。（　　）
4 **エンガン**代わって飛ぶ。（　　）
5 櫂(かい)は三年**ロ**は三月。（　　）
6 **チリ**を結んでも志。（　　）
7 **センダン**は双葉より芳し。（　　）
8 髪を簡して**クシケズ**る。（　　）
9 **ショウハク**の志。（　　）
10 柱には虫入るも**スキ**の柄には虫入らず。（　　）

(注) タル…酒をあらわす。

書き2×5
読み1×10

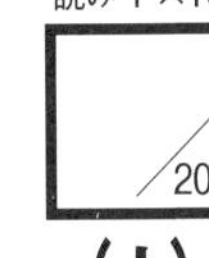

(十)

文章中の傍線（1～5）の**カタカナ**を**漢字**に直し、波線（ア～コ）の**漢字**の**読み**を**ひらがな**で記せ。

A

軍事の烈しさ江戸に乗り込んで足溜まりもせず、奥州まで直押[ア]しに推す程の勢い、自然と焔硝[イ]の煙に馴れては白粉の薫り思い出さず（中略）修羅の巷[ウ]に阿修羅となって働けば、功名の一トつあらわれ二ツあらわれて、総督の御覚えめでたく追々の出世、一方の指揮となれば其の任愈[エ]重く必死に勤めけるが、仕合せに弾丸をも受けず皆々ガイジン[1]の暁、其の方器量学問見所あり、何某大使に従って外国に行き何々の制度能[オ]く能く取り調べ帰朝せば重く挙げ用いらるべしとの事、室香に約束は違えど大丈夫青雲の志此の時伸ぶべしと、殊に血気の雀躍[カ]して喜び、米国より欧州に前後七年のナガトウリュウ[2]（後略）

（幸田露伴「風流仏」より）

B

所謂時文家なるものは、多士セイセイ[3]たり。新聞雑誌記者は、総て是れ時文家にして、其の中知名の人に至りては、能く数千乃至数万の読者を有するものあり。凡そ時文家は、大抵達意を主として文法語格の末に頓着せざる風あり。故に其の文悉[キ]く採って以て初学者の軌範と為すべからずと雖（いえど）も、時文家の尤[ク]なるものに在っては、其の筆を下すや、自ずから一家の文体と文品とを備え、隠然として時代の文壇を感化するの力あり。（中略）民友社流の文宗徳富猪一郎氏は、巧みに欧文の骨法を活用して新体の時文を創作したる人だけありて、其の文章はト[4]に角ハイカラ式なり。何となくアカヌ[5]けしたる処あり。気の利きたる処あり。浮誇冗漫の弊はあれども、断じて腐廃の文字なし。然れども氏の論文は概[ケ]ね刺激性を帯び辛味と鹹味（かんみ）に富めども滋味と香味に乏[コ]しく、動もすれば読者の反感を挑発するものあり。

（鳥谷部春汀「当今の時文家」より）

1	ア
2	イ
3	ウ
4	エ
5	オ
	カ
	キ
	ク
	ケ
	コ

本試験型

準1級 第12回★テスト

〈60分〉

合計点

200点満点の　　点

- 160点以上 合格
- 130点以上 もう一度学習を
- 100点以上 猛勉強が必要
- 99点以下 受検級を考え直しましょう

1×30

(一)

次の傍線部分の読みをひらがなで記せ。
1～20は**音読み**、21～30は**訓読み**である。

1 捷報至り上下喜びに沸く。（　）
2 研究に孜孜として打ち込む。（　）
3 主任教授は斯界の第一人者だ。（　）
4 撞木で鉦を打ち鳴らす。（　）
5 師に自作の斧正を乞う。（　）
6 朋友の忠告を受け入れる。（　）
7 寂漠たる柴扉を訪う。（　）
8 中国語を流暢に操る。（　）
9 世事紛擾、瓦解の勢い有り。（　）
10 視野狭窄に悩まされる。（　）
11 自分の才能を晦匿する。（　）
12 栖遅して漸く安息を得た。（　）
13 忙しい播種期を迎える。（　）
14 突然の激しい頭痛で昏倒した。（　）
15 其の民沓貪なり、因るべからず。（　）
16 摸稜して以て両端を持す。（　）
17 揖譲して天下治まる。（　）
18 斌斌として文学の士多し。（　）
19 天下万民心を同じくして欣仰せり。（　）
20 大筆を濡染すること何ぞ淋漓（りんり）たる。（　）
21 家の周りに堵をめぐらした。（　）
22 その若者の才は衆に擢んでていた。（　）

23 樵に導かれて峠を越えた。（　　）
24 敢えて危険に身を晒す。（　　）
25 腕に撚りをかけてご馳走を作った。（　　）
26 濁酒の上澄みを杓う。（　　）
27 某藩に鑓の師範として仕えた。（　　）
28 隈笹を掻き分けつつ進む。（　　）
29 鎮守の杜は鳥のねぐらだ。（　　）
30 魔よけに柊を門にさす。（　　）

(二)

1×10 　/10

次の傍線部分は常用漢字である。その**表外の読み**を**ひらがな**で記せ。

1 両親を蔑ろにする。（　　）
2 転た哀惜の念にたえない。（　　）
3 千円某の寄付をする。（　　）
4 釈されて自由の身となった。（　　）
5 妄りに触らないでほしい。（　　）
6 約やかに生活する。（　　）
7 こちらに誘き寄せる。（　　）
8 有力党派に与して活動する。（　　）
9 情報は予め入手していた。（　　）
10 罷り間違えば大変なことになる。（　　）

(三)

1×10 　/10

次の**熟語の読み**（**音読み**）と、その**語義**にふさわしい**訓読み**を（送りがなに注意して）**ひらがな**で記せ。

〈例〉健勝…勝れる → けんしょう／すぐ

ア 1 蕩揺（　　）…2 蕩く（　　）
イ 3 註釈（　　）…4 註す（　　）
ウ 5 蚤起（　　）…6 蚤い（　　）
エ 7 蕪辞（　　）…8 蕪れる（　　）
オ 9 蔓生（　　）…10 蔓る（　　）

2×5 /10

(四)

次の各組の二文の（　）には**共通**する漢字が入る。その読みを後の［　］から選び、**常用漢字**（**一字**）で記せ。

1 弁護士が反対（1）問を行う。／千（1）の谷に転がり落ちる。（　）

2 式には（2）服を着用する。／事件が波（2）を広げる。（　）

3 前例を（3）襲する。／舞（3）会に招待された。（　）

4 校歌を（4）唱する。／均（4）のとれた体つきだ。（　）

5 家事を分（5）する。／自宅を（5）保に入れる。（　）

こう・しつ・じゅう・じん
せい・たん・とう・もん

2×20 /40

(五)

次の傍線部分の**カタカナ**を**漢字**で記せ。

1 ウールの**ガイトウ**を着て外出する。（　）
2 「**ヒョウタン**から駒」とはこのことだ。（　）
3 **ソウコウ**の妻に報いたい。（　）
4 偽情報を世間に**マ**き散らす。（　）
5 市史の**ヘンサン**に携わる。（　）
6 夜の**ラントウ**場を急いで通り抜ける。（　）
7 **セキツイ**カリエスを患う。（　）
8 利害関係が**サクソウ**している。（　）
9 主役には**スコブ**る付きの名優を選んだ。（　）
10 **モミガラ**の枕を愛用している。（　）
11 **カスミ**網で小鳥を捕らえる。（　）
12 昔の**ヨシミ**で少し融通してほしい。（　）
13 幼いころの思い出を**ツヅ**る。（　）
14 戦野に**カバネ**をさらす。（　）
15 それでは先方の思う**ツボ**だ。（　）

16 **タマネギ**をくし形に切る。（　　）
17 **オダ**てられてついその気になった。（　　）
18 **キンジュウ**にも劣る行為を糾弾する。（　　）
19 大雨で川の水**カサ**が増す。（　　）
20 親の権威を**カサ**に着る。（　　）

2×5　／10

(六) 次の各文にまちがって使われている**同じ音訓の漢字**が**一字**ある。**上に誤字**を、**下に正しい漢字**を記せ。

1 式典進行に遺浪無きよう準備万端整えて臨み終了するまで緊張が続いた。（　・　）
2 碧空を衝く嵯峨たる高嶺を仰ぎつつ辿る登山道の藪蔭に可恋な花が咲く。（　・　）
3 雑誌掲載の小説で当年の文学賞を受賞し作者は一躍時代の跳児となった。（　・　）
4 完全試合達成は味方の好守好打のお蔭と感慨措く能わざる口奮で語った。（　・　）
5 空は瞬くうちに暗雲に覆われ線光が走ると同時に大粒の雨が地を叩いた。（　・　）

問1／2×10
問2／2×5
／30

(七) 次の 問1 と 問2 の四字熟語について答えよ。

問1 次の四字熟語の（1～10）に入る適切な語を後の□から選び**漢字二字**で記せ。

1（　　）神助
2（　　）鳥形
3（　　）磨滅
4（　　）落飾
5（　　）竜文
6 未来（　　）
7 衡陽（　　）
8 七堂（　　）
9 竹頭（　　）
10 動静（　　）

うんい・えいごう・がらん・がんだん
こくめん・ちょうれい・ていはつ・てんゆう
ひと・ぼくせつ

問2 次の1～5の**解説・意味**にあてはまる四字熟語を後の□から選び、その**傍線部分だけの読み**を**ひらがな**で記せ。

1 人と人がすれ違いで、遠く隔てられていること。（　　）

2 布を打つ音があちこちから聞こえること。（　　　）

3 いつも身近に置くお気に入り。（　　　）

4 めでたい月日のこと。（　　　）

5 祖先の宗廟には一定の序列があること。（　　　）

昭穆倫序・嘉辰令月・光焔万丈・巾箱之寵
燕雁代飛・天保九如・万杵千砧・打打発止

（八） 2×10 ／20

次の1～5の**対義語**、6～10の**類義語**を後の□の中から選び、**漢字**で記せ。□の中の語は一度だけ使うこと。

対義語

1 強硬（　　　）
2 至近（　　　）
3 号泣（　　　）
4 酷暑（　　　）
5 悪臭（　　　）

類義語

6 頑丈（　　　）
7 前駆（　　　）
8 教導（　　　）
9 出航（　　　）
10 粗略（　　　）

きかん・きょうじん・けいこう・こっしょ
じゃくやく・じんじゃく・せんべん
ばつびょう・ぼくたく・りょうえん

（九） 2×10 ／20

次の故事・成語・諺の**カタカナ**の部分を**漢字**で記せ。

1 **アコギ**が浦に引く網。（　　　）
2 沈香も**タ**かず屁（へ）もひらず。（　　　）
3 味噌**コ**しで水を掬う。（　　　）
4 **ラクヨウ**（注）の紙価を高からしむ。（　　　）
5 **タイロウ**の滋味。（　　　）
6 瀬を踏んで**フチ**を知る。（　　　）
7 掃き**ダ**めに鶴。（　　　）
8 付け焼き刃は**ナマ**り易い。（　　　）
9 賭博に**フケ**る。――これは破滅への門である。（　　　）
10 **ミダ**の光も金次第。（　　　）

（注）ラクヨウ…中国の古都。

書き2×5
読み1×10

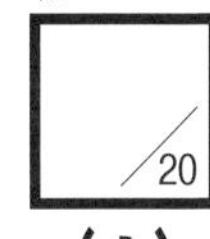

(十)

文章中の傍線（1～5）の**カタカナ**を**漢字**に直し、波線（ア～コ）の**漢字の読み**を**ひらがな**で記せ。

A

それ以来自分が気をつけて見ると、京都界隈（ア）にはどこへ行っても竹ヤブ（1）がある。どんな賑やかな町中でも、こればかりは決して油断が出来ない。一つ家並を外れたと思うと、すぐ竹ヤブが出現する。と思うと、忽（イ）ちまた町になる。殊に今云った建仁寺の竹ヤブの如きは、その後も祇園を通り抜ける度に、必ず棒喝の如く自分の眼前へとび出して来たものである。（中略）もう一つ形容すると、始めから琳派（ウ）の画工の筆に上る為に、生えてきた竹だと云う気がする。これなら町中へ生えていても、勿論少しも差支えはない。何なら祇園のまん中にでも、光悦のマキ（2）エ（エ）にあるような太いやつが二、三本、玉立していてくれたら、猶更以て結構だと思う。

（芥川龍之介「京都日記」より）

B

お秀は早晩（いつしか）十二となりぬ。姿貌（オ）美しく才もまた大人びて、いと賢（カ）しき生まれなれば夫婦のチョウアイ（3）一方ならず（中略）乏しからぬ身代とて読み書き裁縫糸竹の道云えば更なり、香花茶の湯に至る迄然るべき師を家に招きて教えさするに、固（キ）より利発の生まれなれば何事も呑み込み早く年にはませて諸般の芸に熟すれど、年寄りたる両親は只飴（ク）を引き伸ばす様に思い、凡そ物学びをなすには友達なくては自然怠り勝になり又ウ（4）むこともありて宜しからねば何とぞ能き年頃の友達を求めて（中略）お秀も友達を得たるを深く喜びて、これより日夜お町と一つ部屋に居り、諸芸を習う間には羽根突マリ（5）突骨牌（ケ）取りなどして遊び親しむに二人とも素直なる性なれば宛（コ）ら姉妹の如くにて睦まじく月日を送る中に早くも三年の星霜を過ごしてお秀は三五の春を迎えたり。

（宮崎三昧「二夫婦」より）

1	ア
2	イ
3	ウ
4	エ
5	オ
	カ
	キ
	ク
	ケ
	コ

本試験型

準1級 第13回★テスト

〈60分〉

合計点

200点満点の　　点

- 160点以上 合格
- 130点以上 もう一度学習を
- 100点以上 猛勉強が必要
- 99点以下 受検級を考え直しましょう

(一)

1×30　　/30

次の傍線部分の読みを**ひらがな**で記せ。
1～20は**音読み**、21～30は**訓読み**である。

1 圃畦で野菜を栽培する。（　　）
2 蔚然として草木が生い茂る。（　　）
3 禿筆を手に忽ち一首ものした。（　　）
4 他の過失を己の出世の階梯とする。（　　）
5 喋喋として淀みなく話す。（　　）
6 杜撰な書類管理を改めさせる。（　　）
7 老年に至り漸く処女作を上梓した。（　　）
8 絢飾を施した一室で式を挙げる。（　　）
9 旅館が櫛比する温泉街を行く。（　　）
10 盤上で烏鷺の戦いを展開する。（　　）
11 栗烈たる寒さが続く。（　　）
12 小舟で急灘を乗り切る。（　　）
13 錫杖を引きつつ諸国を巡る。（　　）
14 不逞(ふてい)の徒に鉄槌を下す。（　　）
15 鹿柴で敵の侵入を防ぐ。（　　）
16 大嘗会は陰暦十一月卯の日に行う。（　　）
17 剣を按じ赫怒して威を示す。（　　）
18 樗牛は共に大にして無用のものなり。（　　）
19 桐花は垂れて翠簾の前に在り。（　　）
20 積聚(せきしゅう)を焚き釜甑を破る。（　　）
21 軒を掠めて燕が飛ぶ。（　　）
22 桑の楚がどんどんのびる。（　　）

23 今年から口髭を立てることにした。（　　）
24 椴松は北海道以北に自生する。（　　）
25 庭の木々が萌み始めた。（　　）
26 允に難きを知りて退く。（　　）
27 神棚に榊を供える。（　　）
28 古寺の苔むしろが美しい。（　　）
29 巽の方角は塞がっているようだ。（　　）
30 椋鳥と人に呼ばるる寒さかな。（　　）

（二）

1×10

/10

次の傍線部分は常用漢字である。その**表外の読み**を**ひらがな**で記せ。

1 それが抑間違いだ。（　　）
2 所属選手との契約を更める。（　　）
3 盛者必衰の理をあらわす。（　　）
4 身に覚えのない廉で調べられる。（　　）
5 我安んぞこれ知らん。（　　）

6 尉と姥（うば）とが並んで登場する。（　　）
7 我が社の方針に適う人物だ。（　　）
8 集く虫の声に秋の訪れを感ずる。（　　）
9 浮世の辛酸を具になめ尽くす。（　　）
10 事態が卒かに急変する。（　　）

（三）

1×10

/10

次の**熟語の読み**（**音読み**）と、その**語義**にふさわしい**訓読み**を（送りがなに注意して）**ひらがな**で記せ。

〈例〉健勝…勝れる → けんしょう／すぐ

ア 1 諫止（　　）…2 諫める（　　）
イ 3 趨勢（　　）…4 趨く（　　）
ウ 5 謬説（　　）…6 謬る（　　）
エ 7 輿望（　　）…8 輿い（　　）
オ 9 諂諛（　　）…10 諛る（　　）

2×5
/10

(四)

次の各組の二文の（　）には**共通**する漢字が入る。その読みを後の□から選び、**常用漢字**（**一字**）で記せ。

1 源（1）所得税を納付する。ついに（1）下の人となる。　（　　）

2 無（2）仏として葬る。（2）日で金魚すくいをする。　（　　）

3 後（3）の憂いをなくす。（3）客リストを作成する。　（　　）

4 海外で異（4）人として暮らす。英詩を（4）訳する。　（　　）

5（5）書は書体のひとつである。大国に（5）従する。　（　　）

えん・かい・こ・こく
せん・ほう・ほん・れい

2×20
/40

(五)

次の傍線部分の**カタカナ**を**漢字**で記せ。

1 **ケダ**しこれは名文だ。　（　　）

2 論文中の矛盾**ドウチャク**に気が付いた。　（　　）

3 **シッシン**に薬を塗布する。　（　　）

4 **カ**んで含めるように言い聞かす。　（　　）

5 戦死者の**ボダイ**を弔う。　（　　）

6 国産の**ブドウ**酒を愛飲している。　（　　）

7 旧家の**キンバク**からやっと抜け出した。　（　　）

8 **マキエ**の文箱を記念に頂く。　（　　）

9 **マユズミ**を薄く引く。　（　　）

10 **カマビス**しいほど鳥の鳴き声がする。　（　　）

11 **ハチマン**様に七五三のお参りに行く。　（　　）

12 飛行機の窓から**アカネ**雲を眺めた。　（　　）

13 悲しい結末を知って涙が**アフ**れた。　（　　）

14 新酒の**ホウジュン**な香りを楽しむ。　（　　）

15 戸外の寒さに肌が**アワ**立つ。　（　　）

16 ロウコたる確信を持っている。（　　　）
17 パンクズを払い落とす。（　　　）
18 クズは秋の七草のひとつだ。（　　　）
19 フヨウ峰は富士山の美称だ。（　　　）
20 景気のフヨウ策を講じる。（　　　）

(六)

2×5　/10

次の各文にまちがって使われている**同じ音訓の漢字**が**一字**ある。**上に誤字**を、**下に正しい漢字**を記せ。

1 豪雪地帯に位置する硲の村は寒冷期の道路渡絶問題解消が喫緊の課題だ。（　・　）
2 鷲や鷹は鋭い爪とくちばしで獲物を襲い正に猛菌類という名に相応しい。（　・　）
3 今は地方の市町村道も概ね歩装され昔のような砂利道や泥道は減少した。（　・　）
4 よく訓練された正規軍と要兵ばかりの烏合の衆では勝負になる筈もない。（　・　）
5 萩の葉蔭の叢に集き終夜鳴き通す虫の中で鐘叩きの音（ね）は一際清澄である。（　・　）

(七)

問1／2×10
問2／2×5
/30

次の 問1 と 問2 の四字熟語について答えよ。

問1 次の四字熟語の（1～10）に入る適切な語を後の □ から選び**漢字二字**で記せ。

1（　　）雲客　（　　）
2（　　）同時　（　　）
3（　　）狼歩　（　　）
4（　　）群吠　（　　）
5（　　）魚躍　（　　）

6 臥薪（　　）
7 錦心（　　）
8 虚心（　　）
9 純真（　　）
10 紫幹（　　）

えんぴ・けいしょう・しゅうこう
しょうたん・すいよう・そったく・たんかい
むく・ゆうけん・ようし

問2 次の1～5の**解説・意味**にあてはまる四字熟語を後の □ から選び、その**傍線部分だけの読み**を**ひらがな**で記せ。

1 うるさいだけで役立たずの議論。（　　）

2 激戦の後の惨状。（　　）
3 優秀な人材が集まることのたとえ。（　　）
4 非常に重いものと非常に軽いもの。（　　）
5 きわめて勢いが激しいこと。（　　）

屍山血河・雷轟電撃・泰山鴻毛・桃李満門
旋乾転坤・春蛙秋蟬・堂塔伽藍・河図洛書

2×10
／20

（八）

次の1〜5の**対義語**、6〜10の**類義語**を後の□の中から選び、**漢字**で記せ。□の中の語は一度だけ使うこと。

対義語

1 同調（　　）
2 駄馬（　　）
3 伶利（　　）
4 老練（　　）
5 不幸（　　）

類義語

6 要点（　　）
7 夕食（　　）
8 手紙（　　）
9 頭目（　　）
10 卓抜（　　）

がんしょ・きゅうてい・こうふん・しゅかい
しゅんめ・せいこく・ばんさん・はんばく
りょうが・ろどん

2×10
／20

（九）

次の故事・成語・諺の**カタカナ**の部分を**漢字**で記せ。

1 海中より**ハイチュウ**に溺死する者多し。（　　）
2 中流に船を失えば**イッピョウ**も千金。（　　）
3 **ルリ**もはりも磨けば光る。（　　）
4 羊頭を掲げて**クニク**を売る。（　　）
5 **コリ**の精、尾を露す。（　　）
6 秋の日は**ツルベ**落とし。（　　）
7 **タク**(注)は声を以って自ら毀(やぶ)る。（　　）
8 わが物食えば**カマド**将軍。（　　）
9 **ダシュ**を見て長短を知る。（　　）
10 羊を亡いて**ロウ**を補う。（　　）

（注）タク…つりがねの形をした大形の鈴。

書き2×5
読み1×10

/20

(十)

文章中の傍線（1～5）の**カタカナを漢字**に直し、波線（ア～コ）の**漢字の読みをひらがな**で記せ。

A

サアこれから何処へ行こう、桐生へ行こうか、それ宜かろうと桐生へ心ざして日の暮れに着きぬ。名高き機織場ほどありて町中を流るる小溝の水の力仮りて水車を装置したる家極めて多く、水車かけぬ家は却って少なきまでなり。今日は二日の初荷とて駄馬に紅白の長き縮緬ナイシ木綿の色美わしきを幾条と無く懸け飾りたるを曳くもの多く、馬こそ心は無かるべけれ、鈴の音ちゃらちゃらと床しく響き、緑の松立ち注連張れる門辺に風そよ吹きて紅白の其の飾りの翻るさま絵にしても看るべく風情あり。

（幸田露伴「酔興記」より）

B

英国は（中略）初め商業の起こるに当たりては人民の無智頑陋（がんろう）なるが為に頗る進歩を妨げたれども終に能く凡百の障害を除きて以て広大無辺の大業を起こし、向にヒセンの職業としたるもの却って政事上に大勢力を振るうに至りしは誠に忍耐不屈なるに非ざれば能わざる所なり。今其のハンジョウを証せんに千七百六十三年より千八百七十年に至るの間に於いて人口を増すこと三倍に過ぎ又輸入を三十倍し輸出を二十倍し船艘（せんそう）五十万トンより七百十万トンに上り近来十五年の中に全国貿易の額を二倍するに至れり。是に由りて人民の財産を増し生計を裕かにしたること明らかなり。（中略）顧（おも）うに英国通商の盛大を致すや地形の便、鉱物の利に由ると雖（いえど）も亦其の民沈毅にして能く事に耐えアえて軽く戦乱を事とせざるに由らざらんや。

（犬養木堂「通商論」より）

1	ア
2	イ
3	ウ
4	エ
5	オ
	カ
	キ
	ク
	ケ
	コ

本試験型

準1級

第14回★テスト

〈60分〉

合計点

200点満点の　　点

- 160点以上　合格
- 130点以上　もう一度学習を
- 100点以上　猛勉強が必要
- 99点以下　受検級を考え直しましょう

1×30　/30

(一) 次の傍線部分の読みをひらがなで記せ。
1～20は**音読み**、21～30は**訓読み**である。

1 向こう岸へと櫓声が遠ざかる。（　）
2 杏林は医師の別称である。（　）
3 厭世観を抱きつつ生きる。（　）
4 手をこまぬいて荏苒と日を送る。（　）
5 候補者両名の人物を秤量する。（　）
6 豊作の稲を苅穫する。（　）
7 テロリストの爪牙にかかる。（　）
8 野原に仰臥してまどろむ。（　）
9 竺摯な人柄が人望を集める。（　）
10 翁草は白い毛茸で覆われている。（　）
11 蒲柳の質でよく寝込む。（　）
12 今年は甜菜の出来がよい。（　）
13 街の一角に昔からの骨董屋がある。（　）
14 引退後は種牡馬になった。（　）
15 錐嚢はたちどころに現る。（　）
16 その言は溢美に過ぎる。（　）
17 川で舟筏を操る。（　）
18 老いて政権の座にある者は誤舛多し。（　）
19 笛の音澄み、菱歌清む。（　）
20 数間の茅屋従容を尽くす。（　）
21 狛犬には魔よけの力がある。（　）
22 鴫立つ沢の秋の夕暮れ。（　）

23 菰の上から育てあげる。（　　）
24 テレビを見乍ら食事する。（　　）
25 畑で棉の花を摘む。（　　）
26 線状降水帯が屢発生している。（　　）
27 栂の大木が亭亭とそびえ立つ。（　　）
28 秋の雲を眺めて坐に涙する。（　　）
29 出席者の意見を纏める。（　　）
30 夕日より朝日が親し葱坊主。（　　）

1×10 /10

(二) 次の傍線部分は常用漢字である。その**表外の読み**を**ひらがな**で記せ。

1 戦場から救い出す術が無い。（　　）
2 目的地まで徒で行く。（　　）
3 従妹は十歳許りの女の子だ。（　　）
4 容疑者を捕えて糾す。（　　）
5 謙った態度が好ましい。（　　）
6 己の財力を伐る。（　　）
7 友人の頼みを肯う。（　　）
8 人心が荒みきっている。（　　）
9 着物姿の項が美しい。（　　）
10 父の教えに努努背くことなかれ。（　　）

1×10 /10

(三) 次の**熟語の読み**（**音読み**）と、その**語義**にふさわしい**訓読み**を（送りがなに注意して）**ひらがな**で記せ。

〈例〉健勝…勝れる → けんしょう／すぐ

ア 1 尤物（　　）…2 尤れる（　　）
イ 3 寵臣（　　）…4 寵み（　　）
ウ 5 不屑（　　）…6 屑い（　　）
エ 7 険岨（　　）…8 岨つ（　　）
オ 9 曝書（　　）…10 曝す（　　）

2×5 /10

(四)

次の各組の二文の（　）には**共通**する漢字が入る。その読みを後の□から選び、**常用漢字**（**一字**）で記せ。

1 凶器は（1）利な刃物だ。
精（1）を選んでチームを作る。　（　　）

2 天気（2）況を伝える。
苦しみに負けない気（2）を持つ。　（　　）

3 平和を（3）求する。
祖父は今年古（3）を迎えた。　（　　）

4 日夜警（4）を怠らない。
宗派の（4）律を守る。　（　　）

5 上（5）の月がかかる。
（5）楽四重奏団を結成する。　（　　）

えい・かい・がい・き
げん・こう・しん・び

2×20 /40

(五)

次の傍線部分の**カタカナ**を**漢字**で記せ。

1 帰国して**ガイセン**公演を行った。（　　）
2 **ゼッポウ**鋭く総理大臣に迫る。（　　）
3 横綱は**モロ**くも敗れた。（　　）
4 地位も名誉も失って**ヒッソク**する。（　　）
5 二本の糸を**ヨ**り合わせる。（　　）
6 人気は**チョウラク**の一途をたどる。（　　）
7 **クボ**地に雨水がたまる。（　　）
8 **ケイシ**に行動予定を列挙する。（　　）
9 **ウ**まず弛まず前進する。（　　）
10 夏場は**トカク**体調を崩しがちだ。（　　）
11 亡き母の人柄を**シノ**ぶ。（　　）
12 未来**エイゴウ**の愛を誓う。（　　）
13 **サケ**が故郷の川に帰って来た。（　　）
14 三人**ナイシ**五人で組を作る。（　　）
15 他チームを**リョウガ**する強さだ。（　　）

16 兄弟でケンカしては叱られていた。（　　）
17 クシで前髪を整える。（　　）
18 裏山のカエデが色づいてきた。（　　）
19 積年の恨みをソソぐ。（　　）
20 田に水をソソぎ田植えに備える。（　　）

(六)

2×5 ／10

次の各文にまちがって使われている**同じ音訓の漢字**が**一字**ある。**上に誤字**を、**下に正しい漢字**を記せ。

1 十年に垂とする留学で粕を付けて帰朝し時の宰相の懐刀として活躍した。（　・　）
2 故郷への棲遅後に病を得た朋友宛彊食自愛を祈る手紙を認めて投缶した。（　・　）
3 谺の村の宵闇の底から砧声が聞こえ萋宿の清郎な夜空を雁影が横切った。（　・　）
4 残雪に覆われた雪渓を通り過ぎ険峻な陵線を踏みしめて山頂を目指した。（　・　）
5 戦後の住宅需要による乱伐で次第に剝げ山となった山々に植林を進める。（　・　）

(七)

問1／2×10
問2／2×5
／30

次の**問1**と**問2**の四字熟語について答えよ。

問1 次の四字熟語の（1～10）に入る適切な語を後の□から選び**漢字二字**で記せ。

1（　　）之歎		6 採薪（　　）	
2（　　）坑儒		7 容貌（　　）	
3（　　）夢幻		8 一張（　　）	
4（　　）果断		9 閑明（　　）	
5（　　）曲浦		10 庸中（　　）	

いっし・かいい・きゅうすい・ごうき
こうこう・しょり・そくそう・ちょうてい
ふんしょ・ほうまつ

問2 次の1～5の**解説・意味**にあてはまる四字熟語を後の□から選び、その**傍線部分だけの読み**を**ひらがな**で記せ。

1 少しずつでも続ければ大きな力になる。（　　）

2 満ち足りた安らかな状態を保つこと。（　　）
3 話や物事がとりとめないこと。（　　）
4 仏道のため身を顧みないこと。（　　）
5 考えや態度を急に変えること。（　　）

君子豹変・烏鳥私情・不惜身命・煎水作氷
繋風捕影・持盈保泰・積水成淵・含牙戴角

2×10
/20

（八）

次の1～5の**対義語**、6～10の**類義語**を後の□の中から選び、**漢字**で記せ。□の中の語は一度だけ使うこと。

対義語

1 払暁（　　）
2 平穏（　　）
3 綿密（　　）
4 明快（　　）
5 緩慢（　　）

類義語

6 旺盛（　　）
7 矛盾（　　）
8 選出（　　）
9 流布（　　）
10 佳肴（　　）

かいじゅう・けんこう・こうかぶつ
こうこん・じょうらん・ずさん・でんぱ
どうちゃく・ばってき・びんしょう

2×10
/20

（九）

次の故事・成語・諺の**カタカナ**の部分を**漢字**で記せ。

1 阿波に吹く風は**サヌキ**にも吹く。（　　）
2 富貴には他人集まり、**ヒンセン**には親戚も離る。（　　）
3 **ニジュ**（注）に冒される。（　　）
4 玉の**コシ**に乗る。（　　）
5 **テップ**の急。（　　）
6 世渡りの殺生は**シャカ**も許す。（　　）
7 枯木も山の**ニギ**わい。（　　）
8 荒馬の**クツワ**は前からとれ。（　　）
9 **ホラ**ヶ峠を決め込む。（　　）
10 **チョウベン**馬腹に及ばず。（　　）

（注）ニジュ…二人の子どもの姿をした病魔。

(十)

文章中の傍線（1～5）の**カタカナ**を**漢字**に直し、波線（ア～コ）の**漢字の読み**を**ひらがな**で記せ。

A 一行は国境から偏って、おもに信州側の方を歩いた。この尾根は薄くて[1]トガっているので、いきおい、崖の側面を偃松（はいまつ）に[ア]捉まりながら、歩くようになる。それでも石はサラサラ音を立てて、崩れ出し、[2]ハリネズミのようになって、谷へ転げ込む。人夫の一人が[イ]顚倒して、折角東京から担いで来た[3]ショウユの、一升[4]ダルの底を抜いてしまった。一行は人夫の無事を祝い合いながらも、「一升一円の亀甲万だもの、二升に使えるのに」「今夜は君、[5]ウサギにみんな舐（な）められちまうね」などと、さも口惜しそうだ。

（小島烏水「日本北アルプス縦断記」より）

B 国字国文の独立と与（とも）に学問の独立も亦吾人の冀望（きぼう）する所なり。其の漢学を修むるに当たりてや、無趣意不規則に其の文字を知るを以て能事とし、[ウ]曾て日本学の為其の副食物とすべきを知らず。又其の洋学を学ぶや、無趣意不秩序に其の声調と思想とを丸呑みにすべきを[エ]尚び、曾て日本学の為其の副食物とすべきを知らず。故に前者を学ぶや、無用の腐儒となり、後者を学ぶや、軽薄の才子となり、我が国家文運の為貢献する所[オ]幾何もなく、我が日本学の独立なるものは未だ曾て見る能わず。文学に哲学に[カ]将[キ]百般科学に、未だ能く世界に特出するものあらざるなり。固より国字国文の不便なるものあるべけれど、[ク]這は勝手に改良し進善し、以て独立完全の域に達せしむべし。而るを自ら思わず、其の行うべからざる空想と、其の常理に背くの議論とを以て、[ケ]徒に日を送り、我が国字国文の実際に進むべき逕（けい）路（ろ）を考えず、[コ]迂も亦甚だしからずや。

（鳥居素川「国字と国文」より）

1	ア
2	イ
3	ウ
4	エ
5	オ
	カ
	キ
	ク
	ケ
	コ

本試験型

準1級

第15回★テスト

〈60分〉

合計点

200点満点の　　点

- 160点以上 合格
- 130点以上 もう一度学習を
- 100点以上 猛勉強が必要
- 99点以下 受検級を考え直しましょう

1×30　／30

(一)

次の傍線部分の読みをひらがなで記せ。
1～20は音読み、21～30は訓読みである。

1 煽揚的な演説で大衆の支持を得る。（　）
2 冴寒の日々を耐える。（　）
3 今年も蒐猟の季節になった。（　）
4 人柄を知って欽羨の思いは増した。（　）
5 考察が犀利な好論文である。（　）
6 熊掌は非常に美味という。（　）
7 莞爾として死地に赴く。（　）
8 幼い頃より穎脱の感がある。（　）
9 ふと牢愁にとらわれる。（　）
10 秋の味覚を賞翫する。（　）
11 山並が東西に聯亙起伏する。（　）
12 諸子百家の言、畢覧せざるなし。（　）
13 牝馬だけのレースを行う。（　）
14 牟然と牛が鳴く。（　）
15 日夜鴻猷をめぐらす。（　）
16 甑中に居るが如き暑さだ。（　）
17 蓑笠の翁、独り寒江の雪に釣る。（　）
18 盈満は道家の忌むところなり。（　）
19 春日遅遅、蓬を采ること祁祁たり。（　）
20 吾は口、瓢杓を離れず。（　）
21 豬りを跳び越えた。（　）
22 主君の前で身を鞠めた。（　）

第15回

23 烏んぞその時を知らん。（　　）
24 歪な陶器にも面白みはある。（　　）
25 疏かな勉強では身につかない。（　　）
26 敷居の畦を傷めてしまった。（　　）
27 木の葉から雨の雫が落ちる。（　　）
28 始い女性に心引かれた。（　　）
29 惣て小さきものは愛しい。（　　）
30 日米間に貿易問題の漣が立つ。（　　）

1×10

/10

(二) 次の傍線部分は常用漢字である。その表外の読みをひらがなで記せ。

1 努力が都て無駄になった。（　　）
2 役人に賂いを渡す。（　　）
3 事の端めはまだ穏やかだった。（　　）
4 ホテルで朝食を認める。（　　）
5 熟思うに長生きをしたものだ。（　　）
6 震える手でくじを抽いた。（　　）
7 あれこれ論って時間が過ぎる。（　　）
8 古本屋を漁り歩く。（　　）
9 事の真相を詳らかに語った。（　　）
10 実戦宛らの厳しい訓練を行う。（　　）

1×10

/10

(三) 次の熟語の読み（音読み）と、その語義にふさわしい訓読みを（送りがなに注意して）ひらがなで記せ。

〈例〉 健勝…勝れる → けんしょう／すぐ

ア 1 秀穎（　　）…2 穎れる（　　）
イ 3 食頃（　　）…4 頃く（　　）
ウ 5 鳩首（　　）…6 鳩める（　　）
エ 7 偏頗（　　）…8 頗る（　　）
オ 9 甫爾（　　）…10 甫め（　　）

2×5

□ /10

(四)

次の各組の二文の（　）には**共通**する漢字が入る。その読みを後の□から選び、**常用漢字**（**一字**）で記せ。

1 { 事態の進（1）が見られない。
親（1）の封書を開ける。 }（　）

2 { 道路の（2）員を広げる。
お気に入りの画（2）を掛ける。 }（　）

3 { 清（3）な人柄が慕われている。
（3）価販売の製品を買う。 }（　）

4 { 土地を（4）当に入れる。
車のことなら大（4）分かる。 }（　）

5 { それは奇（5）なアイデアだ。
（5）群の成績をおさめる。 }（　）

けつ・ちょく・てい・てん
ばつ・ふく・みょう・れん

2×20

□ /40

(五)

次の傍線部分の**カタカナ**を**漢字**で記せ。

1 **キョウジン**な精神力を発揮する。（　）
2 土産に美しい和**ロウソク**を買った。（　）
3 時代の**スウセイ**には逆らえない。（　）
4 父の**イハイ**に手を合わせる。（　）
5 妹は吉日**リョウシン**に式を挙げた。（　）
6 黙って行方を**クラ**ませた。（　）
7 **シンガン**を見分ける眼力を持とう。（　）
8 **ヨロク**の多い仕事にありついた。（　）
9 貴人の**ラクイン**とは知らずに育つ。（　）
10 小包に送り状を**チョウフ**する。（　）
11 **チョウ**よ花よと育てられる。（　）
12 **ムクドリ**が群れをなして飛んできた。（　）
13 財布の底を**ハタ**いて支払う。（　）
14 実家から**タルガキ**を送って来た。（　）
15 遂に**クツワ**を並べて討ち死にした。（　）

16 はらはらと散るは桜か**ハタ**涙か。（　）
17 一心に**ハタ**を織る。（　）
18 **ハタ**氏は古代の渡来氏族だ。（　）
19 上司は**キョウリョウ**な人である。（　）
20 **キョウリョウ**工事が滞っている。（　）

2×5
／10

(六)

次の各文にまちがって使われている**同じ音訓の漢字**が**一字**ある。**上に誤字**を、**下に正しい漢字**を記せ。

1 清々しい翠嵐が立ち籠める中を麓から山展まで続く之字路に愛車を駆る。（　・　）
2 父の持病は糖尿病だが食治療法で悪化を防ぎつつ社会生活を送っている。（　・　）
3 砂糖の代替として蜂密を使うと健康的だと聞き最近は専ら愛用している。（　・　）
4 新建材を一切使用せず木材や練瓦により自然な雰囲気を醸し出している。（　・　）
5 本日の釣果である鮎を何尾か田楽焼にし朋友と酌み交わす酒の魚とした。（　・　）

問1／2×10
問2／2×5
／30

(七)

次の 問1 と 問2 の四字熟語について答えよ。

問1 次の四字熟語の（1〜10）に入る適切な語を後の□から選び**漢字二字**で記せ。

1（　）東夷
2（　）無聖
3（　）重来
4（　）転生
5（　）鳳雛
6 窮鼠（　）
7 天網（　）
8 文質（　）
9 桂宮（　）
10 干将（　）

かいかい・かくねん・けんど・ごうびょう
せいじゅう・はくしん・ばくや・ひんぴん
りんし・りんね

問2 次の1〜5の**解説・意味**にあてはまる四字熟語を後の□から選び、その**傍線部分だけの読み**を**ひらがな**で記せ。

1 非常に速いことのたとえ。（　）

2 立派な男性の形容。（　　）
3 穀物がよく成長すること。（　　）
4 文筆で暮らしを立てること。（　　）
5 月日・時間のこと。（　　）

筆耕硯田・竜章鳳姿・禾黍油油・香美脆味
輿馬風馳・咳唾成珠・白兎赤烏・美須豪眉

2×10 ／20

（八）

次の1～5の**対義語**、6～10の**類義語**を後の□の中から選び、**漢字**で記せ。□の中の語は一度だけ使うこと。

対義語

1 質朴（　　）
2 灌木（　　）
3 楽天（　　）
4 乾徳（　　）
5 豪邸（　　）

類義語

6 至純（　　）
7 長方形（　　）
8 谷川（　　）
9 痛快（　　）
10 四月（　　）

うづき・えんせい・かいさい・かんと
きょうぼく・くけい・けいかん・けんしょく
こんとく・むく

2×10 ／20

（九）

次の故事・成語・諺の**カタカナ**の部分を**漢字**で記せ。

1 女の髪の毛には大象も**ツナ**がる。（　　）
2 財布の**ヒモ**を首に掛けるよりは心に掛けよ。（　　）
3 暫く**ココウ**を凌ぐ。（　　）
4 **ソウコウ**の妻は堂より下さず。（　　）
5 理屈と**コウヤク**はどこへでもつく。（　　）
6 三度**ヒジ**を折って良医となる。（　　）
7 **マト**まる家には金もたまる。（　　）
8 朝菌は**カイサク**を知らず。（　　）
9 箕売り笠にて**ヒ**る。（　　）
10 私聴すれば耳を**ロウ**せしむ。（　　）

書き2×5
読み1×10

(十) 文章中の傍線（1〜5）の**カタカナ**を**漢字**に直し、波線（ア〜コ）の**漢字の読み**を**ひらがな**で記せ。

A 公共心なきこと明らかなりとすれば、社会の整理は人民各自に委任する能わず。須らく公共心に代うる統一力を仮り来るべし。他なし、公力を用ゆるなり。則ち大なるものは法令を以て、小なるものは行政権に由り、凡て公衆の権利、公衆の快楽を標準として、仮借なく之を遂行するに在り。鉄道切符を売るに客を魚貫するも可なり。橋の両端に巡査を立たしめて左道を取らしむるも悪しき事にはあらず。人若し之を干渉と曰わば、干渉も亦大いに可なるにあらずや。自由人権の仮設語に惑うナカれ。公共心なき処に自由は生ぜず。（中略）或る人のセンシをして為すに任せしめば其のワガママ勝手は行わるべきも、之と同時に他に正当なる権利自由を侵害せらるる者あるにあらずや。

（須崎黙堂「社会の整理」より）

B 俊亮は、それ以来、土曜日曜にかけて帰って来るごとに、必ず一度は二階に上って、タンスや長持の中を覗いた。そして、いつもその中から、刀剣類や、軸物や、小箱などを、いくつかずつ取り出して風呂敷に包んだ。（中略）これまで、茶棚や、戸棚や、火鉢の抽斗ぐらいより覗いたことのなかった次郎は、長持や、タンスの奥から、キリバコなどに納められた珍しい品物が、いくつも出てくるのを見て、全く別の世界を見るような気がした。（中略）が、同時に彼は、美しい鍔をはめた刀や、蒔絵の箱や、金襴で表装した軸物などが、つぎつぎに長持の底から消えていくのを、淋しく思わないではいられなかった。

（下村湖人「次郎物語」より）

1	ア
2	イ
3	ウ
4	エ
5	オ
	カ
	キ
	ク
	ケ
	コ

本試験型

準1級 第16回★テスト

〈60分〉

合計点

200点満点の　　点

- 160点以上 合格
- 130点以上 もう一度学習を
- 100点以上 猛勉強が必要
- 99点以下 受検級を考え直しましょう

1×30　　/30

(一)

次の傍線部分の読みをひらがなで記せ。
1～20は音読み、21～30は訓読みである。

1 輯輯たる風が作物を育てる。（　　）
2 清らかな澗泉に手を浸す。（　　）
3 畦畝に野菜の種を蒔く。（　　）
4 紫檀の卓を挟んで向かい合った。（　　）
5 諸侯互いに蚕蝕して止まず。（　　）
6 蚤世した我が子を悼む。（　　）
7 書斎の本の曝書を行う。（　　）
8 苧麻で夏の衣を織る。（　　）
9 阿爺とは幼いころ生き別れた。（　　）
10 雛僧がお茶を運んできた。（　　）
11 妾腹の子を後継者とする。（　　）
12 王朝の肇基に力を尽くす。（　　）
13 敦睦に志有りて其の美を著す。（　　）
14 宮中で着袴の儀が行われた。（　　）
15 書物を終わりまで瀏覧する。（　　）
16 思わぬ亨運に恵まれる。（　　）
17 匝旬は十日間である。（　　）
18 車を停めて楓林を眺める。（　　）
19 成王、卜居して九鼎を居く。（　　）
20 酒船三万斛（こく）を得て君と轟酔せん。（　　）
21 条約の締結を允す。（　　）
22 春の野原で蕨を摘む。（　　）

第16回

23 夕暮れの暇道を歩く。（　　）

24 期待の嘶家が真打になった。（　　）

25 古より今に亙り続いている。（　　）

26 あなたの言い分は尤もだ。（　　）

27 瀞の水は深い緑色だ。（　　）

28 私利を沓り続ける。（　　）

29 今こそ決戦の穐である。（　　）

30 今年は戊寅の年だ。（　　）

（二）

1×10　／10

次の傍線部分は常用漢字である。その**表外の読み**を**ひらがな**で記せ。

1 歯に衣着せぬ物言いをする。（　　）

2 教育者の鑑と仰がれる人物だ。（　　）

3 明日の早朝に発つ。（　　）

4 御仏が権の姿で現れる。（　　）

5 全く強かな人物だ。（　　）

6 陣りの雨が庭の緑を濃くした。（　　）

7 天気は概ね良さそうだ。（　　）

8 規則を守らない族は困る。（　　）

9 春菊の胡麻和えを作る。（　　）

10 鮮しい魚が店頭に並ぶ。（　　）

（三）

1×10　／10

次の**熟語の読み**（**音読み**）と、その**語義**にふさわしい**訓読み**を（送りがなに注意して）**ひらがな**で記せ。

〈例〉健勝…勝れる → けんしょう　すぐ

ア 1 鍾愛（　　）…2 鍾める（　　）

イ 3 匡正（　　）…4 匡す（　　）

ウ 5 柴門（　　）…6 柴ぐ（　　）

エ 7 蕃殖（　　）…8 蕃る（　　）

オ 9 阿世（　　）…10 阿る（　　）

2×5

/10

(四)

次の各組の二文の（　）には**共通**する漢字が入る。その読みを後の□から選び、**常用漢字**（**一字**）で記せ。

1
（1）政者の力量が問われる。
無作（1）に抽出する。
（　　）

2
（2）氷を踏む思いをする。
首位に肉（2）する。
（　　）

3
話し合いを円（3）に進める。
雪山の斜面を（3）落した。
（　　）

4
（4）術使いが主人公の映画だ。
残（4）なやり方に憤る。
（　　）

5
第一人者としての面目（5）如だ。
今年は新たな飛（5）を遂げた。
（　　）

い・かつ・ぎょう・けん
にん・はく・まん・やく

2×20

/40

(五)

次の傍線部分の**カタカナ**を**漢字**で記せ。

1 水難事故で海の**モクズ**となった。（　　）
2 **オソマ**きながら真相を明かす。（　　）
3 **オノ**で暖炉用のまきを割る。（　　）
4 **トリ**の市で縁起物の熊手を買った。（　　）
5 戦いの**キスウ**は未だ判然としない。（　　）
6 刀の**コイグチ**を切る。（　　）
7 温泉に長**トウリュウ**する。（　　）
8 母が綿入れの**ハンテン**を送ってくれた。（　　）
9 機体に**ゼイジャク**な部分がある。（　　）
10 海底のプレートに僅かな**ヒズ**みが生じた。（　　）
11 空はいつも**バイエン**で暗い。（　　）
12 山菜を酒の**サカナ**にする。（　　）
13 闇の中にも微かな**ショコウ**が見えた。（　　）
14 壁に絵を**ガビョウ**でとめた。（　　）
15 お会いできて**ウレ**しい。（　　）

16 **オウム**を一羽飼っている。（　　）
17 **セリ**は春の七草の一つだ。（　　）
18 眠れる**シシ**が目を覚ます。（　　）
19 **シシ**を伸ばして体操する。（　　）
20 **シシ**累累たる戦場を行く。（　　）

（六）

2×5　／10

次の各文にまちがって使われている**同じ音訓の漢字**が**一字**ある。**上に誤字**を、**下に正しい漢字**を記せ。

1 君主の寵臣として狐仮虎威を地で行く人物は微織の家の出だという噂だ。（　・　）
2 疲労を癒すため温泉に浸かり浴後は凝っている足腰を安摩してもらった。（　・　）
3 夏祭りは神輿が繰り出して最高潮に達し広場は立垂の余地も無い有様だ。（　・　）
4 桐の箪笥の抽斗から畳紙に包まれて樟嚢が匂う繭紬の着物を取り出した。（　・　）
5 和紙工房での紙透き体験を織り込んだ企画が観光客に好評を博している。（　・　）

（七）

問1／2×10
問2／2×5
／30

次の 問1 と 問2 の四字熟語について答えよ。

問1 次の四字熟語の（1〜10）に入る適切な語を後の□から選び**漢字二字**で記せ。

1（　　）尺布
2（　　）煩悩
3（　　）附会
4（　　）馬腹
5（　　）秋月
6 規行（　　）
7 釜底（　　）
8 黄茅（　　）
9 疾風（　　）
10 枯木（　　）

かんがん・きゃくじん・くほ・けんきょう
ちゅうしん・ちょうべん・とぞく・どとう
はくい・ひょうこ

問2 次の1〜5の**解説・意味**にあてはまる四字熟語を後の□から選び、その**傍線部分だけの読み**を**ひらがな**で記せ。

1 大人物は多少の欠点はあっても度量が広い。（　　）

2 国土が小さく分裂すること。（　　）
3 布を何度も染め重ねること。（　　）
4 人生のはかなさのたとえ。（　　）
5 見識が狭いことのたとえ。（　　）

一入再入・錦上添花・瓜剖豆分・管中窺豹
雪泥鴻爪・田園将蕪・山藪蔵疾・城狐社鼠

2×10 ／20

(八) 次の1～5の**対義語**、6～10の**類義語**を後の□の中から選び、**漢字**で記せ。□の中の語は一度だけ使うこと。

対義語

1 恩人（　　）
2 服従（　　）
3 重視（　　）
4 都会（　　）
5 平坦（　　）

類義語

6 注目（　　）
7 朝臣（　　）
8 番兵（　　）
9 台所（　　）
10 波止場（　　）

ぎし・きゅうてき・ぐうもく・くぎょう
けんそ・ちゅうぼう・ふとう・へきそん
ほしょう・むほん

2×10 ／20

(九) 次の故事・成語・諺の**カタカナ**の部分を**漢字**で記せ。

1 後先見ずの**イノシシ**武者。（　　）
2 うりの**ツル**になすびはならぬ。（　　）
3 **セキヘキ**を貴ばずして寸陰を重んず。（　　）
4 **ジジョ**の交わりを結ぶ。（　　）
5 **キュウチョウ**懐に入る時は猟師もこれを捕らえず。（　　）
6 **サル**の木登り、かにの横ばい。（　　）
7 人生字を識るは**ユウカン**の始め。（　　）
8 鷹匠の子は**ハト**を馴らす。（　　）
9 **ノレン**に腕押し。（　　）
10 年寄りの**グチ**。（　　）

書き2×5
読み1×10

/20

(十)

文章中の傍線（1〜5）のカタカナを漢字に直し、波線（ア〜コ）の漢字の読みをひらがなで記せ。

A

（前略）江戸の真中人形町に人形屋仁太郎と云う者有りけり。子供の時分から手遊びを拵(こしら)える事が好きで、魚釣りの玩具を工風し鉄の針がチョット付くと鯛でも鰹[ア]でも釣れるのが面白く（中略）何でもサオ[1]の先へ引っかかる物なら夢中に成って家業も碌々(ろくろく)せずに暮らして居るゆえ仁太郎は今に腮(あご)を釣るだろうと意見してもいけしゃあしゃあ、其の池から思い付いて筏[イ]の上のフナ[2]釣りが生きた魚の皮切りにて（中略）お前さんはフナ釣りの名人だと誉[ウ]められるが嬉しくてたまらず、己程の者が岡釣りを仕て居るのは角力取りに沢庵出させるようなもの、いっそ沖へ出てオオゲサ[3]な釣りを始めようと考えは付けたが（後略）

（南新二「一夜漬人魚甘塩」より）

B

瓶が淵の上数町、深篠川の矢上川に会する処に、一個の茅屋あり。これ野田慎氏の居なり。学友久保天随、去年の夏、ここに遊び、余に向かいて頻[エ]りに其の奇を説き、且つ曰(いわ)く、そこに一奇人あり。野田慎と云う。断魚渓を世に現さんとて（中略）種々尽力せし末、遂に矢上川の右岸に新道を開きその新道幾[オ]ど成らんとす。亦[カ]これ山間の一大仁者なり。子、山陰に行かば、必ず断魚渓に遊べ且つ野田翁を訪[キ]えと。われ出雲に入って未だ一月たたぬ程に、少閑を偸(ぬす)んで、断魚渓に遊びぬ。野田翁を訪いぬ。翁喜んで我を座に延[ク]き、蘭湯を侑(すす)めてくさぐさの事物語る。翁年五十余、仙骨リョウリョウ[4]として、眉目清秀、隠君子の風あり。先ず曰く、去年久保氏の訪われし時より病に臥[ケ]し、ジンゼン[5]愈[コ]えず。久しく本家の方に赴き居りしが、漸く少快を得たれば、昨日よりまた茲(ここ)に来たりぬ。

（大町桂月「一蓑一笠」所収『断魚渓』より）

1	ア
2	イ
3	ウ
4	エ
5	オ
	カ
	キ
	ク
	ケ
	コ

本試験型

準1級 第17回★テスト

〈60分〉

合計点

200点満点の　　点

- 160点以上 合格
- 130点以上 もう一度学習を
- 100点以上 猛勉強が必要
- 99点以下 受検級を考え直しましょう

1×30　　／30

(一)

次の傍線部分の読みをひらがなで記せ。
1～20は音読み、21～30は訓読みである。

1 平治元年己卯、平治の乱起こる。（　）
2 蒜果を食して体力をつける。（　）
3 君主を叶賛して領土を保つ。（　）
4 兄の大切な釣鉤を失くしてしまった。（　）
5 汀渚に鷗が群れている。（　）
6 身に覚えの無い垢辱を受ける。（　）
7 藪沢の地はよき狩場だった。（　）
8 井戸の汲桶を取り替える。（　）
9 密かに脱走兵を掩匿する。（　）
10 傷んだ屋根を補葺する。（　）
11 美術品の真贋を見分ける。（　）
12 瀦水が青空を映している。（　）
13 今宵は婁宿がまことに清朗だ。（　）
14 轡首を以て馬を制御する。（　）
15 風は弗弗として衣を翻す。（　）
16 麴塵の衣は天皇の専用だ。（　）
17 天下に必ず車轍有らしめんとす。（　）
18 一年の好景、正に是橘緑の時。（　）
19 矛戟を進むる者はその鐓（たい）を前にす。（　）
20 楓葉荻花、秋索索たり。（　）
21 佼しい少女と出会った。（　）
22 塙に立つ松の緑が美しい。（　）

23 山の阿にある古寺を訪ねた。（　）
24 諒を友とする。（　）
25 またとない好機を掴む。（　）
26 幬に腰をおろす。（　）
27 再会を果たせず心が苑がる。（　）
28 人の過ちを恕す。（　）
29 篦竹で矢を作る。（　）
30 渓谷の椛が美しい。（　）

(二)

1×10　／10

次の傍線部分は常用漢字である。その**表外の読み**を**ひらがな**で記せ。

1 初恋の人が漫ろに想われる。（　）
2 年長者を尚ぶ。（　）
3 機密情報を間かに持ち出す。（　）
4 宇宙の成り立ちを原ねる。（　）
5 急に病状が革まる。（　）
6 皇帝に書を上る。（　）
7 布を流水に漂す。（　）
8 真理は普く知られている。（　）
9 側近として女王陛下に事える。（　）
10 休日は家で寛ぎたい。（　）

(三)

1×10　／10

次の**熟語の読み**（**音読み**）と、その**語義**にふさわしい**訓読み**を（送りがなに注意して）**ひらがな**で記せ。

〈例〉 健勝……勝れる → けんしょう　すぐ

ア 1 套印（　）……2 套ねる（　）
イ 3 倖曲（　）……4 倖う（　）
ウ 5 貰赦（　）……6 貰す（　）
エ 7 撒水（　）……8 撒く（　）
オ 9 蘇生（　）……10 蘇る（　）

2×5 /10

(四) 次の各組の二文の（　）には**共通**する漢字が入る。その読みを後の［　］から選び、**常用漢字**（**一字**）で記せ。

1
橋の（1）干にもたれる。
新聞は先ず投書（1）から読む。
（　　）

2
契約（2）改は無事に終わった。
会議はついに深（2）に及んだ。
（　　）

3
事件の発（3）は十年前にあった。
（3）正な顔立ちの青年だった。
（　　）

4
人気作家の（4）筆集を読む。
付（4）する問題を片付ける。
（　　）

5
主題を（5）頭に掲げる。
流行性感（5）にかかった。
（　　）

こう・しん・ずい・ぞく
たん・ぼう・や・らん

2×20 /40

(五) 次の傍線部分の**カタカナ**を**漢字**で記せ。

1 身分の低い私には**タカネ**の花だ。（　　）
2 **シラカバ**の林を抜けて噴煙を仰ぐ。（　　）
3 歩道の下は**アンキョ**になっている。（　　）
4 **ボウゼン**として後ろ姿を見送る。（　　）
5 辞書のページを**メク**る。（　　）
6 **サンゴ**礁の海で熱帯魚が泳ぐ。（　　）
7 街談**コウセツ**の類は信じない。（　　）
8 聖天子誕生の**ズイチョウ**が現れた。（　　）
9 高等学校で**キョウベン**を取る。（　　）
10 最後**ツウチョウ**を突き付けた。（　　）
11 両親は食事の作法に**ヤカマ**しい。（　　）
12 **スズリ**箱に筆をしまう。（　　）
13 果物屋で**ハッサク**を五つ買った。（　　）
14 親子で仲**ムツ**まじく暮らす。（　　）
15 汚れた世を**イト**う。（　　）

16 砂糖**キビ**畑が眼路の限り広がる。（　　　）
17 **シギ**立つ沢の秋の夕暮れ。（　　　）
18 官軍は**キンキ**を掲げた。（　　　）
19 社会の**キンキ**を犯す。（　　　）
20 優勝して**キンキ**雀躍する。（　　　）

(六)

2×5　/10

次の各文にまちがって使われている**同じ音訓の漢字**が**一字**ある。**上に誤字**を、**下に正しい漢字**を記せ。

1 毎年受験期には天満宮に参稽して真剣に祈禱する受験生の姿が見られる。（　・　）
2 上司の面前では賢まって指示を受けているが陰で傍若無人の行動が多い。（　・　）
3 地方の閉息感を打破しようと若手経営者が地場産業振興に奮闘している。（　・　）
4 一敗地に塗れて以後は臥薪掌胆の日を重ね遂に機が熟し雪辱を果たした。（　・　）
5 旧友の好儀により再就職先の斡旋を受け深甚なる感謝の念を胸に抱いた。（　・　）

(七)

問1／2×10　問2／2×5　/30

次の **問1** と **問2** の四字熟語について答えよ。

問1 次の四字熟語の（1〜10）に入る適切な語を後の□から選び**漢字二字**で記せ。

1（　　）惜玉
2（　　）孤進
3（　　）玉樹
4（　　）貫日
5（　　）走牛
6 鬱鬱（　　）
7 魚目（　　）
8 珍味（　　）
9 五穀（　　）
10 前途（　　）

えんせき・かこう・きょうぐん・しらん
そうそう・はくこう・ぶんぼう・ほうじょう
りょうえん・れんこう

問2 次の1〜5の**解説・意味**にあてはまる四字熟語を後の□から選び、その**傍線部分だけの読み**を**ひらがな**で記せ。

1 盛大にごちそうすること。（　　）

2 余念を交えず座禅に専念すること。（　　）
3 老人の形容。（　　）
4 文武の徳が備わっていること。（　　）
5 利用価値がなくなると捨てられてしまう。（　　）

一壺千金・允文允武・椀飯振舞・天淵氷炭
兎死狗烹・黄髪番番・不繫之舟・只管打坐

2×10

20

(八)

次の1～5の**対義語**、6～10の**類義語**を後の□の中から選び、**漢字**で記せ。□の中の語は一度だけ使うこと。

対義語

1 祖先（　　）
2 卑近（　　）
3 残光（　　）
4 俗世間（　　）
5 沈着（　　）

類義語

6 全部（　　）
7 添削（　　）
8 仲間（　　）
9 劇壇（　　）
10 夢中（　　）

うえん・けいこつ・こういん・しっかい
しょこう・じんがい・たんでき・ふせい
ほうばい・りえん

2×10

20

(九)

次の故事・成語・諺の**カタカナ**の部分を**漢字**で記せ。

1 浅瀬に**アダ**波。（　　）
2 **ウロ**の争い。（　　）
3 遠慮なければ必ず**キンユウ**有り。（　　）
4 **カンジョウ**合って銭足らず。（　　）
5 中流の**シチュウ**。（　　）
6 雨、**ツチクレ**を破らず。（　　）
7 魚の**フチュウ**に遊ぶが如し。（　　）
8 **タコ**に骨無し、くらげに目無し。（　　）
9 **トンビ**が鷹を生む。（　　）
10 **トウリ**門に満つ。（　　）

(十)

文章中の傍線（1～5）の**カタカナを漢字**に直し、波線（ア～コ）の**漢字の読みをひらがな**で記せ。

A

赤倉道は是から西に一里十町とあって、妙高、神奈、赤倉の諸山を頭上に仰ぎつつ、草深い坂路を後押し付で挽き上ぐるのである。過る所は妙高、二俣の二ケ村、小田切、合田切の二谿（にけい）、路は唯**ヤエムグラ**[1]の茂れるばかりで、極めて風致に乏しいが、其の羊腸を蹈（ふ）み行くままに、件[ア]の山々は境に因りて変化し、処に随いて隠顕し、六千呎（フィート）の雲表に態[イ]を尽くして人を迎うるのは憎からぬのであった。雨は乍ち歇（や）むと風が起って、山腰の密雲を揺り乱すと見る間に、妙高の巓（いただき）近く一道の日光に照らされた濃緑の傾斜面に、点々として大きさ**バテイ**[2]の如き白い物が露[ウ]れた。

（尾崎紅葉「煙霞療養」より）

B

一日**ツト**[3]に起きて海浴に出掛けた。道は新潟病院の前から旭町の坂を登れば、松林の涼しい陵[エ]に出る。其処に立ち続く人家を過ぎて、暫くは木間よ、畑よ、叢[オ]よと辿る程に、陵の尽きる処に抵（いた）れば、洋々たる千里の潮は面を照らして、平沙遠く限界を領する浜は、此に舟江津の名も有らざりし古[カ]の荒漠を残すのである。天と浪と沙[キ]と、目に入る物は唯其の三つあるばかりの暁の、雄大にして高渾（こうこん）の気象は、神として之を崇ぶべきも、景として之を弄すべき者ではなかった。己は余りに規模の宏いなる、**ムシ**[4]ろ其れが為に畏るべきかくの如き海浴場に値[ク]った事が無い。小高い砂山の駱駝（らくだ）背状を成した頂に登って、姑[ケ]く休息して居ると、**アタカ**[5]も好し旭は杲々（うらうら）と差し昇る。（中略）然しながら北溟（ほくめい）の水の鼓盪（ことう）し来たる余勢、又侮るべからざる者有りて、敢えて高く打つではないが、大束に寄せて来る、揉（も）み立てる力も従って劇[コ]しい。

（同前）

1	ア
2	イ
3	ウ
4	エ
5	オ
	カ
	キ
	ク
	ケ
	コ

本試験型

準1級

第18回★テスト

〈60分〉

合計点

200点満点の　　点

- 160点以上　合格
- 130点以上　もう一度学習を
- 100点以上　猛勉強が必要
- 99点以下　受検級を考え直しましょう

1×30

/30

(一) 次の傍線部分の読みをひらがなで記せ。
1～20は音読み、21～30は訓読みである。

1 緑埜を駆け回って遊ぶ。（　）
2 出家遁世の素願を果たす。（　）
3 衿帯の地を本拠と定める。（　）
4 薬箱の中に薬匙をしまう。（　）
5 陰暦十月を亥月という。（　）
6 茜紅色に染めた衣をまとう。（　）
7 今年度は堰渠の改修工事を行う。（　）
8 摺本を広げて見る。（　）
9 敵陣に向かって鳴鏑を射る。（　）
10 斐然として章を成す。（　）
11 計画が濡滞している。（　）
12 喜びに満ちた口吻で語った。（　）
13 良辰を選んで式を挙げる。（　）
14 黄金色の禾穎が風に揺れる。（　）
15 優渥なる詔を賜った。（　）
16 時代の趨勢を見守る。（　）
17 いなごが揖揖として田畑を荒らす。（　）
18 老幼は繋虜となり丁壮は降散す。（　）
19 儘日読書して過ごす。（　）
20 只今惟西江の月のみ在り。（　）
21 些細なことで罪に罹れた。（　）
22 社運はますます昌んである。（　）

23 手当たり次第に牟り食う。（　）
24 厩の床にわらを敷く。（　）
25 君主を丞けて国政を行う。（　）
26 書類に実印を捺す。（　）
27 平和を楽しみ凱らぐ。（　）
28 椙の花粉に悩まされる。（　）
29 艮の方角は鬼門に当たる。（　）
30 来年の干支は壬申だ。（　）

1×10 ／10

(二) 次の傍線部分は常用漢字である。その**表外の読み**を**ひらがな**で記せ。

1 妻の仕度の遅さに焦れる。（　）
2 憾むらくは人命が失われたことだ。（　）
3 国王の大権を干す。（　）
4 濫りに立ち入ってはいけない。（　）
5 朝廷の使者として幣を奉る。（　）
6 思わず笑みが零れる。（　）
7 戸外は凍てつく寒さだ。（　）
8 派閥の領袖を会める。（　）
9 円らな瞳が愛らしい。（　）
10 自ら負むところが大きい。（　）

1×10 ／10

(三) 次の**熟語の読み**（**音読み**）と、その**語義**にふさわしい**訓読み**を（送りがなに注意して）**ひらがな**で記せ。

〈例〉健勝…勝れる → けんしょう／すぐ

ア 1 挽歌（　）…2 挽く（　）
イ 3 緬思（　）…4 緬か（　）
ウ 5 永訣（　）…6 訣れる（　）
エ 7 肇国（　）…8 肇める（　）
オ 9 燕楽（　）…10 燕ぐ（　）

2×5

/10

(四)

次の各組の二文の（　）には**共通**する漢字が入る。その読みを後の□から選び、**常用漢字**（**一字**）で記せ。

1
（1）画週刊誌がよく売れている。
注意散（1）だったことを反省する。
（　）

2
（2）骨を骨折してしまった。
経済封（2）で対抗する。
（　）

3
どうしてよいか（3）方に暮れた。
携帯電話の用（3）は広い。
（　）

4
勇壮な（4）奏楽が聞こえる。
士気を鼓（4）する。
（　）

5
「光（5）矢の如し」という。
首相暗殺の（5）謀に加わる。
（　）

いん・えい・さ・さく
すい・と・まん・れい

2×20

/40

(五)

次の傍線部分の**カタカナ**を**漢字**で記せ。

1 協力に対し**マンコウ**の謝意を表した。（　）
2 幼い子どもが**マツ**わり付く。（　）
3 論破して**リュウイン**を下げた。（　）
4 傷を消毒して**カノウ**を防ぐ。（　）
5 国際情勢について**チシツ**している。（　）
6 ハンカチに**シシュウ**をする。（　）
7 新しい通学**カバン**を買った。（　）
8 適応しない生物は**トウタ**される。（　）
9 **キリン**は元々想像上の動物だ。（　）
10 値上げ続きで家計が**ヒッパク**している。（　）
11 **イワ**れの無い脅迫を受けている。（　）
12 **ミス**を上げて降り積もった雪を眺める。（　）
13 **サイリ**な刃物を使う。（　）
14 **クリヤ**から母の呼ぶ声がする。（　）
15 清少納言は「春は**アケボノ**」と書き始めた。（　）

16 大学のホウバイと研究会を作る。（　　）
17 ビワの実が熟した。（　　）
18 平家ビワの演奏を聴く。（　　）
19 ウの刻は現在の午前六時頃だ。（　　）
20 街のうわさ話をウ呑みにする。（　　）

(六)

2×5　／10

次の各文にまちがって使われている**同じ音訓の漢字**が**一字**ある。**上に誤字**を、**下に正しい漢字**を記せ。

1 公賓一行が踏留中の宿舎周辺は蟻一匹通さぬ厳重な警備が敷かれている。（　・　）
2 競泳自由形の決勝では世界記録保持者に挑戦したが緊少の差で敗退した。（　・　）
3 失策を犯し左遷された同僚を弁護した一言が社長の逆隣に触れたようだ。（　・　）
4 新発売商品に殺到する購買客を店員が巧みに裁いて混乱を回避している。（　・　）
5 昨年同期を遥かに猟駕する営業成績に経営陣は一様に満足の意を表した。（　・　）

(七)

問1／2×10
問2／2×5
／30

次の 問1 と 問2 の四字熟語について答えよ。

問1 次の四字熟語の（1〜10）に入る適切な語を後の□から選び**漢字二字**で記せ。

1（　　）播越
2（　　）覆車
3（　　）折軸
4（　　）沈船
5（　　）絶倒
6 行住（　　）
7 多士（　　）
8 資弁（　　）
9 玄裳（　　）
10 株連（　　）

きんこん・こうい・ざが・しょうしつ
じょうよ・せいせい・そうけい・はふ
ほうふく・まんいん

問2 次の1〜5の**解説・意味**にあてはまる四字熟語を後の□から選び、その**傍線部分だけの読み**を**ひらがな**で記せ。

1 目ざとく、耳もよい人のこと。（　　）

2 貧者の粗末な衣服。（　　）
3 勇気を奮ってことを行うたとえ。（　　）
4 縦横自在に論じること。（　　）
5 みごとに優れた技術・作品のこと。（　　）

横説竪説・懸崖撒手・雲蒸竜変・神工鬼斧
一竿風月・鳶目兎耳・短褐穿結・嘉言善行

(八)

2×10　/20

次の1～5の**対義語**、6～10の**類義語**を後の□の中から選び、**漢字**で記せ。□の中の語は一度だけ使うこと。

対義語

1 凶兆（　　）
2 令閨（　　）
3 攻撃（　　）
4 鈍足（　　）
5 豪邸（　　）

類義語

6 通覧（　　）
7 朝日（　　）
8 尾根（　　）
9 秘書（　　）
10 扶持（　　）

きょっこう・けいさい・しゅんそく
ずいしょう・ちつろく・ぼうおく・ぼうぎょ
ゆうひつ・りゅうらん・りょうせん

(九)

2×10　/20

次の故事・成語・諺の**カタカナ**の部分を**漢字**で記せ。

1 衣食足りて**エイジョク**を知る。（　　）
2 **ウツバリ**の塵を動かす。（　　）
3 君子**トウトウ**として小人戚戚たり。（　　）
4 **キンパク**が剝げる。（　　）
5 **ココウ**を脱する。（　　）
6 使っている**クワ**は光る。（　　）
7 **スズメ**百まで踊り忘れず。（　　）
8 **タナゴコロ**にめぐらす。（　　）
9 馬を買わずに**クラ**を買う。（　　）
10 捕らぬ**タヌキ**の皮算用。（　　）

書き2×5
読み1×10

(十) 文章中の傍線（1～5）の**カタカナ**を**漢字**に直し、波線（ア～コ）の**漢字の読み**を**ひらがな**で記せ。

A 八幡祠（はちまんし）前を散歩す。このあたり、梅尤[ア]も多し。一痕上弦の月天に印し、林下寂として人なし。花は已（すで）に満開なれど、月光おぼろなれば、一望ただ白モコ[1]たるを見る。昼間はいぶせき茅屋[イ]も、梅花にうずもれて夜色の中に縹緲（ひょうびょう）たるさま、えも言わず。すべて見苦しきものは掩[ウ]いつくされて、香気独り高く、骨までもしみ通るかと疑わる。われ此の景に対して、また言う所を知らず。遂に堪え兼ねて、一枝を手折りて帰る。春まだ浅き夜寒の風に、酔いもさめたれば、また、麦酒のみて眠に就く。折り来たりし梅枝はチントウ[2]に在り。脈々（みゃくみゃく）たる幽香に護られて、酔夢いずくにか迷いけん、窓に近き鶯声の綿蛮（注）たるに驚けば、日は已に梅林の梢に昇りぬ。名残は尽きねど、宿を辞して、八幡祠後の山に上る。一村眼下に在り。梅は茅屋の間に点綴[エ]す。

（大町桂月「一蓑一笠」所収『杉田の一夜』より）

B 余は固[オ]より日本にナガ歌なるものありて啻（ただ）に五句三十一字に限られざるを知る。然[カ]れども歴代の勅撰はモチロン[3]各家の集に就いてこれを観るも其の作甚だ寥々（りょうりょう）として多からず。（中略）当代の発達せる歌思想は直ちに之を奇貨とし利器とし由て以て縦横に其の働きを発揮し、猶支那の古体か絶句に於けるごとく尋常の和歌とともに対峙（たいじ）比隆[キ]すべきハズ[4]ならんに、実際は此れに異なり僅かに其の一体を生せるのみにて曾て和歌の奴にだも之及ばざりし如き観あるは何が故ぞ。（中略）ケダ[5]し日本の詞にありては五句三十一字の和歌が自然適当の長さにしてそのナガ歌の若[ク]きは既に太[ケ]だ長きに過ぎ、其の韻響の上自然人をして之を悦[コ]ぶの念薄からしむる所あるに由るならん。

（森田思軒「和歌を論ず」より）

注……**小鳥の声**。

1	ア
2	イ
3	ウ
4	エ
5	オ
	カ
	キ
	ク
	ケ
	コ

(一) 読み (1×30)

10	9	8	7	6	5	4	3	2	1
20	19	18	17	16	15	14	13	12	11
30	29	28	27	26	25	24	23	22	21

(二) 表外の読み (1×10)

10	9	8	7	6	5	4	3	2	1

(三) 熟語の読み 一字訓読み (1×10)

10	9	8	7	6	5	4	3	2	1

(四) 共通の漢字 (2×5)

5	4	3	2	1

(五) 書き取り (2×20)

10	9	8	7	6	5	4	3	2	1
20	19	18	17	16	15	14	13	12	11

第（　）回テスト答案用紙

（六）誤字訂正（2×5）

5	4	3	2	1
・	・	・	・	・

（七）四字熟語　問1（2×10）問2（2×5）

問1

10	9	8	7	6	5	4	3	2	1

問2

5	4	3	2	1

（八）対義語 類義語（2×10）

10	9	8	7	6	5	4	3	2	1

（九）故事・諺（2×10）

10	9	8	7	6	5	4	3	2	1

（十）文章題　書き取り（2×5）読み（1×10）

書き取り

5	4	3	2	1

読　み

コ	ケ	ク	キ	カ	オ	エ	ウ	イ	ア

※コピーしてお使いください。

準1級用漢字表

◀部首
◀標準字体
赤刷りは国字（和字）
◀音読み
◀許容字体
◀訓読み
赤刷りは送り仮名
＊印は他に字体のデザインなどの差異があっても正解とする場合があるもの

部首	標準字体	音読み	許容字体	訓読み
一	丑	チュウ		うし
一	丞	ショウ ジョウ		たすける
ノ	乃	ダイ ナイ		の すなわち なんじ
ノ	之	シ		これ この の ゆく
ノ	乍	サ		たちまち ながら
ノ	乎	コ		か や を かな
乚 乙	也	ヤ		なり や か また
二	云	ウン		いう
二	亙	コウ		わたる
二	亘	コウ セン		わたる
二	些	サ		いささか すこし
亠	亥	ガイ		い
亠	亦	エキ		また
亠	亨	キョウ コウ ホウ		とおる にる
亠	亮	リョウ		あきらか すけ
亻 人	仇	キュウ		かたき あだ つれあい
亻 人	什	ジュウ		とお
亻 人	仔	シ		たえる こまか こ
亻 人	伊	イ		かれ これ ただ
亻 人	伍	ゴ		くみ いつつ
亻 人	伽	カ ガ キャ		とぎ
亻 人	佃	テン デン		たがやす つくだ かり
亻 人	佑	ウ ユウ		たすける たすけ
亻 人	伶	レイ		さかしい わざおぎ
亻 人	侃	カン		つよい
亻 人	佼	コウ		うつくしい
亻 人	俄	ガ		にわか にわか
亻 人	俠	キョウ	侠	おとこだて きゃん
亻 人	俣			また
亻 人	倭	イ ワ		やまと
亻 人	倶	ク グ	＊	ともに
亻 人	倦	ケン	倦	うむ あきる あぐむ つかれる
亻 人	倖	コウ		さいわい へつらう
亻 人	偓	アク		かかわる
亻 人	偲	シ		しのぶ
亻 人	傭	ヨウ		やとう
亻 人	僑	キョウ		やどる かりずまい
亻 人	僻	ヘキ ヘイ		かたよる ひがむ ひめがき
亻 人	儘	ジン		ことごとく まま
亻 人	儲	チョ	儲	そえ もうける たくわえる
儿	允	イン		まこと まことに ゆるす じょう
儿	兇	キョウ		わるい おそれる
儿	兎	ト	＊兎兔	うさぎ
儿	兜	トウ ト		かぶと
ハ 八	其	キ		その それ
冫	冴	ゴ	＊	さえる
冫	凋	チョウ	＊	しぼむ
冫	凌	リョウ		しのぐ
几	凧			たこ
几	凪			なぎ なぐ
几	凰	オウ コウ		おおとり
几	凱	カイ ガイ		かちどき やわらぐ
凵	函	カン	凾	いれる はこ よろい
刂 刀	剃	テイ		そる
刂 刀	劃	カク		わかつ くぎる
刂 刀	劉	リュウ		ころす つらねる
力	劫	キョウ コウ ゴウ		おびやかす かすめる
勹	勺	シャク		
勹	勿	モチ ブツ		なかれ
勹	匁			もんめ め

部首	漢字	音読み	訓読み
匕	匙	シ	さじ
匚	匡	キョウ	ただす すくう
匚	匪	ヒ	わるもの あらず
十	廿	ジュウ	にじゅう
卜	卜	ホク ボク	うらなう うらない
卜	卦	カ ケ	うらなう うらない
㔾卩	叩	コウ	たたく はたく ひかえる
㔾卩	卯	ボウ	う
㔾卩	卿	ケイ キョウ 卿＊	きみ くげ
厂	厭	エン オン ヨウ	おさえる いとう あきる いや
厂	廐	キュウ 厩 廏 ＊廄	うまや
厂	厨	チュウ ズ 廚	くりや はこ
又	叉	サ シャ ＊	また さす こまねく こまぬく
又	叛	ハン ホン 叛	そむく はなれる
又	叡	エイ	かしこい
又	叢	ソウ	くさむら むらがる
口	叶	キョウ	かなう
口	只	シ	ただ
口	吃	キツ	どもる くう すう
口	吊	チョウ	つる つるす
口	吋	スン トウ	インチ
口	吾	ゴ	われ わが
口	呑	トン ドン 吞	のむ
口	吠	ハイ バイ	ほえる
口	吻	フン	くちさき くちびる
口	呆	ホウ ボウ タイ	あきれる おろか
口	咳	カイ ガイ ＊	せき せく しわぶき しわぶく
口	哉	サイ	かな や か
口	哨	ショウ 哨	みはり
口	哩	リ	マイル
口	啄	タク トク	ついばむ
口	啞	ア アク 唖	ああ わらう
口	啐	サイ ソツ	なめる なきごえ
口	喬	キョウ	たかい おごる
口	喧	ケン	かまびすしい やかましい
口	喋	チョウ	しゃべる ふむ
口	喰	＊	くらう くう
口	嘉	カ	よい よみする
口	嘗	ショウ ジョウ	なめる かつて こころみる
口	嘩	カ ＊	かまびすしい
口	噓	キョ 嘘	ふく はく すすりなく うそ
口	噌	ソウ ソ 噌	かまびすしい
口	噂	ソン ＊噂	うわさ
口	噺		はなし
口	噸		トン
口	嚙	ゴウ 噛	かむ かじる
口	囊	ノウ ドウ 嚢	ふくろ
囗	圃	ホ	はた はたけ
土	坐	ザ	すわる いながら そぞろに います おわす まします
土	圭	ケイ	たま かどだつ
土	坤	コン	つち ひつじさる
土	坦	タン	たいら
土	尭	ギョウ	たかい
土	垢	コウ ク	あか よごれる けがれる はじ
土	埴	ショク 埴	はに
土	埠	フ	つか はとば
土	埜	野に同じ	
土	堰	エン	せき いせき せく
土	堵	ト 堵	かき
土	塙	カク コウ	かたい はなわ
土	堺	カイ	さかい
土	塘	トウ 塘	つつみ
土	塵	ジン	ちり
土	壕	ゴウ	ほり
土	壬	ジン ニン	みずのえ おもねる
土	壺	コ 壷	つぼ

部首	漢字	音読み	訓読み
夕	夙	シュク	つとに はやい まだき
大	夷	イ	たいらか たいらげる ころす うずくまる おごる えびす えみし
大	奄	エン	おおう ふさがる たちまち
大	套	トウ *	かさねる おおい
女	妓	ギ	わざおぎ あそびめ こ
女	姑	コ	しゅうとめ しゅうと おんな しばらく
女	妾	ショウ	めしつかい めかけ わらわ
女	姐	ソ シャ	あね あねご ねえ
女	娃	ア アイ	うつくしい
女	姦	カン	よこしま みだら かしましい
女	姪	テツ	めい
女	姥	ボ モ	うば ばば
女	姶	オウ	みめよい
女	娩	ベン *	うむ うつくしい
女	娼	ショウ	あそびめ
女	婁	ル ロウ	つなぐ つながれる
女	嬉	キ	たのしむ うれしい あそぶ
女	嬰	エイ	めぐる ふれる あかご
女	嬬	ジュ	つま よわい
子	孟	モウ ボウ マン	はじめ
宀	宏	コウ	ひろい おおきい
宀	宋	ソウ	
宀	宍	ジク ニク	しし
宀	宕	トウ	ほしいまま ほらあな
宀	宥	ユウ	ゆるす なだめる
宀	寅	イン	つつしむ とら
宀	寓	グ グウ *	よせる やどる かりずまい かこつける
宀	寵	チョウ *	めぐむ めぐみ いつくしむ
小	尖	セン	とがる するどい さき
尢	尤	ユウ	とがめる もっとも すぐれる
尸	屍	シ	しかばね かばね
尸	屑	セツ 屑	いさぎよい くず
尸	屢	ル 屡	しばしば
山	岨	ソ	そば そばだつ
山	岱	タイ	
山	峨	ガ 峩	けわしい
山	峻	シュン	たかい けわしい おおきい きびしい
山	峯	ホウ	みね やま
山	嵩	シュウ スウ	かさ かさむ たかい
山	嵯	サ 嵳	けわしい
山	嶋	トウ	しま
山	嶺	リョウ レイ	みね
山	巖	ガン	けわしい いわ いわお がけ
己	巳	シ	み
己	巴	ハ	うずまき ともえ
己	巷	コウ 巷	ちまた
己	巽	ソン	たつみ ゆずる
巾	匝	ソウ 帀	めぐる
巾	帖	チョウ ジョウ	かきもの たれる やすめる
巾	幌	コウ *	ほろ
巾	幡	ハン マン ホン	はた のぼり ひるがえる
广	庄	ショウ ソウ	いなか むらざと
广	庇	ヒ	ひさし かばう
广	庚	コウ	かのえ とし
广	庖	ホウ 庖	くりや
广	庵	アン	いおり
广	廓	カク	ひろい ひろげる むなしい くるわ
广	廠	ショウ 廠	かりや うまや しごとば
广	廟	ビョウ *	たまや みたまや おもてごてん やしろ
廴	廻	カイ エ *	まわす まわる めぐる めぐらす
弓	弘	コウ グ	ひろい ひろめる
弓	弗	フツ ホツ	ドル …ず
弓	弛	シ チ	たるむ ゆるむ たゆむ
弓	弼	ヒツ	たすける たすけ すけ
弓	彊	キョウ	つよい つとめる しいる

チカラがつく資料

部首	漢字	音読み	訓読み
彡	彦	ゲン	ひこ
彡	彪	ヒュウ ヒョウ	あや まだら
彡	彬	ヒン	あきらか そなわる
彳	徽	キ 徽	よい しるし
忄 ⺗	忽	コツ	ゆるがせ たちまち
忄 ⺗	怯	キョウ コウ	おびえる おじる ひるむ
忄 ⺗	怜	レイ	さとい
忄 ⺗	恢	カイ ＊	おおきい ひろい
忄 ⺗	恰	カッ コウ	あたかも
忄 ⺗	恕	ショ ジョ	おもいやる ゆるす
忄 ⺗	悉	シツ	つくす ことごとく つぶさに
忄 ⺗	悌	ダイ テイ	やわらぐ
忄 ⺗	惟	イ ユイ	おもう これ ただ
忄 ⺗	惚	コツ	ほれる ほうける ぼける とぼける
忄 ⺗	惣	ソウ	すべて
忄 ⺗	惇	ジュン トン	あつい まこと
忄 ⺗	悶	モン	もだえる
忄 ⺗	惹	ジャク ジャ	ひく まねく
忄 ⺗	愈	ユ 愈	いよいよ いえる いやす
忄 ⺗	慧	ケイ エ	さとい かしこい
忄 ⺗	慾	ヨク	ほっする
忄 ⺗	憐	レン ＊	あわれむ あわれみ
戈	戊	ボ ボウ	つちのえ
戈	戎	ジュウ	えびす いくさ おおきい おおい つわもの
戈	或	ワク	ある あるいは
戈	戟	ケキ ゲキ	ほこ
扌 手	托	タク	おす おく たのむ
扌 手	扮	ハン フン	よそおう かざる
扌 手	按	アン	おさえる かんがえる しらべる
扌 手	挺	テイ チョウ ＊	ぬく ぬきんでる
扌 手	捌	ハチ ハツ ベツ	さばく さばける はける はかす
扌 手	挽	バン ＊	ひく
扌 手	掩	エン	おおう かばう たちまち
扌 手	掬	キク	すくう むすぶ
扌 手	捲	ケン 捲	まく まくる めくる いさむ
扌 手	捷	ショウ	かつ はやい
扌 手	捺	ダツ ナツ	おす
扌 手	捻	デン ネン	ひねる ねじる よじる
扌 手	捧	ホウ	ささげる かかえる
扌 手	掠	リャク リョウ	かすめる かする かすれる さらう むちうつ
扌 手	揃	セン ＊	そろう そろえる そろい
扌 手	揖	ユウ シュウ	ゆずる へりくだる あつまる
扌 手	搔	ソウ 掻	かく
扌 手	摑	カク 掴	つかむ
扌 手	摺	ショウ ロウ 摺	たたむ ひだ する くじく
扌 手	摸	モ バク ボ	さぐる うつす
扌 手	撰	セン サン 撰	えらぶ
扌 手	撒	サツ サン	まく
扌 手	撞	トウ ドウ シュ ＊	つく
扌 手	撚	デン ネン	ひねる よる より
扌 手	播	ハ バン	まく しく さすらう
扌 手	撫	フ ブ ＊	なでる
扌 手	擢	タク テキ 擢	ぬく ぬきんでる
扌 手	擾	ジョウ	ならす みだれる わずらわしい さわぐ
扌 手	攪	コウ カク 撹	みだす まぜる
攴 攵	孜	シ	つとめる
攴 攵	敦	トン	あつい とうとぶ
文	斐	ヒ	あや
文	斌	ヒン	うるわしい
斗	斡	アツ カン	めぐる つかさどる
斤	斧	フ ＊	おの
斤	斯	シ	この これ かく かかる
方	於	オ	おいて おける
日	旭	キョク	あさひ
日	昂	コウ ゴウ	たかぶる あがる たかい
日	昏	コン	くれ くらい くらむ

部首	漢字	音読み	訓読み
日	昌	ショウ	さかん うつくしい みだれる
日	晃	コウ	あきらか ひかる
日	晋	シン	すすむ
日	晒	サイ	さらす
日	晦	カイ 晦	みそか つごもり くらい くらます
日	智	チ	ちえ さとい
日	暢	チョウ	のびる とおる のべる
日	曙	ショ	あけぼの
日	曝	バク ホク	さらす さらける さらばえる
曰	曳	エイ	ひく
曰	沓	トウ	かさなる むさぼる くつ
月	朋	ホウ	とも なかま
月	朔	サク	ついたち きた
木	杏	キョウ アン	あんず
木	杖	ジョウ ＊	つえ
木	杜	ト ズ	とじる ふさぐ やまなし もり
木	杓	シャク ヒョウ ＊	ひしゃく しゃくう
木	李	リ	すもも おさめる
木	杢		もく
木	杭	コウ	わたる くい
木	杵	ショ	きね
木	枕	シン チン	まくら
木	枇	ヒ ビ	さじ くし
木	杷	ハ	さらい
木	柑	カン	みかん こうじ
木	柴	サイ	しば まつり ふさぐ
木	柘	シャ	やまぐわ つげ
木	柊	シュウ 柊	ひいらぎ
木	柁	タ ダ	かじ
木	柏	ハク ビャク	かしわ
木	柚	ユ ユウ	ゆず
木	栂		とが つが
木	柾		まさ まさき
木	桓	カン	
木	桔	キツ ケツ	
木	桂	ケイ	かつら
木	栴	セン	
木	桐	ドウ トウ	きり こと
木	栗	リツ リ	くり おののく きびしい
木	栖	サイ セイ	すむ すみか
木	梧	ゴ	あおぎり
木	梱	コン	こり こうり しきみ
木	梓	シ	あずさ はんぎ だいく
木	梢	ショウ	こずえ かじ
木	梯	タイ テイ	はしご
木	桶	トウ	おけ
木	梶	ビ	かじ こずえ
木	梁	リョウ	はり うつばり はし やな
木	棲	セイ	すむ すみか
木	棉	メン	わた
木	椋	リョウ	むく
木	椀	ワン	はち
木	椙		すぎ
木	椛		もみじ
木	楳	バイ	うめ
木	楢	シュウ ユウ 楢＊	なら
木	楯	ジュン	たて
木	楚	ソ	いばら しもと むち すわえ
木	椿	チン	つばき
木	楠	ナン	くすのき
木	楓	フウ	かえで
木	楊	ヨウ	やなぎ
木	椴	タン ダン	とど とどまつ
木	榎	カ	えのき
木	榛	シン	はしばみ はり くさむら
木	槍	ソウ	やり

部首	漢字	音読み	異体字	訓読み
木	槌	ツイ	槌	つち うつ
木	槙	シン テン		まき
木	樺	カ		かば
木	榊		榊	さかき
木	槻	キ		つき
木	樟	ショウ		くす くすのき
木	樗	チョ		おうち
木	樋	トウ	樋	ひ とい
木	樫			かし
木	橘	キツ		たちばな
木	樵	ショウ ゾウ		きこり こる きこる
木	橡	ショウ		とち くぬぎ つるばみ
木	樽	ソン	樽＊	たる
木	楕	ダ	楕	こばんがた
木	檜	カイ	桧	ひのき ひ
木	橿	キョウ		かし
木	檎	キン ゴ	＊	
木	檀	タン ダン		まゆみ
木	檮	トウ	梼	きりかぶ おろか
木	櫛	シツ	＊櫛	くし くしけずる
木	櫓	ロ		おおだて やぐら
欠	欣	キン ゴン		よろこぶ
欠	欽	キン		つつしむ うやまう
欠	歎	タン	歎	たたえる なげく
止	此	シ		この これ かく ここ
止	歪	ワイ		ゆがむ いがむ ひずむ いびつ
歹	殆	タイ		ほとんど あやうい ほとほと
殳	毅	キ		つよい たけし
比	毘	ヒ ビ	毗	たすける
氺氵	汀	テイ		みぎわ なぎさ
氺氵	汝	ジョ		なんじ
氺氵	汐	セキ		しお うしお
氺氵	汲	キュウ	＊	くむ ひく
氺氵	沌	トン		ふさがる
氺氵	沫	マツ		あわ しぶき よだれ
氺氵	洩	エイ セツ		のびる もれる
氺氵	洲	シュウ ス		す しま
氺氵	洛	ラク		みやこ つらなる
氺氵	浩	コウ		おおきい ひろい おおい おごる
氺氵	浬	リ		かいり ノット
氺氵	涌	ヨウ ユウ		わく
氺氵	淵	エン	渕	ふち ふかい おくぶかい
氺氵	淳	ジュン		あつい すなお
氺氵	渚	ショ		なぎさ みぎわ
氺氵	淀	テン デン		よど よどむ
氺氵	淘	トウ		よなげる
氺氵	淋	リン		そそぐ したたる さびしい りんびょう
氺氵	渥	アク		あつい うるおい こい
氺氵	渠	キョ	＊	みぞ おおきい かしら かれ なんぞ
氺氵	湘	ショウ		
氺氵	湊	ソウ		みなと あつまる
氺氵	湛	タン チン		たたえる あつい しずむ ふかい ふける
氺氵	溢	イツ	＊溢	あふれる すぎる おごる みちる こぼれる
氺氵	溜	リュウ		したたる たまる ためる ため
氺氵	漑	カイ ガイ	＊漑	そそぐ すすぐ
氺氵	漕	ソウ		はこぶ こぐ
氺氵	漣	レン	漣	さざなみ
氺氵	漉	ロク		こす したたらせる すく
氺氵	澗	カン ケン	澗	たに たにみず
氺氵	澱	テン デン		おり よどむ よど
氺氵	潑	ハツ	＊溌	そそぐ はねる
氺氵	濠	ゴウ	＊	ほり
氺氵	濡	ジュ		うるおう ぬれる とどこおる こらえる
氺氵	濤	トウ	涛	なみ
氺氵	瀆	トク	涜	みぞ けがす あなどる
氺氵	瀦	チョ	潴	みずたまり たまる

部首	漢字	音読み	異体字等	訓読み
氺氵	瀕	ヒン	瀕	みぎわ せまる そう
氺氵	瀞	ジョウ セイ	瀞	とろ
氺氵	灌	カン	潅	そそぐ
氺氵	灘	ダン タン	灘	はやせ なだ
灬	烏	ウ オ		からす くろい いずくんぞ なんぞ
灬	烹	ホウ		にる
灬	燕	エン		つばめ さかもり くつろぐ
火	灸	キュウ		やいと
火	灼	シャク	*	やく あきらか あらたか やいと
火	焰	エン	焔	もえる ほのお
火	焚	フン		やく たく
火	煤	バイ		すす すすける
火	煉	レン	煉	ねる
火	煽	セン	煽	あおる おだてる おこる あおり
火	熔	ヨウ	鎔	いがた とかす とける いる
火	燐	リン	*	
火	燦	サン		あきらか あざやか きらめく
火	燭	ショク ソク		ともしび
父	爺	ヤ	*	じじ おやじ
爻	爾	ジ ニ		なんじ その
片	牌	ハイ	*	ふだ
片	牒	チョウ ジョウ		ふだ
牛牜	牝	ヒン	*	め めす
牛牜	牟	ボウ ム		なく むさぼる かぶと
牛牜	牡	ボ ボウ		お おす
牛牜	牢	ロウ		いけにえ ごちそう ひとや かたい さびしい
牛牜	牽	ケン		ひく つらなる
牛牜	犀	サイ セイ		かたい するどい
犬犭	狐	コ	狐	きつね
犬犭	狗	ク コウ		いぬ
犬犭	狛	ハク		こま こまいぬ
犬犭	狸	リ		たぬき ねこ
犬犭	狼	ロウ		おおかみ みだれる
犬犭	狽	バイ		
犬犭	猪	チョ		い いのしし
犬犭	猷	ユウ	* 猷	はかる はかりごと みち
犬犭	獅	シ		しし
王玉	玖	キュウ ク		
王玉	珂	カ		
王玉	珊	サン	*	
王玉	玲	レイ		
王玉	珪	ケイ		たま
王玉	琉	リュウ ル		
王玉	琢	タク		みがく
王玉	瑛	エイ		
王玉	琵	ビ		
王玉	琶	ハ		
王玉	琳	リン		
王玉	瑚	コ ゴ		
王玉	瑞	ズイ		しるし めでたい みず
王玉	瑳	サ		みがく
瓜瓜	瓜	カ	瓜	うり
瓜瓜	瓢	ヒョウ	瓢	ふくべ ひさご
瓦	甑	ソウ	* 甑	こしき
甘	甜	テン		あまい うまい
生	甥	ショウ セイ	*	おい
用	甫	ホ フ		はじめ おおきい
田	畠			はた はたけ
田	畦	ケイ		うね あぜ
田	畢	ヒツ	*	おわる ことごとく
田	畷	テツ		なわて
疋	疋	ショ ソ ヒツ		あし ひき
疋	疏	ショ ソ	疏	とおす とおる うとい うとむ おろそか あらい まばら ふみ
疒	疹	シン		はしか
疒	痔	ジ		しもがさ

チカラがつく資料

チカラがつく資料

部首	漢字	音読み	異体字	訓読み
疒	癌	ガン		
白	皐	コウ	皋	さわ さつき
皿	盃	ハイ		さかずき
皿	盈	エイ		みちる あまる
目	瞥	ベツ	瞥	みる
矢	矧	シン		はぐ
矢	矩	ク		さしがね のり
石	砦	サイ		とりで
石	砥	シ		と といし とぐ みがく
石	砧	チン		きぬた
石	硯	ケン ゲン		すずり
石	硲			はざま
石	碍	ガイ ゲ		さまたげる ささえる
石	碓	タイ		うす
石	碇	テイ		いかり
石	碗	ワン	盌	こばち
石	碧	ヘキ		みどり あお
石	碩	セキ		おおきい
石	磐	ハン バン		いわ わだかまる
石	磯	キ		いそ
石	礪	レイ	砺	あらと とぐ みがく
石	礦	コウ	砿	あらがね
ネ示	祁	キ	祁	おおいに おおきい さかんに
ネ示	祇	ギ	祇	くにつかみ
ネ示	祐	ユウ		たすけ たすける
ネ示	禄	ロク		さいわい ふち
ネ示	禎	テイ		さいわい
ネ示	禦	ギョ		ふせぐ つよい
ネ示	禱	トウ	祷	いのる まつる
ネ示	禰	デイ ネ	祢	みたまや かたしろ
禸	禽	キン	*	とり とらえる いけどり
禾	禾	カ		いね のぎ
禾	禿	トク		はげ はげる ちびる かむろ
禾	秤	ショウ ビン	秤	はかり
禾	秦	シン		はた
禾	稀	キ ケ		まれ まばら うすい
禾	稔	ジン ニン ネン		みのる とし つむ
禾	稗	ハイ	*	ひえ こまかい
禾	稜	リョウ ロウ		かど いきおい
禾	穎	エイ	頴	ほさき すぐれる
禾	穆	ボク モク		やわらぐ
禾	穰	ジョウ		ゆたか みのる
禾	穐	シュウ	穐	あき とき
穴	穿	セン	*	うがつ はく つらぬく ほじる ほじくる
穴	窄	サク		せまい せばまる すぼむ つぼむ
穴	窪	ワ ア		くぼ くぼむ
穴	窺	キ		うかがう のぞく
穴	竈	ソウ	*竃	かまど へっつい
立	竪	ジュ	竪	たつ たて こども こもの
立	竣	シュン		おわる
立	靖	セイ		やすい やすんじる
罒	罫	ケイ		
竹	竺	トク ジク		あつい
竹	竿	カン		さお ふだ
竹	笈	キュウ	*	おい
竹	笥	シ ス		け はこ
竹	笠	リュウ		かさ
竹	笹			ささ
竹	筈	カツ		やはず はず
竹	筑	チク ツク	*	
竹	筏	ハツ バツ		いかだ
竹	箕	キ		み ちりとり
竹	箔	ハク		すだれ のべがね
竹	箭	セン	*	や
竹	篇	ヘン	*	ふだ ふみ まき
竹	篦	ヘイ	箆	へら すきぐし かんざし の

部首	漢字	音	訓
竹	篠	ショウ 篠	しの
竹	簞	タン 箪	わりご はこ ひさご
竹	簸	ハ	ひる あおる
竹	簾	レン 簾	す すだれ
米	粁		キロメートル
米	粂		くめ
米	籾	＊籾	もみ
米	粍		ミリメートル
米	粕	ハク ＊	かす
米	粥	シュク イク	かゆ ひさぐ
米	粟	ショク ソク ゾク	もみ あわ ふち
米	糊	コ	のり くちすぎ
米	糎		センチメートル
米	糠	コウ	ぬか
米	糟	ソウ	かす
米	糞	フン	くそ けがれ はらう つちかう
糸	紘	コウ	おおづな ひろい
糸	紗	サ シャ	うすぎぬ
糸	紐	ジュウ チュウ ＊	ひも
糸	絃	ゲン	いと つる
糸	紬	チュウ	つむぎ つむぐ
糸	絢	ケン	あや
糸	綬	ジュ	ひも くみひも
糸	綜	ソウ	すべる おさ まじえる
糸	綴	テイ テツ	つづる とじる あつめる
糸	緋	ヒ	あか
糸	綾	リョウ リン	あや
糸	緬	ベン メン	はるか とおい
糸	縞	コウ	しろぎぬ しま
糸	繋	ケイ 繫	つなぐ つながる かかる とらえる きずな
糸	繡	シュウ 繍	ぬいとり にしき うつくしい
糸	纂	サン	あつめる くみひも つぐ
糸	纏	テン 纒 纏	まとう まつわる まとめる まつる まとい
羽	翠	スイ 翆	かわせみ みどり
羽	翫	ガン 翫	もてあそぶ あじわう あなどる むさぼる
羽	翰	カン 翰	ふで・ふみ てがみ とぶ・みき
羽	耀	ヨウ 耀	かがやく
而	而	ジ	しかして しかも しかれども しかるに なんじ
耳	耽	タン	ふける おくぶかい
耳	聡	ソウ	さとい
耳	聯	レン 聯	つらなる つらねる
耳	聾	ロウ ＊	
聿	肇	チョウ	はじめる はじめ
月肉	肋	ロク	あばら
月肉	肴	コウ	さかな
月肉	肱	コウ	ひじ
月肉	胤	イン	たね
月肉	胡	コ ゴ ウ	あごひげ えびす なんぞ でたらめ ながいき みだり いずくんぞ
月肉	脆	セイ ゼイ 脆	もろい よわい やわらかい かるい
月肉	腔	クウ コウ ＊腔	から からだ
月肉	脹	チョウ	ふくれる はれる ふくよか
月肉	膏	コウ	あぶら こえる うるおす めぐむ
月肉	腿	タイ 腿	もも
月肉	膿	ドウ ノウ	うみ うむ
臣	臥	ガ	ふす ふしど
舌	舘	カン	やかた たて たち
舛	舛	セン	そむく あやまる いりまじる
舛	舜	シュン 舜	むくげ
舟	舵	ダ タ	かじ
艮	艮	コン ゴン	うしとら
艹	苅	ガイ	かる
艹	芥	カイ ケ	からし あくた ちいさい
艹	芹	キン	せり
艹	芭	ハ バ	
艹	芙	フ	はす

部首	漢字	音読み・異体字	訓読み
艹	苑	エン オン ウツ	その ふさがる
艹	茄	カ	はす なす なすび
艹	苫	セン	とま むしろ
艹	苒	ゼン 苒	
艹	苔	タイ	こけ
艹	苧	チョ	からむし お
艹	茅	ボウ	かや ち ちがや
艹	苓	レイ リョウ	みみなぐさ
艹	荊	ケイ 荆	いばら むち
艹	茸	ジョウ	しげる ふくろづの たけ きのこ
艹	荏	ジン ニン	え やわらか
艹	茜	セン	あかね
艹	莞	カン	い むしろ
艹	荻	テキ	おぎ
艹	莫	ボ バク マク モ	くれ ない なかれ さびしい
艹	菅	カン	すげ すが
艹	菰	コ 菰	こも まこも
艹	菖	ショウ	しょうぶ
艹	菟	ト 莬 菟 ＊莵	うさぎ
艹	菩	ホ ボ	
艹	萌	ボウ ホウ 萠	めばえ めぐむ きざす もえる もやし たみ
艹	莱	ライ 萊	あかざ あれち
艹	菱	リョウ	ひし
艹	萄	トウ ドウ	
艹	葦	イ ＊	あし よし
艹	葵	キ	あおい
艹	萱	カン ケン	かや わすれぐさ
艹	韮	キュウ 韭	にら
艹	萩	シュウ	はぎ
艹	葺	シュウ ＊	ふく つくろう
艹	葱	ソウ	ねぎ き あおい
艹	董	トウ	ただす とりしまる
艹	葡	ホ ブ	
艹	葎	リツ	むぐら
艹	蓑	サ サイ	みの
艹	蒜	サン	ひる にんにく
艹	蒔	シ ジ	うえる まく
艹	蒐	シュウ	あつめる かり
艹	蒼	ソウ	あお あおい しげる ふるびる あわただしい
艹	蒲	ホ ブ フ	がま かわやなぎ むしろ
艹	蒙	ボウ モウ	おおう こうむる くらい おさない
艹	蓉	ヨウ	
艹	蓮	レン	はす はちす
艹	蔭	イン	かげ おかげ おおう しげる
艹	蔚	ウツ イ	
艹	蔣	ショウ 蒋	まこも
艹	蔦	チョウ	つた
艹	蔓	バン マン ＊	つる はびこる からむ
艹	蓬	ホウ 蓬	よもぎ
艹	蔀	ホウ ブ	しとみ おおい
艹	蕎	キョウ	
艹	蕨	ケツ ＊	わらび
艹	蕉	ショウ	
艹	蕊	ズイ 蕋 蘂	しべ
艹	蕃	バン ハン	しげる ふえる まがき えびす
艹	蕩	トウ	うごく とろける のびやか ほしいまま みだす はらう あらう
艹	蕪	ブ ム	あれる しげる みだれる かぶら
艹	薙	テイ チ	なぐ かる そる
艹	蕗	ロ	ふき
艹	薗	エン オン	その
艹	薩	サツ 薩	
艹	薯	ショ ジョ 薯	いも
艹	藁	コウ	わら
艹	藪	ソウ 藪	さわ やぶ
艹	藷	ショ 藷	いも さとうきび

チカラがつく資料

部首	漢字	音読み	訓読み
艹	蘇	ソ ス	ふさ よみがえる
艹	蘭	ラン	ふじばかま あららぎ
虫	虻	ボウ モウ 蝱＊	あぶ
虫	蚤	ソウ	のみ はやい つめ
虫	蛋	タン	あま えびす たまご
虫	蛙	ア ワ	かえる みだら
虫	蛤	コウ	はまぐり
虫	蛭	シツ テツ	ひる
虫	蛛	チュ チュウ シュ	くも
虫	蜎	ケン	うつくしい
虫	蛾	ガ ギ	まゆげ あり
虫	蛸	ショウ 蛸	たこ
虫	蜘	チ	くも
虫	蝦	カ ガ	えび がま
虫	蝕	ショク 蝕	むしばむ
虫	蝶	チョウ	
虫	螺	ラ	つぶ にし にな ほらがい
虫	蟬	セン ゼン 蝉	せみ うつくしい つづく
虫	蟹	カイ 蠏	かに
虫	蟻	ギ	あり くろ くろい
虫	蠅	ヨウ 蝿＊	はえ
虫	蠣	レイ 蛎	かき
虫	蠟	ロウ 蝋	
衤衣	衿	キン	えり
衤衣	袈	ケ	
衤衣	袷	コウ	あわせ
衤衣	袴	コ	はかま ももひき
衤衣	裡	リ	うら うち
衤衣	裟	サ	
衤衣	裳	ショウ	も もすそ
衤衣	襖	オウ 襖	わたいれ ふすま あお
見	覗	シ	うかがう のぞく
言	訊	シン ジン ＊	たずねる とう きく たより
言	訣	ケツ	わかれる おくぎ
言	詑	タ	あざむく
言	註	チュウ ＊	ときあかす
言	詫	タ	わびる ほこる わび
言	誼	ギ	よい すじみち よしみ
言	諏	シュ ス ＊	はかる とう
言	誹	ヒ ＊	そしる
言	諒	リョウ	まこと おもいやる さとる
言	謂	イ	いう いわれ いい
言	諫	カン 諌	いさめる
言	諺	ゲン 諺	ことわざ
言	諜	チョウ	うかがう さぐる しめす ふだ
言	謬	ビュウ 謬	あやまる
言	讃	サン 讃	ほめる たたえる たすける
豸	豹	ヒョウ ＊	
貝	貰	セイ	もらう かりる ゆるす
貝	賑	シン	ほどこす にぎわう にぎやか
貝	賤	セン ゼン 賎	やすい いやしい あやしい いやしめる しず
貝	贋	ガン	にせ
赤	赫	カク	あかい さかん かがやく あつい
走	趨	スウ ソク シュ	はしる おもむく はやい うながす
𧾷足	跨	コ	またぐ またがる よる また
𧾷足	蹄	テイ ＊	ひづめ わな
𧾷足	蹟	セキ シャク	あと
身	軀	ク ＊躯	からだ むくろ
車	輔	フ ホ	たすける すけ
車	輿	ヨ	こし くるま のせる おおい めしつかい はじめ
車	輯	シュウ	あつめる やわらぐ
車	轍	テツ	わだち あとかた のり
車	轟	ゴウ	とどろく おおいに
車	轡	ヒ	たづな くつわ
辰	辰	シン	たつ ひ とき
⻌⻍	辻	辻	つじ

部首	漢字	音読み	異体字	訓読み
⻌辶	迂	ウ	迂	まがる うとい とおい
⻌辶	迄	キツ	迄	いたる およぶ まで
⻌辶	辿	テン	辿	たどる
⻌辶	迦	カ	迦	
⻌辶	迺	ダイ ナイ	迺 廼	なんじ すなわち の
⻌辶	這	シャ	這	この これ はう
⻌辶	逗	トウ ズ	逗	とどまる くぎり
⻌辶	逢	ホウ	逢	あう むかえる おおきい ゆたか
⻌辶	遁	トン シュン ジュン	*遁	のがれる しりごみする
⻌辶	逼	ヒツ ヒョク	逼	せまる
⻌辶	遥	ヨウ		さまよう はるか とおい ながい
⻌辶	遼	リョウ		はるか
阝邑	邑	ユウ オウ		むら みやこ くに うれえる
阝邑	郁	イク		かぐわしい さかん
阝邑	耶	ヤ		か
阝邑	鄭	ジョウ テイ	鄭*	ねんごろ
酉	酉	ユウ		とり ひよみのとり
酉	酋	シュウ	*酋	おさ かしら
酉	醇	シュン ジュン		もっぱら あつい
酉	醍	ダイ テイ		
酉	醐	コ ゴ		
酉	醬	ショウ	醤	ししびしお ひしお
酉	醱	ハツ	*醗	かもす
金	釘	チョウ テイ		くぎ
金	釦	コウ		かざる ボタン
金	釧	セン		うでわ くしろ
金	鈷	コ		
金	鉤	ク コウ	鈎	かぎ つりばり かける おびどめ まがる
金	銑	セン		ずく
金	鉦	セイ ショウ		かね
金	鉾	ボウ ム		ほこ きっさき
金	銚	チョウ ヨウ	*	なべ すき とくり
金	鋪	ホ		しく みせ
金	鋤	ショ ジョ		すき すく
金	鋒	ホウ		ほこさき きっさき ほこ さきがけ
金	鋲	ビョウ		
金	鋸	キョ		のこぎり のこ
金	錘	スイ		つむ おもり
金	錐	スイ		きり するどい
金	錆	ショウ セイ	錆	さび さびる
金	錫	シャク セキ シ		すず つえ たまもの
金	鍔	ガク		つば
金	鍬	ショウ シュウ		すき くわ
金	鍾	ショウ		さかずき あつめる つりがね
金	鍍	ト		めっき
金	錨	ビョウ		いかり
金	鎧	カイ ガイ		よろい よろう
金	鎗	ショウ ソウ		やり
金	鎚	タイ ツイ	鎚	つち かなづち
金	鏑	テキ		やじり かぶら かぶらや
金	鐙	トウ		たかつき あぶみ
金	鐸	タク		すず
金	鑓		鑓	やり
門	閃	セン	*	ひらめく
門	閏	ジュン	*	うるう
門	閤	コウ		くぐりど へや たかどの
阝阜	阿	ア		くま よる おもねる ひさし お
阝阜	陀	ダ タ		
阝阜	隈	ワイ		くま すみ
隹	隼	シュン ジュン		はやぶさ
隹	雀	ジャク		すずめ
隹	雁	ガン	鴈	かり
隹	雛	スウ ス		ひな ひよこ
⻗	雫	ダ	*	しずく
⻗	霞	カ		かすみ かすむ
革	靭	ジン	靱 靭	しなやか

部首	漢字	音読み	異体字	訓読み
革	鞄	ホウ	鞄	かばん なめしがわ
革	鞍	アン		くら
革	鞘	ショウ	鞘	さや
革	鞠	キク		まり やしなう とりしらべる かがむ
革	鞭	ヘン ベン *		むち むちうつ
革	韃	タツ ダツ	韃	むち むちうつ
頁	頁	ケツ ヨウ		かしら ページ
頁	頗	ハ		かたよる すこぶる
頁	頸	ケイ	頚	くび
頁	顛	テン	顚	いただき たおれる くつがえる
食 飠	飴	イ	飴	あめ
食 飠	餐	サン		くう のむ たべもの
食 飠	饗	キョウ *		あえ もてなす うける
香	馨	キョウ ケイ		かおり かおる
馬	馴	シュン ジュン クン		なれる ならす すなお よい おしえ
馬	馳	ジ チ		はせる
馬	駁	バク ハク *		まだら ぶち なじる まじる
馬	駈	ク		かける かる
馬	駕	ガ		のる のりもの あつかう しのぐ
馬	駿	シュン スン		すぐれる
馬	驒	タン タ・ダ	騨	
髟	髭	シ		くちひげ ひげ
鬼	魁	カイ		かしら さきがけ おおきい おさ
魚	魯	ロ		おろか
魚	鮎	デン ネン		あゆ
魚	鮒	フ		ふな
魚	鮪	イ ユウ		まぐろ しび
魚	鮭	ケイ カイ		さけ さかな
魚	鮫	コウ *		さめ
魚	鯉	リ		こい てがみ
魚	鯖	ショウ セイ	鯖	さば よせなべ
魚	鯛	チョウ トウ	鯛	たい
魚	鰍	シュウ		どじょう いなだ かじか
魚	鰐	ガク		わに
魚	鰭	キ		ひれ はた
魚	鰯		鰯	いわし
魚	鰹	ケン		かつお
魚	鰺	ソウ	鯵	あじ
魚	鰻	バン マン		うなぎ
魚	鱈	セツ	鱈	たら
魚	鱒	ソン ゾン	鱒*	ます
魚	鱗	リン *		うろこ
鳥	鳩	キュウ ク		はと あつめる あつまる やすんずる
鳥	鳶	エン		とび とんび
鳥	鳳	ブウ ホウ		おおとり
鳥	鴇	ホウ		のがん とき
鳥	鴛	エン		おしどり
鳥	鴨	オウ		かも
鳥	鴦	オウ		おしどり
鳥	鴫			しぎ
鳥	鴻	コウ		おおとり おおきい
鳥	鵠	コウ コク *		くぐい しろい まと ただしい おおきい
鳥	鵜	テイ		う
鳥	鵡	ブ ム		
鳥	鵬	ホウ		おおとり
鳥	鶯	オウ	鴬	うぐいす
鳥	鷗	オウ	鴎	かもめ
鳥	鷲	シュウ ジュ		わし
鳥	鷹	ヨウ オウ		たか
鳥	鷺	ロ		さぎ
鳥	鸚	オウ イン		
鹵	鹼	ケン	鹸	しおけ あく
鹿	麒	キ		きりん
鹿	麟	リン *		きりん
麦 麥	麴	キク	麹	こうじ さけ
麻	麿			まろ

部首	漢字	音読み	訓読み
黍	黍	ショ	きび
黒	黛	タイ	まゆずみ かきまゆ まゆ
鼎	鼎	テイ	かなえ まさに
鼠	鼠	ソ ショ ス	ねずみ

準1級に出る常用漢字の表外の読み

常用漢字表から出題されそうなものを選びました。音読みと、1級用の読みは省いてあります。

漢字	読み
亜	つぐ
挨	おす ひらく
愛	いとしい かなしい おしむ めでる まな
悪	にくむ あし いずくんぞ
扱	こく しごく
宛	あて ずつ あたかも さながら
安	やすんじる いずくんぞ
暗	やみ そらんじる
医	くすし
衣	きぬ きる エ
畏	かしこい かしこまる
委	まかせる くわしい おく すてる
萎	しぼむ しおれる しなびる つかれる
尉	じょう
異	あやしい
維	これ つなぐ
緯	よこいと ぬき
一	はじめ
逸	はしる うしなう それる そらす はやる すぐれる
因	ちなむ ちなみ
咽	のど むせぶ のむ
淫	ながあめ ほしいまま ふける あふれる みだす おおきい
陰	くらい ひそか
韻	ひびき おもむき
右	たすける
運	めぐる
英	はなぶさ はな ひいでる
詠	うたう ながめる
鋭	はやい
易	かえる かわる やすい あなどる
謁	まみえる
閲	けみする へる
円	まどか つぶらか
沿	ふち
怨	うらむ うらみ
宴	うたげ たのしむ
援	ひく たすける
艶	なまめかしい あでやか うらやむ
応	まさに…べし
殴	うつ たたく
旺	さかん
横	よこたわる あふれる
億	おしはかる
憶	おもう おぼえる
臆	おくする おしはかる
音	たより
恩	めぐみ
穏	やすらか
苛	さいなむ いじめる いらだつ きびしい むごい わずらわしい からい
果	くだもの おおせる
科	とが しな しぐさ
架	たな
荷	はす になう
貨	たから
過	とが よぎる
寡	すくない やもめ
賀	よろこぶ
雅	みやび みやびやか つね
拐	かたる かどわかす
階	はしご きざはし しな
解	さとる わかる ほどく ほどける ほぐれる
塊	つちくれ
潰	つぶし ついえる みだれる
崖	かどだつ
蓋	かさ けだし おおう おおい
劾	あばく しらべる
害	そこなう わざわい
街	ちまた
慨	なげく いきどおる
概	おおむね
骸	むくろ ほね
葛	かずら つづら かたびら
革	あらためる あらたまる
郭	くるわ
閣	たかどの たな
確	かたい しかと
嚇	いかる おどす おどかす
穫	かる とりいれる
額	ぬかずく
括	くくる くびる くびれる
渇	むさぼる
滑	ぬめる
轄	くさび とりしまる
且	まさに しばらく
刊	けずる きざむ
缶	ほとぎ かま
完	まっとうする
冠	かむる
乾	ほす いぬい
勘	かんがえる
患	うれえる うれい
堪	こらえる こたえる タン

漢字	読み
寒	いやしい・まずしい・さびしい
寛	くつろぐ・ひろい・ゆるやか
憾	うらむ
玩	もてあそぶ・あじわう
岸	かどだつ
頑	かたくな
企	たくらむ
危	ただす・たかい
伎	わざ・たくみ
希	まれ・こいねがう
汽	ゆげ
奇	くし・めずらしい・あやしい
季	すえ
畿	みやこ
紀	おさめる・のり・しるす
帰	とつぐ・おくる
規	のり・ただす
幾	きざし・こいねがう・ほとんど
揮	ふるう
期	とき・ちぎる・きめる
機	からくり・おり・きざし
亀	あかぎれ
儀	よい・のり
擬	なぞらえる・はかる・まがい・もどき
戯	ざれる・たわける
犠	いけにえ
詰	なじる
却	しりぞく・しりぞける・かえって
客	まろうど・たび
逆	むかえる・あらかじめ
朽	すたれる
糾	ただす・あざなう
拒	ふせぐ
挙	こぞる・こぞって
許	ばかり・もと
距	けづめ・ふせぐ・へだてる
漁	すなどる・あさる・いさり
凶	わるい・わざわい・おそれる
狂	ふれる
享	うける
協	かなう
況	いわんや・ありさま
峡	はざま
強	つとめる・こわい・したたか
矯	いつわる
競	きおう・くらべる
凝	しこり
曲	かね・くせ・くま
局	つぼね
巾	ふきん・きれ・かぶりもの
均	ひとしい・ととのえる・ならす
菌	きのこ・かび
勤	いそしむ
禁	いむ・いさめる・とどめる
吟	うたう・うめく
具	つぶさに・そなえる・そなわる・そろい
偶	たぐい・たまたま・ひとがた
遇	あう・たまたま・もてなす
串	なれる・つらぬく
窟	いわや・ほらあな
勲	いさお・いさおし
薫	かおりぐさ・たく
軍	つわもの・いくさ
刑	しおき
形	なり
系	つなぐ・すじ
径	さしわたし・ただちに・みち・こみち
係	つなぐ・かかわる
契	きざむ・わりふ
啓	ひらく・もうす
渓	たに
経	たていと・おさめる
稽	とどめる・とどこおる・かんがえる
敬	つつしむ
傾	かたげる・かしぐ・くつがえる
継	まま
詣	いたる・まいる
警	いましめる
隙	ひま
欠	あくび
件	くだん・くだり・ことがら
見	まみえる・あらわれる
券	わりふ・てがた
県	あがた
倹	つづまやか
兼	あわせる
健	たけし・したたか
献	たてまつる・ささげる
憲	のり・のっとる
賢	さかしい・まさる
謙	へりくだる
験	しるし・あかし・ためす
懸	へだたる
元	はじめ
幻	まどわす
原	もと・たずねる・ゆるす
現	うつつ
舷	ふなばた・ふなべり
己	つちのと
故	ことさらに・ふるい・もと
孤	みなしご・ひとり・そむく
固	もとより
股	もも
勾	まがる・とらえる
工	わざ・たくみ・たくむ
交	こもごも
甲	かぶと・よろい・きのえ・つめ
向	さきに
后	のち・きみ・きさき
好	よい・よしみ
坑	あな
抗	あらがう・ふせぐ・はりあう・こばむ
攻	おさめる・みがく
更	かえる・あらためる
効	ならう・いたす
肯	がえんじる・うなずく・うべなう・あえて
洪	おおみず
皇	きみ・すめらぎ
荒	すさむ・すさぶ
候	うかがう・さぶらう・まつ
校	かせ・あぜ・かんがえる・くらべる
梗	でく・ふさがる・おおむね・かたい・つよい
絞	くびる
項	うなじ
鉱	あらがね
酵	もと・こうじ
稿	わら・したがき
衡	はかり・はかる
購	あがなう
号	さけぶ・よびな
拷	うつ
克	かつ・よく
谷	きわまる・や
獄	うったえる・ひとや
頃	かたあし・しばらく
困	くるしむ
墾	ひらく
佐	すけ・たすける
沙	すな・みぎわ・よなげる
査	しらべる
砂	いさご
差	たがう・つかわす
詐	いつわる
鎖	とざす
座	います
挫	くじく・くじける
妻	めあわす

- 彩：あや
- 塞：とりで／せく／みちる
- 宰：つかさどる
- 済：わたる／わたす／すくう・なす
- 采：うね／すがた／いろどり／とる
- 斎：ものいみ／つつしむ／いつく・とき
- 細：ささやか／くわしい
- 催：うながす
- 埼：さき
- 歳：とし／とせ／よわい
- 載：しるす／とし
- 際：まじわる／あい
- 材：まるた
- 剤：まぜる
- 財：たから
- 作：なす

- 削：そぐ／はつる
- 昨：きのう
- 柵：やらい／とりで／しがらみ
- 索：つな・なわ／もとめる／さがす
- 策：むち・つえ／はかりごと／ふだ
- 錯：まじる／あやまる／おく
- 冊：ふみ／たてる
- 札：さね／わかじに
- 刷：はく
- 拶：せまる
- 殺：そぐ／そげる／けずる
- 撮：つまむ
- 参：まじわる
- 桟：かけはし／たな
- 散：ばら
- 惨：いたむ／いたましい／むごい
- 賛：たすける／たたえる／ほめる

- 残：そこなう
- 子：み／おとこ／ね
- 支：つかえる／かう
- 仕：つかまつる
- 私：ひそか
- 刺：とげ／そしる／なふだ
- 祉：さいわい
- 肢：てあし
- 思：おぼしい／こころ
- 師：みやこ／いくさ／かしら
- 脂：やに／べに
- 歯：よわい
- 資：たから／もと・たち／たすける
- 諮：とう
- 字：はぐくむ／あざな
- 事：つかえる
- 侍：さぶらう／はべる

- 餌：たべもの／くう／くわせる
- 璽：しるし
- 式：のり／のっとる／きまり
- 識：しる／しるす／シ／ショク
- 軸：しんぎ／かなめ
- 疾：やまい・やむ／にくむ／はやい
- 執：とらえる
- 嫉：ねたむ／そねむ／にくむ
- 質：もと／たち／ただす
- 実：みちる／まこと・まめ
- 捨：ほどこす
- 斜：はす
- 謝：ことわる／さる
- 邪：よこしま
- 尺：さし／ものさし／わずか
- 釈：とく・とかす／ゆるす／おく

- 爵：さかずき
- 主：あるじ／つかさどる
- 首：はじめ／かしら／もうす
- 腫：はれもの
- 種：うえる／くさ
- 趣：おもむく／うながす
- 呪：まじなう／まじない
- 寿：ことほぐ／ひさしい／とし
- 樹：うえる／たてる／き
- 周：めぐる／あまねし
- 拾：とお
- 秋：とき
- 修：かざる／ながい
- 終：ついに
- 週：めぐる
- 衆：おおい
- 集：すだく／たかる

- 醜：にくむ／たぐい
- 蹴：ふみつける
- 襲：かさねる／つぐ
- 汁：つゆ
- 住：とどまる
- 銃：つつ
- 縦：はなつ／ゆるす／ゆるめる／ほしいまま
- 祝：のる／のろう／たつ
- 淑：よい／しとやか
- 粛：つつしむ
- 熟：にる／にえる／うむ／なれる／つらつら／こなす／こなれる
- 瞬：しばたく
- 准：なぞらえる／ゆるす
- 殉：したがう
- 純：きいと

- 循：めぐる／したがう
- 順：したがう／すなお
- 準：なぞらえる／はなすじ
- 潤：ほとびる
- 遵：したがう
- 処：ところ／おる／おく
- 庶：おおい／もろもろ／こいねがう
- 署：やくわり／しるす
- 緒：いとぐち
- 諸：もろ／もろもろ
- 女：むすめ／めあわせる／なんじ
- 如：しく・ゆく／ごとし
- 序：はしがき／ついで／まなびや
- 徐：おもむろ
- 升：のぼる
- 抄：かすめる／うつす・すく／すくう
- 肖：にる／かたどる／あやかる

- 尚：くわえる／とうとぶ／たっとぶ・なお
- 将：ひきいる／まさに・はた
- 症：しるし
- 祥：さち／さいわい／きざし
- 商：はかる
- 渉：わたる／かかわる
- 章：あや／しるし／ふみ
- 紹：つぐ
- 掌：たなごころ／つかさどる／になう
- 焦：やく／じれる／じらす
- 象：かたち／かたどる
- 傷：そこなう
- 詳：つまびらか
- 障：へだてる
- 衝：つく
- 礁：かくれいわ
- 上：ほとり／たてまつる

- 条：えだ／すじ
- 状：かたち／かきつけ
- 剰：あまる／あます／あまつさえ
- 畳：かさねる
- 縄：ただす
- 壌：つち
- 譲：せめる
- 職：つかさ／つかさどる／つとめ
- 嘱：たのむ
- 辱：はじ／はずかしめ／かたじけない
- 申：かさねる／さる
- 辛：かのと／つらい
- 芯：とうしんぐさ
- 信：まこと／たより／まかせる
- 娠：はらむ／みごもる
- 浸：つく／つかる／しみる
- 紳：おおおび

寝　みたまや　やめる　みにくい
審　つまびらか
尽　ことごとく
陣　じんだて　ひとしきり
尋　つね　ひろ
腎　かなめ
垂　なんなんとする
炊　かしぐ
帥　ひきいる
須　まつ　もちいる　もとめる　しばらく　すべからく
遂　おおせる　ついに
枢　とぼそ　かなめ
崇　たかい　たっとぶ　とうとぶ　あがめる　おわる
数　しばしば
井　いげた　まち

制　おさえる
姓　かばね
征　うつ　ゆく　とる
性　さが　たち
斉　ととのえる　ひとしい　ものいみ　おごそか
牲　いけにえ
凄　すごい　すごむ　すさまじい　さむい
清　さやか　すむ
精　しらげる　くわしい　もののけ
醒　さめる　さます
税　みつぎ
斥　しりぞける　うかがう
析　さく　わける　わかれる
隻　ひとつ
席　むしろ

戚　みうち　いたむ　うれえる
脊　せ　せい
積　たくわえる
績　つむぐ　いさお
籍　ふみ　しく　ふむ
折　くじける
窃　ぬすむ　ひそかに
接　まじわる　もてなす
設　しつらえる
雪　すすぐ　そそぐ
摂　かねる　かわる　とる
節　みさお　ノット
説　よろこぶ
舌　ことば
絶　はなはだ　わたる
宣　のべる　のたまう
専　ほしいまま

扇　あおぐ　おだてる
旋　めぐる
戦　おののく　そよぐ
煎　にる　せんじる　せまる
羨　あまる　はかみち
腺　すじ
詮　あきらか　そなわる　しらべる　えらぶ
践　ふむ
潜　くぐる
繊　すじ・ほそい　ちいさい　しなやか
薦　こも　しきりに
鮮　あたらしい　すくない
禅　ゆずる
漸　ようやく　すすむ・やや
膳　そなえる　かしわ
阻　けわしい　へだたる

狙　さる
祖　おや　じじ　はじめ
租　みつぎ　ちんがり
曽　かさなる　ます　かつて　すなわち
措　おく　はからう
粗　ほぼ　あら
疎　おろそか　とおる　とおす
痩　こける　ほそい
塑　でく
遡　むかう
双　ふたつ　ならぶ　たぐい
壮　さかん
争　いさめる
奏　すすめる
相　ありさま　うらなう　たすける
荘　しもやしき　おごそか

掃　はらう
曹　つかさ　ともがら
爽　あきらか　たがう
創　はじめる　きず
層　かさなる
槽　おけ
操　とる
燥　かわく　はしゃぐ
藻　あや　かざり
造　いたる・なる　はじめる　みやつこ
像　かたち　かたどる
蔵　かくれる　おさめる
臓　はらわた
束　つか　つかねる
促　せまる
則　のり　のっとる　すなわち
捉　とる　つかまえる

俗　ならわし　いやしい
族　やから
属　やから　つく　したやく
賊　そこなう　わるもの
存　たもつ・ある　ながらえる　とう
尊　みこと
損　へる
遜　へりくだる　のがれる　ゆずる　おとる
打　ダース　ぶつ
妥　やすらか　おだやか
汰　よなげる　にごる　おごる
堕　おちる
惰　おこたる
太　はなはだ
対　むかう・そろい　つれあい　こたえる
待　もてなす

胎　はらむ
退　のく・のける　すさる　しさる・ひく
泰　やすい　やすらか　おごる
逮　およぶ　とらえる
堆　うずたかい
隊　おちる　くみ
態　さま　わざと
戴　いただく
台　うてな　しもべ
第　ついで　やしき
宅　いえ　やけ
沢　うるおう　つや
拓　ひらく
託　ことづかる　かこつける　かこつ
濯　すすぐ　あらう
諾　うべなう
誰　たれ　た

丹　に　あか　まごころ
旦　あした
単　ひとつ　ひとえ
端　ただしい　はじめ・はな
誕　うまれる　いつわる　ほしいまま
団　まるい　かたまり　タン
段　きざはし
断　さだめる
弾　はずみ　はじく　はじける　ただす
談　かたる
地　つち　ところ
値　あう
痴　おろか
稚　わかい　いとけない
畜　かう　やしなう　たくわえる
秩　ついで　ふち

漢字	読み
窒	ふさがる
嫡	よつぎ
中	あたる あてる
沖	むなしい とぶ
抽	ひく ぬく
丁	あたる わかもの ひのと
庁	つかさ
長	おさ たける ジョウ
帳	とばり
貼	つける
徴	しるし めす
調	やわらぐ みつぎ あざける
聴	ゆるす
直	すぐ・ひた あたい じか
勅	みことのり
捗	はかどる
朕	われ きざし
陳	のべる つらねる ふるい
賃	やとう
鎮	おさえ
椎	しい つち せぼね うつ おろか
鶴	しろい
低	たれる
廷	にわ
抵	あたる ふれる さからう
邸	やしき
亭	あずまや
貞	ただしい
帝	みかど
訂	ただす さだめる
逓	たがいに かわる
提	ひっさげる
程	のり
艇	こぶね
締	むすぶ
諦	つまびらか まこと
泥	なずむ
的	あきらか
適	ゆく かなう たまたま
敵	あだ かなう
溺	ゆばり いばり
迭	たがいに かわる
哲	さとい あきらか
点	とぼる ともる たてる
展	つらねる のべる
転	まろぶ うたた うつる
填	ふさぐ ふさがる うずめる うずまる はめる
伝	つて
殿	しんがり
電	いなずま
斗	ます ひしゃく
吐	つく
妬	そねむ やく
徒	かち いたずらに ともがら あだ
都	すべて
塗	どろ まみれる みち
賭	かけ
努	ゆめ
度	はかる めもり・のり わたる
当	まさに
倒	さかさま
凍	いてる しみる
唐	もろこし
討	たずねる
陶	すえ
棟	かしら
統	すじ おさめる
糖	あめ
頭	こうべ ほとり
同	ともに
洞	つらぬく ふかい うつろ
動	ややもすれば
瞳	くらい
匿	かくれる かくまう
特	おうし とりわけ
督	みる ただす うながす ひきいる かしら
篤	あつい
毒	そこなう わるい
屯	なやむ たむろ
頓	ひたぶる ぬかずく とどまる つまずく とみに くるしむ つかれる
鈍	なまる にび
奈	なんぞ いかん いかんぞ
那	なに なんぞ いかんぞ
虹	はし
入	しお
尿	ゆばり いばり
妊	はらむ みごもる
忍	むごい
認	したためる
熱	ほてる
寧	やすい ねんごろ むしろ いずくんぞ なんぞ
年	とせ
念	おもう
捻	ひねる ねじる よじる
納	いれる
能	あたう よく よくする はたらき わざ
農	たがやす
濃	こまやか
把	とる にぎる
派	わかれる つかわす
破	われる
覇	はたがしら
背	うしろ
俳	わざおぎ たわむれ
配	ならぶ つれあい ながす
排	おしのける つらねる
輩	ともがら やから ついで
媒	なかだち
賠	つぐなう
白	あきらか もうす せりふ
伯	おさ・かしら はたがしら
拍	うつ
剥	むく とる
舶	おおぶね
爆	はぜる さける
薄	せまる すすき
漠	すなはら ひろい
発	たつ・ひらく あばく
伐	うつ・きる ほこる
閥	いえがら いさお
反	かえす かえる そむく
氾	ひろがる あふれる
汎	ひろい あふれる うかぶ
阪	さか
版	いた ふだ
班	わける かえす
畔	あぜ・くろ ほとり そむく
斑	まだら ふ ぶち
般	めぐる たぐい
販	あきなう
飯	いい まま
煩	うるさい
頒	わける しく・まだら
範	いがた・のり さかい
繁	わずらわしい しげる
藩	まがき
晩	くれ おそい
番	つがい つがう つがえる
比	ならぶ・ころ たぐい
妃	きさき
否	わるい
批	うつ ただす
披	ひらく
非	わるい あらず そしる
卑	ひくい
飛	たかい
碑	いしぶみ

漢字	読み
罷	やめる つかれる まかる
眉	ふち としより
鼻	はじめ
匹	たぐう いやしい
媛	ひめ
票	ふだ
評	はかる あげつらう
漂	さらす
標	こずえ しるし しめ
苗	かり
秒	のぎ
賓	まろうど したがう
頻	しきりに
敏	さとい とし
付	あたえる
布	しく
府	くら みやこ
阜	おか ゆたか
負	たのむ そむく
赴	つげる
符	わりふ
普	あまねく
腐	ふるい
膚	はだ うわべ
賦	みつぎ わかつ
譜	しるす つづく
武	たけし もののふ たたかい
舞	もてあそぶ
封	とじる さかい ポンド
風	ならわし すがた
伏	かくれる したがう
服	きる・きもの したがう のむ
副	そう
復	かえる かえす また ふたたび
腹	こころ かんがえ
複	かさねる
粉	デシメートル
紛	みだれる
雰	きり
文	あや かざる
丙	ひのえ
兵	つわもの いくさ
併	ならぶ しかし
柄	つか いきおい
陛	きざはし
幣	ぬさ ぜに
弊	やぶれる つかれる
蔽	おおう おおい さだめる くらい
壁	がけ
別	わける わかつ
蔑	ないがしろ なみする ちいさい くらい
片	きれ・わずか ペンス
辺	ほとり
偏	ひとえに
遍	あまねし
編	とじいと ふみ
弁	わける わきまえる はなびら
便	くつろぐ ついで いばり へつらう
勉	つとめる
保	やすんじる
補	たすける さずける
舗	みせ しく
慕	しのぶ
簿	たけふだ とじもの
方	かく ただしい まさに
芳	かおり かぐわしい
邦	くに
奉	うけたまわる
放	ほしいまま まかす ゆるす ひる
法	のり のっとる フラン
胞	はら
俸	ふち
砲	おおづつ
訪	とう
報	しらせる
蜂	むらがる
防	まもる
房	いえ へや
肪	あぶら
某	それがし なにがし
冒	おおう むさぼる ねたむ
剖	わける さく
望	もち うらむ
傍	そば そう
貌	かたち すがた
暴	あらい うつ にわか さらす あらわす
貿	あきなう
謀	はかりごと
北	そむく にげる
朴	ほお すなお
牧	かう やしなう つかさ
睦	むつぶ むつむ むつまじい
僕	しもべ
墨	むさぼる
撲	うつ なぐる
没	もぐる しずむ おぼれる しぬ ない
勃	おこる にわかに
奔	はしる にげる
凡	すべて およそ なみ
麻	しびれる
摩	する・こする さする
毎	ごと・つね むさぼる
昧	くらい
埋	うずもれる うずまる いける
末	うら
抹	する・けす こな
万	よろず
慢	おこたる おごる あなどる
漫	みなぎる みだりに そぞろに
魅	すだま もののけ
脈	すじ
妙	わかい たえ
務	あなどる あなどり
命	おおせ みこと
冥	くらい
盟	ちかう
免	ゆるす やめる うむ
綿	つらなる こまかい
麺	むぎこ
茂	すぐれる
模	かた のっとる
妄	みだり
盲	くらい
耗	へる たより
目	まなこ かなめ・な
門	いえ みうち
紋	あや
問	たずねる おとずれる たより
冶	いる とける なまめかしい
弥	いや いよいよ おさめる ひさしい わたる あまねし つくろう
野	いなかや いやしい
厄	わざわい くるしむ
役	いくさ つとめ
約	ちかう つづめる つづまやか
闇	くらい
由	よる なお…ごとし
輸	おくる うつす いたす まける
勇	つよい いさぎよい
幽	かすか くらい
悠	とおい はるか
郵	しゅくば
猶	なお なお…ごとし
裕	ゆたか ひろい

漢字	読み
遊	すさび / すさぶ
雄	おん / いさましい / まさる
誘	いざなう / おびく
融	とける / とおる
優	わざおぎ / やわらぐ / ゆたか / まさる
与	くみする / あずかる
予	かねて / あらかじめ / ゆるす
余	われ / ほか
預	あらかじめ
幼	いとけない / ユウ
用	はたらき
妖	なまめかしい / わざわい
洋	うみ / なだ / ひろい
要	もとめる
容	かたち / いれる / ゆるす
葉	かみ / すえ
庸	もちいる / つね・おろか / なんぞ
擁	いだく / だく / まもる
曜	かがやく
抑	ふさぐ / そもそも
沃	そそぐ / こえる
浴	ゆあみ
翼	たすける
羅	あみ / うすぎぬ / つらなる
雷	いかずち
絡	まとう / つなぐ
落	さと
酪	ちちしる
濫	みだれる / みだりに / うかべる
欄	てすり / おり・わく
吏	つかさ
利	よい / するどい / とし
里	みちのり
理	すじ / ことわり / おさめる
痢	はらくだし
裏	うち
履	くつ / ふむ
離	つく / ならぶ / かかる
陸	おか / くが
律	のり / のっとる
略	おさめる / はかる / はかりごと / ほぼ / はぶく / おかす
隆	たかい / さかん
侶	とも
旅	いくさ
虜	とりこ / えびす / しもべ
慮	おもんぱかる
了	おわる / しまう / さとる
両	ふたつ
涼	うすい
陵	しのぐ / おか
量	かさ / ちから
僚	とも / つかさ
領	うなじ / えり / おさめる / うける / かしら / かなめ
寮	つかさ
瞭	あきらか
療	いやす
力	つとめる
林	おおい
倫	たぐい / ついで / みち
累	しばる / かさなる / かさねる / しきりに / わずらわす
塁	かさねる / とりで
類	たぐえる
令	いいつけ / おさ・よい
礼	のり / うやまう
戻	もとる / いたる
例	たぐい / ためし
零	おちる / ふる / あまり / ちいさい / こぼれる / ゼロ
霊	たましい / よい
隷	したがう / しもべ
齢	よわい / とし
麗	つらなる / ならぶ / はなれる
歴	へる
劣	いやしい
廉	しらべる / いさぎよい / やすい・かど
練	ねりぎぬ
賂	まいなう / まいない
路	みち / くるま
露	あらわれる / あらわ
労	はたらく / つかれる / ねぎらう / いたわる
弄	いじくる / いじる / いらう / たわむれる / あなどる
郎	おとこ
朗	あきらか / たからか
浪	なみ / みだりに
廊	わたどの
楼	たかどの / やぐら
論	あげつらう / とく
和	あえる / なぐ
賄	まいなう
脇	かたわら

常用漢字への書き換え

次の準1級用漢字は、同音の常用漢字への書き換えが認められています。なお、「磨」と「妄」は常用漢字、「臆・腎・潰」は平成22年内閣告示の常用漢字表に加えられています。

あ

愛慾→愛欲
闇→暗
按分→案分
闇夜→暗夜

い

衣裳→衣装
遺蹟→遺跡
一挺→一丁

え

叡智→英知
穎才→英才
焰→炎
掩護→援護
苑地→園地

お

臆説→憶説
臆測→憶測
恩誼→恩義

か

廻→回
外廓→外郭
皆既蝕→皆既食
廻送→回送
廻転→回転
恢復→回復
潰滅→壊滅
潰乱→壊乱
廻廊→回廊
火焰→火炎
劃→画
廓→郭
劃然→画然
廓大→郭大
劃期的→画期的
活潑→活発
管絃楽→管弦楽
肝腎→肝心
乾溜→乾留

き

稀→希
気焰→気炎
企劃→企画
稀元素→希元素
稀釈→希釈
稀少→希少
徽章→記章
奇蹟→奇跡
稀代→希代
機智→機知
吃水→喫水
稀薄→希薄
旧蹟→旧跡
兇→凶
兇悪→凶悪
饗応→供応
兇漢→凶漢
兇器→凶器
兇行→凶行
兇刃→凶刃
兇変→凶変
兇暴→凶暴
稀硫酸→希硫酸

く

区劃→区画

け

繋船→係船
繋争→係争
繋属→係属
繋留→係留
決潰→決壊
月蝕→月食
訣別→決別
絃→弦
絃歌→弦歌
元兇→元凶
研磨→研摩

こ

倖→幸
宏→広
礦→鉱
礦業→鉱業
交叉→交差
礦石→鉱石
宏壮→広壮
宏大→広大
昂騰→高騰
広汎→広範
昂奮→興奮
弘報→広報
昂揚→高揚
強慾→強欲
古稀→古希
古蹟→古跡
雇傭→雇用
昏迷→混迷

さ

坐→座
坐視→座視
坐礁→座礁
坐洲→座州
雑沓→雑踏
讃→賛
三絃→三弦
讃仰→賛仰
讃辞→賛辞
讃嘆→賛嘆
讃美→賛美
撒水→散水
撒布→散布

し

色慾→色欲
刺戟→刺激
史蹟→史跡
屍体→死体
七顚八倒→七転八倒
射倖心→射幸心
洲→州
輯→集
蒐荷→集荷
蒐集→収集
手蹟→手跡
駿才→俊才
障碍→障害
情誼→情義
称(賞)讃→称(賞)賛

蒸溜·→蒸留
書翰·→書簡
蝕·甚→食尽
食慾·→食欲
試煉·→試練
侵蝕·→侵食
浸蝕·→浸食
真蹟·→真跡
伸暢·→伸長
侵掠·→侵略
訊·問→尋問

せ

制禦·→制御
棲·(栖·)息→生息
性慾·→性欲
蹟·→跡
絶讃·→絶賛
尖鋭→先鋭
全潰·→全壊
煽·情→扇情
尖·端→先端
煽·動→扇動

そ

惣·→総
綜·合→総合
惣·菜→総菜
装釘·→装丁
疏·水→疎水
疏·通→疎通
疏·明→疎明

た

大慾·→大欲
奪掠·→奪略
歎·→嘆
歎·願→嘆願
炭礦·→炭鉱
端坐·→端座
短篇·→短編

ち

智·→知
智·慧·→知恵
智·能→知能
智·謀→知謀
註·→注
註·解→注解
註·釈→注釈
註·文→注文
長篇·→長編
沈澱·→沈殿

て

鄭·重→丁重
碇·泊→停泊
手帖·→手帳
顛·倒→転倒
顛·覆→転覆

と

倒潰·→倒壊
特輯·→特集
杜·絶→途絶

に

日蝕·→日食

は

曝·露→暴露
醱·酵·→発酵
薄倖·→薄幸
叛·→反
叛·旗→反旗
叛·逆→反逆
蕃·殖→繁殖
蕃·族→蛮族
叛·乱→反乱

ひ

筆蹟·→筆跡

ふ

腐蝕·→腐食
符牒·→符丁
物慾·→物欲

へ

篇·→編
編輯·→編集

ほ

輔·→補
崩潰·→崩壊
妨碍·→妨害
防禦·→防御
庖·丁→包丁
輔·佐→補佐
鋪·装→舗装
輔·導→補導

ま

磨·滅→摩滅

む

無智·→無知
無慾·→無欲

め

名誉慾·→名誉欲
棉·花→綿花

も

摸·→模
妄動→盲動
摸·索→模索

よ

熔·・鎔·→溶
鎔·解→溶解
熔·岩→溶岩
鎔·鉱炉→溶鉱炉
熔·接→溶接
慾·→欲

ら

落磐·→落盤

り

理窟·→理屈
理智·→理知
離叛·→離反
掠·→略
掠·奪→略奪
諒·→了
諒·解→了解
諒·承→了承
輪廓·→輪郭

れ

聯·→連
連繫·→連係
聯·合→連合
連坐·→連座
聯·想→連想
聯·珠→連珠
煉·炭→練炭
煉·乳→練乳
聯·邦→連邦
聯·盟→連盟
聯·絡→連絡
聯·立→連立

準1級に出る四字熟語

準1級の検定に出題される四字熟語は数が多く、用字も難しくなります。ここに簡単な解説を掲げましたが、棒暗記は避け、意味を知ることによって理解を深めましょう。

あ

哀鴻遍野（あいこうへんや）
あらゆる所に悲痛な叫び声をあげる難民が溢れているさま。哀鴻は悲しげに鳴きながら飛ぶ雁で、流民のたとえ。

阿鼻叫喚（あびきょうかん）
非常に惨たらしいさま。「阿鼻」は無間地獄。現世で父母を殺すなどの最悪の罪を犯した者が落ちて、そこで猛火に焼かれるとされる。

阿附迎合（あふげいごう）
相手の機嫌をとり、へつらい、おもねること。「阿附」は人の言うことをそのまま真似すること。

按甲休兵（あんこうきゅうへい）
戦いや争いをやめること。「甲」は鎧やかぶと。「按」は「案」とも書く。「甲を按じて兵を休む」と読む。

安車蒲輪（あんしゃほりん）
老人を敬い、いたわること。「安車」は老人などが安座（座って乗る）できるようにした車。「蒲輪」は蒲の穂で車輪を包んで乗り心地をよくしたもの。

暗箭傷人（あんせんしょうじん）
ひそかに人を陥れたり中傷したりする卑劣な行為。「暗箭」はひそかに放つ矢。

暗中摸索（あんちゅうもさく）
手がかりなしにいろいろやってみること。「摸索」は「模索」とも書く。

意気軒昂（いきけんこう）
意気込んで、威勢の良いさま。「軒昂」は高くあがること。

郁郁青青（いくいくせいせい）
草が青々と生い茂り、良い香りを放っているさま。

夷険一節（いけんいっせつ）
順境にあるときも逆境にあるときも節操を変えないこと。「夷険」は平らな土地と険しい所の意。

衣繍夜行（いしゅうやこう）
立身出世しても故郷に錦を飾らなければ、華やかな衣裳を着て夜歩くようなもので、だれも気づかないこと。「衣錦夜行」ともいう。

一望千頃（いちぼうせんけい）
一目でかなたまで見渡せる広々とした景色。「頃」は面積の単位で、約百八十二アール。

一目瞭然（いちもくりょうぜん）
一目で明らかにわかるさま。

一蓮托生（いちれんたくしょう）
善行をした者が極楽浄土の同じ蓮の花の上に生まれ変わること。転じて、事の善悪にかかわらず、仲間として行動や運命を共にすること。

一竿風月（いっかん（の）ふうげつ）
俗世を離れた悠々自適の境地をいう。「竿」は釣竿。

一虚一盈（いっきょいちえい）
「虚」は空しい、「盈」は満ちる意。あるときは空しく、あるときは満ちて、常に変化し、予測しにくいことのたとえ。

一顧傾城（いっこけいせい）
絶世の美女。美女がちらりと見るだけで君主が夢中になり、国を滅ぼしてしまうこと。ここから転じて、江戸時代には遊女のことを「傾城」といった。

一壺千金（いっこせんきん）
事物の価値は時と場合によることのたとえ。川で難破したときに、ひさごが浮き袋代わりになって命を救うこともあるという意から。

一世木鐸（いっせい（の）ぼくたく）
世間の人を目覚めさせ、教え導く人。「木鐸」は木の振り子がついた金属製の鈴。古代中国で文教関係の命令を出すときに鳴らした。

一張一弛（いっちょういっし）
弓の弦を強く張ったりゆるめたりすることから転じて、人に厳しく接したり、やさしく接したりすること。政治家や教育者の心得。

一筆勾消（いっぴつこうしょう）
記述を一筆で消し去ってしまうこと。すべてをご破算にすること。「勾消」は「抹消」に同じ。

一碧万頃（いっぺきばんけい）
海などの水面が青々と広がっていること。

有智高才（うちこうさい）
聡明ですぐれた才能があること。もと仏教語。「才」は「ざい」とも読む。

内股膏薬（うちまたこうやく）
あちらについたり、こちらについたりする人をあざけっていう語。

雲中白鶴（うんちゅう（の）はっかく）
世俗を脱した高潔な人のたとえ。空の高い所にいる鶴を、高尚な人物にたとえていう。

運否天賦（うんぷてんぷ）
人の運不運は天命であるこ

と。「運否」は運不運。「天賦」は天が与えたもの。

雲竜井蛙（うんりょうせいあ）
地位や賢愚などの差が非常に大きいことのたとえ。「竜」は「りゅう」とも読む。

永劫回帰（えいごうかいき）
宇宙は永遠に循環運動を繰り返すものだから、人間は今現在を大切に生きるべきだというニーチェ哲学の根本思想。

栄耀栄華（えいようえいが）
富や権勢を持ち、華やかに栄えること。

益者三楽（えきしゃさんごう）
三種類の有益な楽しみ。礼儀と雅楽を折り目正しく行う楽しみ、人の美点を口にする楽しみ、優れた友人が多いことの楽しみ。「楽」は「ごう」と読みならわされているが、「さんらく」と読むこともある。

燕雁代飛（えんがんだいひ）
人と人がすれ違いによって、遠く隔てられていること。燕が来る頃には雁が去り、雁が来る頃には燕が去っていることから。

掩耳盗鐘（えんじとうしょう）
自分の耳をふさいで鐘を盗む意から、自分で自分を欺くたとえ。良心に恥じるようなことをしておきながら、それに気づかないようにしていること。

宛転蛾眉（えんてんがび）
美人の美しい顔かたちの形容。「宛転」は眉の緩やかなカーブ。「蛾眉」は蛾の触角のように湾曲している美しい眉。

円頓止観（えんどんしかん）
すべての存在が欠けることなく備わり、円満で速やかに悟りに至る境地のこと。

鳶飛魚躍（えんぴぎょやく）
万物がその本性に従って自由に楽しんでいることのたとえ。また、君主の恩徳が遍くゆきわたり、人々がその能力によってそれぞれ所を得ているたとえ。

円木警枕（えんぼくけいちん）
苦労をいとわず勉学に励むたとえ。丸木を枕とし、熟睡するのを防いだ。

横眉怒目（おうびどもく）
眉を吊り上げて怒っている顔つき。

岡目八目（おかめはちもく）
当事者よりも第三者のほうが状況を正しく判断できること。囲碁からきた語。

屋梁落月（おくりょうらくげつ）
心底から友人を思うこと。唐代の詩人杜甫が友人の李白を思いやった故事から。

温柔敦厚（おんじゅうとんこう）
やさしく穏やかなこと。「敦厚」は手厚いこと。

怨親平等（おんしんびょうどう）
敵も味方も同じように扱うこと。もと仏教語。

温文爾雅（おんぶんじが）
態度や言動が穏やかで、礼儀にかなっていること。

か

改弦易轍（かいげんえきてつ）
法や制度を改めること。「改弦」は弦楽器の弦を張り替えて調子を改めること。「易轍」は道を変えること。「轍」はわだち、車の進路。

外巧内嫉（がいこうないしつ）
外面的には巧みに取り繕い、内心では嫉むこと。

回光反照（かいこうへんしょう）
人が最期を迎えるとき、一時的に持ち直すこと。「回光」は反射光、「反照」は夕映え。「返照」ともいい、また「はんしょう」とも読む。

鎧袖一触（がいしゅういっしょく）
敵をたやすく打ち負かしてしまうたとえ。出典は「日本外史」。

咳唾成珠（がいだせいしゅ）
権勢が盛んな人の一語一語が尊ばれること。また詩文の才能の豊かなこと。口をついて出るちょっとした言葉でも美しいという意味。「咳唾、珠を成す」と読む。

街談巷説（がいだんこうせつ）
世間のつまらないうわさ。「街談巷語」ともいう。

開門揖盗（かいもんゆうとう）
自ら災いを招くたとえ。門を開いて会釈して盗人を招き入れる意から。

革故鼎新（かくこていしん）
古い物事を改めて新しいものを取ること。

鶴寿千歳（かくじゅせんざい）
長命・長寿のこと。

廓然大公（かくぜんたいこう）
心に何のわだかまりもなく、からっと広く、少しも偏りのないこと。「廓然」は心がからりと広いこと。「大」は「太」とも書く。

廓然無聖（かくねんむしょう）
禅の悟りの境地のこと。何ものにもとらわれず広々として、聖者も凡人も平等であること。

画虎類狗（がこるいく）
無能な者がすぐれた人の真似をしようとしても、却って自分の拙さを露呈してしまうことのたとえ。虎を描こうとして犬のような絵を描いてしまうことから。

加持祈禱 かじきとう
病気や災難を除こうと神仏に祈ること。

禾黍油油 かしょゆうゆう
稲や黍などがつやつやと勢いよく生長していること。

臥薪嘗胆 がしんしょうたん
将来の成功のため、長い間苦しみに耐えること。特に復讐のために苦労を耐え忍ぶこと。呉王夫差、越王勾践の故事から。

嘉辰令月 かしんれいげつ
めでたい月日。「嘉」も「令」もよいという意味。「辰」は日。

苛政猛虎 かせいもうこ
過酷な政治を戒める語。重税の苦しみは猛獣に襲われる災難よりも甚だしいということ。「苛政は虎よりも猛し」と読み下す。

瓜田李下 かでんりか
他人から疑われるような行為をせず、言動を慎めという意味。元の文は「瓜田に履を納れず、李下に冠を正さず」。

河図洛書 かとらくしょ
昔、黄河と洛水から神秘的な図書が浮かび出て、聖人の出現と太平の世の到来を告げたという伝説から、めでたいことの起こる兆し。転じて、得がたい図書のこと。

瓦釜雷鳴 がふらいめい
小人物が得意げに威張り、わめきちらすたとえ。

迦陵頻伽 かりょうびんが
美しい声のこと。極楽浄土に住み、美しい声で鳴く鳥のことをいう。

含飴弄孫 がんいろうそん
気楽な老後の生活のこと。飴を口に含み、孫と遊ぶ意。

閑雲野鶴 かんうんやかく
何ものにも拘束されない自由な生活のたとえ。大空にゆったりと浮かぶ雲と、野に遊ぶ鶴の意から。

玩物喪志 がんぶつそうし
物に心を奪われて、大切な志を失うこと。

規矩準縄 きくじゅんじょう
物事や行為の標準・法則・手本。「規」はコンパス、「矩」は曲尺、「準」は水準器、「縄」は墨縄（直線を引く道具）。

棄甲曳兵 きこうえいへい
戦いに敗れて逃げること。「兵」は武器で、「曳」はそれを引きずること。

規行矩歩 きこうくほ
性向がきちんとして正しいこと。決まりごとを固守して融通がきかないこと。

貴耳賤目 きじせんもく
伝聞やうわさを信じて、実際に目で見たことを軽んずること。

気息奄奄 きそくえんえん
息も絶え絶えで今にも死にそうなさま。

吉日良辰 きちじつりょうしん
縁起の良い日。めでたい日。「吉日」は「きちにち・きつじつ・きつにち」とも読む。

亀毛兎角 きもうとかく
この世に有り得ないものごとのたとえ。

客塵煩悩 きゃくじんぼんのう
外部から偶発的にもたらされるさまざまな心の迷いのこと。仏教語。

鳩首凝議 きゅうしゅぎょうぎ
人々が額を寄せ合って熱心に相談すること。「鳩」は集める意。

窮鼠噛猫 きゅうそごうびょう
行き詰った弱者が思いがけない力を発揮して強者に刃向かうたとえ。「窮鼠猫を噛む」という成句で用いられる。

九鼎大呂 きゅうていたいりょ
貴重な物や重要な地位のたとえ。「九鼎」は夏王朝の開祖禹が九つの州から献上させた銅で作った鼎で天子の地位の象徴。「大呂」は周王朝の大廟に供えた鐘。

旧套墨守 きゅうとうぼくしゅ
古いしきたりや方法を固く守ること。

挙案斉眉 きょあんせいび
妻が夫に対して敬意をもってする礼儀。また夫婦が互いに礼儀を尽くすこと。「案」は膳。膳を眉の高さと等しく挙げて、ささげ持つ意から。

堯階三尺 ぎょうかいさんじゃく
君主の質素な生活を称えていう語。中国古代の聖天子堯の宮殿は土で固めた階段で高さが三尺しかなかったという伝説から。「土階三尺」ともいう。

僑軍孤進 きょうぐんこしん
助けもなく孤立して進軍すること。「僑軍」は遠征してきた軍。

行住坐臥 ぎょうじゅうざが
日常の立ち居振る舞い。転じて、日常のこと。

彊食自愛 きょうしょくじあい
強いて食事をし、体を大切にすること。「彊」は「強」に同じ。

堯風舜雨 ぎょうふうしゅんう
聖天子堯や舜の恵みが風や雨のように天下に行き渡っていることから、天下泰平のたとえ。

曲学阿世 きょくがくあせい
真理を曲げて、世間が気に入るような説を立てること。

旭日昇天 きょくじつしょうてん
朝日が勢いよく天に昇る意から、勢力がきわめて盛んなたとえ。

虚心坦懐 きょしんたんかい
心に何のわだかまりもなく、平静に事にのぞむさま。「坦懐」はわだかまりがなく、さっぱりした心持ち。

魚網鴻離 ぎょもうこうり
求めていたものではなく、意外なものが手に入るたとえ。魚の網に鴻（おおとり、または大きな雁）がかかることから。「離」は網にかかること。

魚目燕石 ぎょもくえんせき
本物と紛らわしい無価値なもの。魚の目玉と燕山（河北省にある山）の石は、一見珠玉に似ているが偽物であることから。

禽困覆車 きんこんふくしゃ
弱いものでも、追いつめられると意外に大きな力を出すことのたとえ。「禽困」は捕らえられて苦しんでいる鳥。

錦心繡口 きんしんしゅうこう
詩文の才能に優れていることを称えていう。美しい心情と優美な言葉。

君子豹変 くんしひょうへん
「優れた人間は、過ちは直ちに改め、速やかに正しい方向に向かう」というのが本来の意味。現在では「要領よく今までの主張や態度を変えてしまう」という、どちらかと言えば悪い意味で使われている。

卿相雲客 けいしょううんかく
高位高官のこと。「月卿雲客」ともいう。

桂殿蘭宮 けいでんらんきゅう
美しい宮殿のこと。「桂」は香木、「蘭」は香草。

繫風捕影 けいふうほえい
話や物事が取り留めなく、当てにならないたとえ。風を繫ぎとめ、影を捕らえる意から。

鶏鳴狗盗 けいめいくとう
つまらない技能を持った人のたとえ。「鶏鳴」は鶏の鳴きまねがうまい人、「狗盗」はこそこそと物を盗むのがうまい人。どんなつまらない才能の持ち主でも、役に立つことがある、という意味でも用いられる。

牽強附会 けんきょうふかい
自分の都合のよいように無理にこじつけること。「附会」は「付会」とも書く。

懸頭刺股 けんとうしこ
苦学のたとえ。「懸頭」は梁にかけた縄に首をかけること、「刺股」は錐で股を刺すこと。いずれも眠り込まないようにする工夫。

捲土重来 けんどちょうらい
一度失敗した者が勢いを盛り返し、再挙を図ること。「捲」は砂ぼこりを巻き上げる意で、「巻」とも書く。また「けんどじゅうらい」とも読む。

堅牢堅固 けんろうけんご
守りが非常に堅いさま。また、堅くて丈夫なさま。

膏火自煎 こうかじせん
財産や才能があるがために、却って身を滅ぼすことになるというたとえ。あぶらは燃えて明るくなるが、自らを焼いて燃え尽きてしまうことから。

剛毅果断 ごうきかだん
意志がしっかりとして、決断力に富んでいるさま。

荒唐無稽 こうとうむけい
話や考えがでたらめで取り留めがないさま。「荒唐」はよりどころがなく、取り留めがないさま。「無稽」は根拠がないさま。

香美脆味 こうびぜいみ
豪華でぜいたくな食事のこと。

甲論乙駁 こうろんおつばく
互いにあれこれ主張して議論がまとまらないこと。

鵠面鳥形 こくめんちょうけい
やせ果て、やつれていることの形容。「鵠面鳩形」ともいう。

五穀豊穣 ごこくほうじょう
穀物が豊かに実ること。「五穀」は米・麦・粟・豆・黍または稗。

古色蒼然 こしょくそうぜん
たいへん古めかしいさま。また、古びて趣のあること。「蒼然」は古びた色のさま。

欣求浄土 ごんぐじょうど
極楽浄土に往生することを心から願うこと。「欣求」は積極的に願い求めること。

さ

塞翁失馬 さいおうしつば
人生の吉凶禍福は予測できないことのたとえ。また、それに一喜一憂すべきではないという意味。どちらかというと、禍いに遭ってもいずれ福が訪れるときもある、という意味で用いられる。「人間万事塞翁が馬」という言い方をする。

採薪汲水 さいしんきゅうすい
自然の中で質素に暮らすことをいう。「採」は「采」とも書く。

坐作進退（ざさしんたい）
日常的な動作、立ち居振る舞いのこと。

斬新奇抜（ざんしんきばつ）
着想が独創的で、それまでに類を見ないほど新しいさま。

自家薬籠（じかやくろう）
身につけた技術や知識など、いつでも自分の役に立てられるもの。「自家薬籠中のもの」という言い方で用いる。

屍山血河（しざんけつが）
激しい戦闘のたとえ。また、その後の惨状。「血河」は「けっか」とも読む。

獅子奮迅（ししふんじん）
獅子が奮い立って猛進するように、激しく活動することをいう。

梓匠輪輿（ししょうりんよ）
職人や大工のこと。「梓」は指物職人、「匠」は大工など、「輪」は車輪を作る職人、「輿」は車台を作る職人。

七堂伽藍（しちどうがらん）
寺院の主要な七つの建物。塔・金堂・講堂・鐘楼・経蔵・僧房・食堂だが、宗派によって異なる。

疾風怒濤（しっぷうどとう）
激しい風と荒れ狂う波。時代が激しく変化するさま。ドイツ語「シュトルム・ウント・ドラング」の訳語。

紫電一閃（しでんいっせん）
事態の急激な変化の形容。「紫電」は剣を一振りするとき、一瞬閃く鋭い光のことをいう。

四面楚歌（しめんそか）
周り中が敵ばかりで、一人の味方もいないこと。楚の項羽が滅びるときの故事から。

社燕秋鴻（しゃえんしゅうこう）
会ったかと思うと、たちまち別れることのたとえ。

周章狼狽（しゅうしょうろうばい）
大いにあわてふためくこと。「周章」と「狼狽」はともにあわてる意。

衆酔独醒（しゅうすいどくせい）
世の中はみな汚れており、自分一人だけ清く生きていること。

終南捷径（しゅうなんしょうけい）
目的達成の早道。また、正道によらず仕官すること。終南山という世人が敬慕の念を抱いている山に隠棲すると、自然と評判になり仕官できることから。

秋風索莫（しゅうふうさくばく）
秋風が吹き、物寂しいさま。盛んなものが衰えたことのたとえとしても用いる。「索莫」は「索漠」「索寞」とも書く。「秋風落莫」ともいう。

熟読玩味（じゅくどくがんみ）
文章をよく読み、じっくりと味わうこと。

守株待兎（しゅしゅたいと）
古い習慣にとらわれて進歩のないこと。偶然の幸運をあてにして待つこと。兎が切り株に当たって死ぬのを、ただ待っている故事から。北原白秋の童謡「待ちぼうけ」の原話である。

首鼠両端（しゅそりょうたん）
迷ってどちらとも決めかねるさま。鼠が穴から首だけ出して、辺りをうかがっているさまから。

春蛙秋蟬（しゅんあしゅうぜん）
うるさいだけで役に立たない無用の言論。

純真無垢（じゅんしんむく）
心に汚れや偽りがなく、純粋で清らかなさま。

城狐社鼠（じょうこしゃそ）
君主や権力者の陰に隠れて悪事を働く者。身を安全なところに置いて悪事を働く者のたとえ。

情緒纏綿（じょうしょてんめん）
情緒が深くて離れがたいさま。「情緒」は「じょうちょ」とも読む。

常套手段（じょうとうしゅだん）
同じような場合にいつも決まって取られる手段。ありふれた方法。

黍離之歎（しょりのたん）
世の移り変わりを嘆く語。また、亡国の嘆き。「歎」は「嘆」とも書く。

芝蘭玉樹（しらんぎょくじゅ）
すぐれた人材のたとえ。「芝」は霊芝で蘭とともに香草。「玉樹」は玉のように美しい木。

辛苦遭逢（しんくそうほう）
困難や辛く苦しい目にあうこと。

神佑天助（しんゆうてんじょ）
天や神の助け。ご加護。「天佑神助」ともいう。

水到渠成（すいとうきょせい）
学問を十分に行えば自然に道徳も身につくということ。また、物事は時が来れば自然に成就するということ。水が流れると自然に溝ができることから。

杜撰脱漏（ずさんだつろう）
著作などに誤りが多いこと。また、物事のやり方がいい加減でぞんざいなこと。

寸指測淵（すんしそくえん）
実現不可能なこと。また、実現不可能なことをしようとする愚かさのたとえ。

精衛塡海（せいえいてんかい）
不可能なことを企てて、結局無駄に終わること。また、いつまでも悔やみ続けること。海で溺れ死んだ皇帝の娘が精衛という名の小鳥に変身して、小石や小枝をくわえてきては海をうずめようとした故事から。

西施捧心（せいしほうしん）
病気に悩む美女の様子。また、事のよしあしを考えず、形だけ真似すること。

西戎東夷（せいじゅうとうい）
西方と東方の異民族。

清濁併呑（せいだくへいどん）
包容力の大きいことのたとえ。「清濁」は善と悪、また正と邪。

生呑活剝（せいどんかっぱく）
他人の詩文などをそっくり盗用すること。また人の言説・考えなどを受け売りし、独自性のないこと。

碩師名人（せきしめいじん）
大学者や偉大な徳のある人。

舌端月旦（ぜったんげったん）
口先で人物を批評すること。「月旦」は月のついたち。後漢代のある人が、毎月ついたちに従兄とともに郷里の人物について批評したという故事から。

旋乾転坤（せんけんてんこん）
天下国家の情勢を一変させること。「乾」は天、「坤」は地。「乾坤」で天地・世界を指す。

前途遼遠（ぜんとりょうえん）
目的達成までの道のりがまだ遠くて困難なさま。

全豹一斑（ぜんぴょういっぱん）
物事の一部を見ただけで、全体を推測したり批評したりすること。見識が狭いことのたとえ。

叢軽折軸（そうけいせつじく）
小さなものでも、集まれば大きな力を発揮すること。軽いものでも集まれば車軸を折ってしまうという意。

象箸玉杯（ぞうちょぎょくはい）
ぜいたくな心が生じ始めること。また、ぜいたくな暮らしの形容。「象箸」は象牙の箸。

草茅危言（そうぼうきげん）
国政に対する民間の批判の声。「草茅」は草むら、転じて民間・在野。「危言」は厳しい言葉。

粟散辺地（ぞくさんへんち）
粟粒のように散在する辺境の小国。

啐啄同時（そったくどうじ）
絶好の機会。逃すことのできない好機。「啐」は卵からかえろうとする雛が殻の中で鳴く声。「啄」は親鳥が殻をつつくこと。本来は禅で悟りに教導することをいう。

た

堆金積玉（たいきんせきぎょく）
莫大な財産を積み上げること。

泰山鴻毛（たいざんこうもう）
非常に重いものと非常に軽いもの。隔たりが大きいことのたとえ。

体貌閑雅（たいぼうかんが）
姿かたちが落ち着いて上品なさま。

戴盆望天（たいぼんぼうてん）
頭に盆を載せたまま天を仰ぐことはできないことから、ふたつのことを同時に実現させるのは無理だという意味。

太牢滋味（たいろうのじみ）
豪華なご馳走。「太牢」は祭りの供え物で、牛・羊・豚が備わっているもの。「大牢」とも書く。

多士済済（たしせいせい）
優れた人が大勢いるようす。「済済」は「さいさい」とも読む。

簞食瓢飲（たんしひょういん）
清貧に甘んじるさま。孔子の弟子、顔回は貧窮に耐えながら学問に励んだ。それを孔子が称賛して言った言葉。

知己朋友（ちきほうゆう）
自分の人柄・才能をよく知ってくれている友人。

竹頭木屑（ちくとうぼくせつ）
役に立たないもののたとえ。また、つまらないものでも何かに役立てるため、粗末にしないこと。「竹頭」は竹の切れ端。

中原逐鹿（ちゅうげんちくろく）
帝位・政権の争奪戦。「中原に鹿を逐う」と読む。中原は黄河流域の平原地帯中央部で、天下を意味する語。群雄の争いを、鹿を追う猟にたとえた。

朝盈夕虚（ちょうえいせききょ）
朝に栄えて夕べに滅びる意で、人生がはかないことをいう。

張三李四（ちょうさんりし）
ごくありふれた平凡な人々。張家の三男と李家の四男。「張」や「李」は中国のありふれた姓。

長袖善舞（ちょうしゅうぜんぶ）
素質や条件に恵まれた者は順調に成功するというたとえ。長い袖の衣裳のほうが舞ったときに美しく見えるということから。

長身痩軀（ちょうしんそうく）
背が高く、痩せていること。

打打発止（ちょうちょうはっし）
激しく議論し合うさま。また、刀などで打ち合うさま。「打打」は「丁丁」、「発止」は「発矢」とも書く。

長汀曲浦（ちょうていきょくほ）
長く続くみぎわと曲がりくねった入り江。

長鞭馬腹（ちょうべんばふく）
いくら強大な力があっても、及ばないことがあるというたとえ。長い鞭でも馬の腹まで届かない場合があることから。

鳥面鵠形（ちょうめんこくけい）
飢えのためにやせて、両ほおがこけているさま。「鵠面鳥形」に同じ。

朝蠅暮蚊（ちょうようぼぶん）
取るに足らぬ小人物がはびこること。

凋零磨滅（ちょうれいまめつ）
文物などが滅びてなくなること。

猪突猛進（ちょとつもうしん）
目標に対して向こう見ずに突進すること。

沈魚落雁（ちんぎょらくがん）
美人の形容。その美しさに圧倒されて魚は水中深く隠れ、雁は見とれて空から落ちてしまうほどだということ。

椿萱並茂（ちんけんへいも）
父母がともに健在であること。「椿」は長寿の木で父を意味する。「萱」はわすれ草。主婦の居室の前に植えたことから母を意味する。

珍味佳肴（ちんみかこう）
めったに食べられない、おいしいご馳走。

通暁暢達（つうぎょうちょうたつ）
ある事柄に通じていて、文章や言葉がのびのびしていること。

程孔傾蓋（ていこうけいがい）
孔子が賢人として名高い程子と道で会い、車の覆いを傾けて親しく語り合ったという故事。

泥車瓦狗（でいしゃがこう）
役に立たないもののたとえ。泥で作った車と、瓦で作った犬。

剃髪落飾（ていはつらくしょく）
髪をおろして仏門に入ること。

甜言蜜語（てんげんみつご）
蜜のように甘い言葉。聞いて快いへつらいの言葉。

天神地祇（てんしんちぎ）
天つ神と国つ神。「地祇」は地の神、国土の神。「天神」は「てんじん」とも読む。

天人冥合（てんじんめいごう）
人の言行が正しければ、おのずと天意に合致すること。

天造草昧（てんぞうそうまい）
天が万物を造り出すときの、無秩序で何も整っていない状態をいう。「草」ははじめ、「昧」は暗い意。

点滴穿石（てんてきせんせき）
わずかな力でも根気よく続けていけば、いつかは成し遂げることができるという意味。「雨垂れ、石を穿つ」という表現でも用いられる。

天覆地載（てんぷうちさい）
天地のように広大な徳。何物をも受け容れるおおらかな心。

天網恢恢（てんもうかいかい）
天の網の目は、粗いようでも決して悪を見逃すことはない、悪行には必ず天罰が下るということ。「天網恢恢にして漏らさず」という成句がある。

天佑神助（てんゆうしんじょ）
「神佑天助」に同じ。

動静云為（どうせいうんい）
人の発言や行動のこと。

堂塔伽藍（どうとうがらん）
寺院の建物の総称。「七堂伽藍」に同じ。

稲麻竹葦（とうまちくい）
多くの人が入り乱れるように群がっているさま。

桃李満門（とうりまんもん）
優秀な人材が一門に多く集まるたとえ。

徒手空拳（としゅくうけん）
手に何も持たず、身一つで他に頼むものがないこと。「赤手空拳」ともいう。

斗酒百篇（としゅひゃっぺん）
大いに酒を飲みつつ、多くの詩を作ること。唐の詩人李白の故事。

図南鵬翼（となんのほうよく）
大事業を計画するたとえ。南方に飛び立とうとする鵬（おおとり）の翼という意味から。

土崩瓦解（どほうがかい）
物事が根本から崩れてしまい、手がつけられない状態のこと。

な

南都北嶺（なんとほくれい）
奈良と比叡山のこと。また、奈良の興福寺と比叡山延暦寺のこと。

熱願冷諦（ねつがんれいてい）
熱烈に願うことと、冷静によく見て明らかにすること。

燃犀之明（ねんさいのめい）
物事を明確に見抜く才知。犀の角を燃やした光は、水中奥深くまで透視できるという故事から。

嚢中之錐（のうちゅうのきり）
優れた才能があれば必ず外に現れるということ。袋の中の錐が、その鋭い先端で袋を突き破って外に出るように、優れた人は凡人の中から自然に頭角を現すこと。

能鷹隠爪（のうよういんそう）
本当に実力のある人は、それをやたらに誇示したりはしないということ。「能ある鷹は爪を隠す」という成句がある。

は

稗官野史（はいかんやし）
民間の逸話を記録した文章のこと。また、小説を卑しめていう語。

杯酒解怨（はいしゅかいえん）
酒を仲立ちとして、互いに心のわだかまりを解いていくこと。

白虹貫日（はくこうかんじつ）
白い虹が太陽を貫くようにかかる現象。真心が天に通じた表れとも、兵乱が起こる前兆ともいう。「白虹、日を貫く」と読む。

麦秀黍離（ばくしゅうしょり）
亡国の嘆き。殷の王族箕子が、殷王朝が滅亡した後、荒れ果てた都を見て嘆き悲しんだ故事から。

薄暮冥冥（はくぼめいめい）
夕暮れ時の薄暗い様子。

白駒空谷（はっくくうこく）
賢者が登用されず、民間にいるたとえ。

抜山蓋世（ばつざんがいせい）
山を引き抜くほど強大な力と、世を覆い尽くすほどの盛んな意気込み。楚の項羽が最期を迎えるときに歌った詩に基づく。

抜本塞源（ばっぽんそくげん）
物事の根本にさかのぼって対処すること。災いの原因を取り除くこと。木の根を抜いて水源をふさぐ意。

破釜沈船（はふちんせん）
決死の覚悟で出陣すること。出陣前に炊事用の釜をこわし、船を沈めて退路を断ち、生きて帰らぬ決意を示すこと。

披星戴月（ひせいたいげつ）
朝早くから夜遅くまで働く、あるいは道を急いで行くこと。

筆耕硯田（ひっこうけんでん）
文筆で暮らしを立てること。筆で硯の田を耕す意。

飛兎竜文（ひとりょうぶん）
才能のある優れた子どものこと。「飛兎」も「竜文」も共に駿馬の名。「竜」は「りゅう」とも読む。

眉目秀麗（びもくしゅうれい）
容貌が優れ、美しいさま。男性について用いる。

百尺竿頭（ひゃくせきかんとう）
到達することのできる最高点のこと。「百尺竿頭一歩を進む」で、最高点に達してさらに努力を重ねて先に進む意味。「百尺」は「ひゃくしゃく」とも読む。

氷壺秋月（ひょうこしゅうげつ）
清らかで澄み切った心。清廉潔白な心。

飛鷹走狗（ひようそうく）
鷹を飛ばし、犬を走らせて狩りをすること。

風餐露宿（ふうさんろしゅく）
旅、また野宿の苦労。「風餐」は風に吹きさらされて食事すること。

風流三昧（ふうりゅうざんまい）
自然に親しみ、優雅な遊びにふけること。

不倶戴天（ふぐたいてん）
どうしても許せないほど深く恨むこと。「倶に天を戴かず」と読み、同じ天の下に生かしてはおけない、の意。君主や父の仇についていう。

伏竜鳳雛（ふくりょうほうすう）
優れた才能を持ちながら機会を得ず、力を発揮できないまま世に隠れている者のたとえ。「伏竜」は「ふくりゅう」とも読む。「鳳雛」は鳳凰の雛のこと。

不失正鵠（ふしつせいこく）
物事の要点を的確にとらえること。

不惜身命（ふしゃくしんみょう）
仏道のため身も命もささげて惜しまないこと。

舞文弄法（ぶぶんろうほう）
法を都合のよいように解釈して濫用すること。

文質彬彬（ぶんしつひんぴん）
外見の立派さと内面の実質がほどよく調和していること。「文」は飾り、あや。「質」は人格的素質。「論語」にある言葉。

焚書坑儒（ふんしょこうじゅ）
学者が迫害を受け、思想・学問が弾圧されること。「坑儒」は儒者を穴埋めにすること。秦の始皇帝の暴政を象徴するものとされる。

蚊虻走牛（ぶんぼうそうぎゅう）
微小なものが強大なものを制すること。また、小さなことが原因で大きな災難が起こることをいう。「蚊虻」はかとあぶ。微小なもののたとえ。

並駕斉駆（へいがせいく）
能力・地位などに差がないこと。「駕」は馬車、乗り物。「斉駆」は並んで馬を走らせること。

碧眼紅毛（へきがんこうもう）
西洋人のこと。「紅毛碧眼」ともいう。

鞭声粛粛（べんせいしゅくしゅく）
相手に気づかれないように、静かに馬に鞭打たせること。

偏僻蔽固（へんぺきへいこ）
心がねじけていて道理に暗く、かたくななさま。

蜂準長目（ほうせつちょうもく）
賢く抜け目のない人相。また、人情味のない陰険な人相。「準」は鼻筋。

鵬程万里（ほうていばんり）
前途の遠大なことのたとえ。また、前途洋洋たることや大自然の広大さについてもいう。

放蕩無頼（ほうとうぶらい）
酒色にふけり、勝手気ままにふるまって素行のよくないさま。

捧腹絶倒（ほうふくぜっとう）
腹をかかえて笑い転げること。「捧」は「抱」とも書く。

泡沫夢幻（ほうまつむげん）
人生のはかなさをいう語。

亡羊補牢（ぼうようほろう）
羊が逃げた後で、その囲いを修繕することから、失敗した後であわてて改善することのたとえ。あとのまつり。

暮色蒼然（ぼしょくそうぜん）
夕暮れ時に、辺りが薄暗くなっていく様子。

煩悩菩提（ぼんのうぼだい）
悟りの障害となる煩悩も、そのまま悟りに達するきっかけとなること。

ま

磨穿鉄硯（ませんてっけん）
強い意志を、物事を達成するまで変えないこと。また、鉄の硯がすりへって穴があくほど学問に励むこと。

満腔春意（まんこうしゅんい）
和やかな気分が胸いっぱいに満ちていること。

名詮自性（みょうせんじしょう）
物の名は、その物の本性を表すということ。

未来永劫（みらいえいごう）
これから未来にわたる果てしなく長い年月。永遠。

夢幻泡影（むげんほうよう）
この世の物事は実体がなく、はかないこと。「泡沫夢幻」に同じ。

矛盾撞着（むじゅんどうちゃく）
前後のつじつまが合わないこと。論理が一貫しないこと。

無知蒙昧（むちもうまい）
知識や学問がなく、愚かなさま。「蒙」と「昧」は道理を知らないこと。

冥頑不霊（めいがんふれい）
かたくなで道理に暗く、聡明でないさま。「霊」は聡いこと。

名声赫赫（めいせいかくかく）
世間で盛んによい評判が立つこと。「赫赫」は勢いが盛んなさまで、「かっかく」とも読む。

鳴蟬潔飢（めいせんけっき）
高尚な人物はいかなる場合でも節操を変えないということ。蟬は高潔なので、飢えても汚れたものは食べない、ということから。

名誉挽回（めいよばんかい）
失敗して一度失った名誉や信用を取り戻すこと。

盲亀浮木（もうきふぼく）
めったにないことのたとえ。百年に一度だけ水面に浮かび上がってくる盲目の亀が、漂っている木の穴に入ろうとしても容易にできないということから、仏の教えに出会うことの難しさをいった語。

孟仲叔季（もうちゅうしゅくき）
兄弟の順序をいう語。

孟母三遷（もうぼさんせん）
子どもの教育には環境が大切であるという教え。孟子の母が、孟子の教育のために環境を選び、三度、居を移した故事から。

門前雀羅（もんぜんじゃくら）
訪問客が減って寂しい家の様子。人が来ないので、家の前に雀を捕らえる網を張ることができるほどだという意味。

や

冶金踊躍（やきんようやく）
現状に甘んじることができないことのたとえ。溶かした金属がるつぼから跳ね上がって外に出ようとすることから。

勇気凜凜（ゆうきりんりん）
勇敢に物事に立ち向かって行くりりしいさま。

邑犬群吠（ゆうけんぐんばい）
つまらない人物が、人のうわさなどを盛んに言い合うさま。また、賢人を非難するさま。

雄心勃勃（ゆうしんぼつぼつ）
雄雄しい気持ちが盛んにわ

いてくるさま。

用管窺天　ようかんきてん
狭い管から天を窺い見るように、見識が狭いさま。

妖言惑衆　ようげんわくしゅう
あやしげな言説で人々を惑わせること。

羊質虎皮　ようしつこひ
外見は立派だが、内容が伴わないこと。虎の皮をかぶった羊の意。見掛け倒し。

鷹視狼歩　ようしろうほ
鷹のように鋭い目つきと、狼が獲物を求めるような歩き方。猛々しく残忍な人物の形容。

羊頭狗肉　ようとうくにく
外面と内容が一致しないことのたとえ。「羊頭を懸けて狗肉を売る」を略したもの。

容貌魁偉　ようぼうかいい
姿かたちが堂々と大きく、立派なさま。

沃野千里　よくやせんり
よく肥えた土地がどこまでも広々と続いていること。

輿馬風馳　よばふうち
車や馬が風のように疾走すること。

ら

雷轟電撃　らいごうでんげき
きわめて勢いが激しい形容。

洛陽紙価　らくようのしか
本の評判がよくて、盛んに売れること。評判の作品は皆が争って筆写するので、紙の値段が高騰したという故事。紙は貴重品であった。

嵐影湖光　らんえいここう
青々した山の姿と明るい湖面の輝き。「嵐」は山に立ち込める新鮮な気。

蘭桂騰芳　らんけいとうほう
子孫が栄えることのたとえ。「蘭」も「桂」も芳香を放つ。

藍田生玉　らんでんしょうぎょく
名門の家から賢い子弟が出るたとえ。「藍田」は宝玉を産出する長安近郊の山。

李下瓜田　りかかでん
「瓜田李下」に同じ。

六合同風　りくごうどうふう
戦乱が終わり、平和な世の中になること。「六合」は天地と四方を指す。

六菖十菊　りくしょうじゅうぎく
適切な時期が過ぎてしまい、役に立たなくなったもの。「六菖」は五月五日の端午の節句の翌日の菖蒲、「十菊」は九月九日の重陽の節句の翌日の菊。「六」は「ろく」とも読む。

良禽択木　りょうきんたくぼく
環境や職業などはよく見定めて選択すべきであるということのたとえ。また、賢人は立派な主君を選んで仕えるという意味。賢い鳥は棲む木を選ぶということから。

竜跳虎臥　りょうちょうこが
筆の勢いが縦横自在であることのたとえ。「竜」は「りゅう」とも読む。

竜頭蛇尾　りょうとうだび
初めは勢いがよいが、終わりに近づくにつれて振るわなくなること。「竜」は「りゅう」とも読む。

臨淵羨魚　りんえんせんぎょ
ただ望むだけでなく、適切な手段を講じなければ願い事はかなわないという教訓。魚がほしければ、淵に立って願うだけでなく、先ず網を用意しなければならないという意。

鱗次櫛比　りんじしっぴ
鱗や櫛の歯のように整然と並ぶこと。

麟子鳳雛　りんしほうすう
前途有望である子どものたとえ。

輪廻転生　りんねてんしょう
人が、車輪が回り続けるように、生まれ変わり続けること。

礪山帯河　れいざんたいが
永久に変わらない堅い誓いのたとえ。また、国が永遠に栄え、安泰であることのたとえ。高い泰山がすりへって砥石のようになっても、黄河が帯のように細くなっても変わらない、という意味。「河山帯礪」ともいう。

冷土荒堆　れいどこうたい
墓の別名。

狼子野心　ろうしやしん
凶暴な心を持つ人、謀反の心を持つ人は、どんなに教化してもその心を変えることはできないという意味。狼を飼いならそうとしても、人に危害を与えるような野性を失わないことから。

魯魚章草　ろぎょしょうそう
文字の書き間違い。字形の似た字を写し間違えること。

わ

和光同塵　わこうどうじん
自分の才能を和らげ隠して、俗世間に調和して交わること。

本書記載の情報は制作時点のものです。受検をお考えの方は、必ずご自身で下記の公益財団法人 日本漢字能力検定協会の発表する最新情報をご確認ください。

公益財団法人 日本漢字能力検定協会
【ホームページ】 https://www.kanken.or.jp/
<本部> 京都市東山区祇園町南側551番地
ホームページにある「よくある質問」を読んで該当する質問がみつからなければメールフォームでお問合せください。電話でのお問合せ窓口は0120－509－315（無料）です。

◆「漢検」「漢字検定」は公益財団法人 日本漢字能力検定協会の登録商標です。

本書に関する正誤等の最新情報は、下記のアドレスでご確認ください。
https://www.seibidoshuppan.co.jp/info/honshi-kankenj1-2411

◉ 上記アドレスに掲載されていない箇所で、正誤についてお気づきの場合は、書名・質問事項・氏名・住所（または FAX 番号）を明記の上、**成美堂出版**まで**郵送**または **FAX** でお問い合わせください。**お電話でのお問い合わせはお受けできません。**
◉ 本書の内容を超える質問等にはお答えできませんので、あらかじめご了承ください。また、受検指導などは行っておりません。
◉ ご質問の到着確認後 10 日前後で、回答を普通郵便または FAX で発送いたします。
◉ ご質問の受付期限は、2025 年 10 月末日到着分までといたします。ご了承ください。

よくあるお問い合わせ

Q **持っている辞書に掲載されている読みと、本書に掲載されている読みが違いますが、どちらが正解でしょうか？**

A 辞書によっては、準1級用漢字や常用漢字の表外の読みが異なることがあります。**漢検の採点基準では、「漢検要覧1／準1級対応」（日本漢字能力検定協会発行）で示しているものを正解としています**ので、本書もこの基準に従っています。そのため、お持ちの辞書と読みが異なることがあります。また、準1級用漢字のなかには、標準字体のほかに正解となる許容字体があります。本書では標準字体のみ掲載しており、許容字体は**「漢検要覧1／準1級対応」（日本漢字能力検定協会発行）**で詳しく参照することが出来ます。

Q **持っている辞書に掲載されている故事・成語が本書に掲載されているものと異なりますが、どちらが正解でしょうか。**

A 故事・成語については、辞書によって読み方や表現が異なる場合がありますが、本書では、過去に実際の試験で出題されたものをもとに掲載しています。

本試験型 漢字検定準1級試験問題集 '25年版

2024年12月1日発行

編　著　成美堂出版編集部
発行者　深見公子
発行所　成美堂出版
〒162-8445 東京都新宿区新小川町1-7
電話(03)5206-8151 FAX(03)5206-8159
印　刷　大盛印刷株式会社

ISBN978-4-415-23907-1
落丁·乱丁などの不良本はお取り替えします
定価はカバーに表示してあります

本試験型

漢字検定
試験問題集

'25年版

解答・解説

●解答の漢字は標準字体とし、（ ）内に黒
で１級漢字を使った別の正解の字を掲げた
「標準字体」以外の「許容字体」については、「
１級用漢字表」（本冊 P.136）および準１級
採点基準（本冊 P.14）、漢検要覧１級／準
級対応（公益財団法人 日本漢字能力検定
会）を参照されたい。
●解答が複数ある場合は、そのうちのどれか
つを書いてあれば正解。（二つ以上の答え
書いた場合は、それらがすべて合っていな
と正解にならない。）
●踊り字（々）は、正しく使われていれば正解
●漢字のルビは本文中のものに合わせている
め、その熟語単独ではつかない濁点・半濁
がついているのものがある。
●グレーの漢字や（ ）内のひらがなは、解
の補足となるものや、送りがなを示す。

◀ 矢印方向に引くと別冊の解答・解説が外れます。

成美堂出版

準1級 第1回 テスト 解答・解説

問題は本冊P26~31

(一) 読み

グレーの部分は送りがなです　各1点 計30点

1 むげ
2 わりゅう
3 いこう
4 いちべつ
5 てんじくよう
6 きゅうせん
7 くじょう
8 ねぎ
9 きゅう
10 さいさく
11 かすい
12 けんち
13 はいかん
14 はんぜん
15 けんちょう
16 じんじゅく
17 そうくん
18 ぼくせい
19 へきらく
20 せきとく
21 はかり
22 はざま
23 みす
24 いかだ
25 とが(めず)
26 すぼ(めて)
27 うす
28 かのとうし
29 は
30 ゆ(く)

2 高低のこと。
5 寺院建築様式の一。大仏様ともいう。
6 弓と矢。弓矢を取る武士の果たすべき道。
7 曲尺と墨縄。法則のこと。
9 「笈を負う」は勉強のため故郷を離れる意。
18 おだやかで清らかなこと。

(二) 表外の読み

グレーの部分は送りがなです　各1点 計10点

1 あらわ
2 つ(ぐ)
3 はや(り)
4 わか(く)
5 こぞ(って)
6 えら(ぶ)
7 た(けた)
8 めぐ(る)
9 かどわか(し)
10 すく(ない)

(三) 熟語の読み・一字訓読み

グレーの部分は送りがなです　各1点 計10点

ア 1 かきょう　2 やど(る)
イ 3 かくぜん　4 くぎ(る)
ウ 5 じょうし　6 たす(ける)
エ 7 きょうぜん　8 もてな(す)
オ 9 あくせく あくさく あくそく　10 かか(わる)

1 外国で暮らす中国人。特に商人。
3 区別がはっきりしているさま。
5 長官の下役。
9 目先のことに追われてせわしないさま。

(四) 共通の漢字

各2点 計10点

1 触(しょく)
2 炎(えん)
3 装(そう)
4 腐(ふ)
5 英(えい)

(五) 書き取り

グレーの部分は送りがなです　各2点 計40点

1 曳航(えいこう)
2 鞍馬(あんば)
3 俄然(がぜん)
4 蒲鉾(かまぼこ)
5 伍(ご)
6 輪廻(りんね)
7 煤(すす)
8 漉(こ)
9 雨樋(あまどい)
10 稗(ひえ)
11 鼎(かなえ)
12 醤油(しょうゆ)
13 隈(くま)
14 横溢(おういつ)
15 儘(まま)
16 倦怠(けんたい)
17 永訣(えいけつ)
18 英傑(えいけつ)
19 咳(せ)(く)
20 堰(せ)(く)

5 肩を並べること。
6 仏教で、生まれては死に別の世界にさ迷うことを果てしなく繰り返すこと。
11 古代中国の両手三本足の鉄や銅の釜。「鼎が沸き立つよう」は収拾のつかないほどの騒ぎ。
13 「隈なく」はすみずみまで余すところなくの意。
20 さえぎり止めること。

(六) 誤字訂正

グレーの部分は解答の補足です　各2点 計10点

	〔誤〕		〔正〕
1	揮然	↓	毅然
2	釜	↓	窯
3	干漑	↓	灌漑
4	畢迫	↓	逼迫
5	酌(んで)	↓	汲(んで)

(七) 四字熟語

各2点 計30点

グレーの部分は解答の補足です

問1 各2点／計20点

1 屋梁落月（おくりょうらくげつ）
2 焚琴煮鶴（ふんきんしゃかく）
3 鎧袖一触（がいしゅういっしょく）
4 甜言蜜語（てんげんみつご）
5 常鱗凡介（じょうりんぼんかい）
6 通暁暢達（つうぎょうちょうたつ）
7 百歩穿楊（ひゃっぽせんよう）
8 伏竜鳳雛（ふくりょうほうすう）
9 千里命駕（せんりめいが）
10 温柔敦厚（おんじゅうとんこう）

1 友人を心から思うこと。出典は杜甫の詩。
2 殺風景なこと。風流心のないことのたとえ。
3 相手をたやすく打ち負かしてしまうこと。
4 蜜のように甘い言葉。人にへつらう言葉。
5 ありふれた平凡な人のたとえ。
6 物事に深く通じ、文章や言葉がのびやかなこと。
7 射撃の腕前がすぐれていること。
8 世に出る機会に恵まれない優秀な人物のこと。
9 遠方に住む友人をはるばる訪ねること。
10 穏やかでやさしく、人情に厚いこと。

問2 各2点／計10点

1 はっさ
2 かでん
3 ゆうとう
4 にんにく
5 のうしゃ

(八) 対義語・類義語

各2点 計20点

グレーの部分は解答の補足です

1 進取（しんしゅ）⇔退嬰（たいえい）
2 晩成（ばんせい）⇔夙成（しゅくせい）
3 静寂（せいじゃく）⇔喧騒（けんそう）
4 失墜（しっつい）⇔挽回（ばんかい）
5 懸念（けねん）⇔安堵（あんど）・案堵（あんど）

6 月並（つきなみ）＝常套（じょうとう）
7 花形（はながた）＝寵児（ちょうじ）
8 行脚（あんぎゃ）＝飛錫（ひしゃく）
9 苛烈（かれつ）＝峻厳（しゅんげん）
10 世間（せけん）＝巷間（こうかん）

1 新しいことに消極的なこと。
2 早熟であること。
6 ありきたりのこと。
8 僧が修行のため諸国を巡り歩くこと。
9 非常にきびしいこと。
10 街なか。世間。

(九) 故事・諺

各2点 計20点

グレーの部分は送りがなです

1 井蛙（せいあ）
2 磯際（いそぎわ）
3 葱（ねぎ）
4 芥（あくた）
5 金蘭（きんらん）
6 菖蒲（しょうぶ）
7 風燭（ふうしょく）
8 萱（かや）・茅（かや）
9 菩提（ぼだい）
10 蓑（みの）（簑（みの））

1 見識の狭い者に高い次元の話をしても無益であること。
2 あと一歩で達成という直前に失敗すること。
3 利用されるものが更に利益になるものを持って来ること。
4 「芥」は塵。大人物がどんな人でも受け入れるたとえ。
5 「金」は固いことのたとえ。「蘭」は香草。固く美しい友情のこと。
6 一日遅れの菊と菖蒲で、時機に間に合わないこと。「十日の菊」は九月九日の重陽の節句に、「六日の菖蒲」は五月五日の端午の節句に間に合わない。
7 風にゆらぐ灯火のように命ははかないということ。
8 ススキなどの植物の総称。長い間に蓄積した信用や成果を、一時に失ってしまうことのたとえ。
9 貧乏ならば資産への執着がなく悟りを開く機縁に恵まれやすい。逆に資産家は富への煩悩が断ち切れず解脱することが難しいということ。
10 蓑は燃えやすい。災いを鎮めようとして、却って大きくしてしまうこと。

(十) 文章題

グレーの部分は送りがなです

書き取り 各2点／計10点

1 蓬髪（ほうはつ）
2 坤軸（こんじく）
3 波濤（はとう）
4 狼狽（ろうばい）
5 梁（はり）

読み 各1点／計10点

ア あ（がれる）
イ あらかじ（め）
ウ おお（いなる）
エ のうり
オ ほぼ
カ はいし
キ まさ（に）
ク しんとう
ケ つい（ゆる）
コ ほとん（ど）

1 伸びて乱れた髪。
2 大地を支えていると考えられた軸。また、地軸。
エ 頭の中。
カ 民間の細かい物語。
ク ふるえ動くこと。「蕩」も揺れ動く意。

問題は本冊 P32~37

(一) 読み

グレーの部分は送りがなです　各1点　計30点

1 きゃら
2 ゆうひつ
3 こうとう
4 せんえい
5 ごうか／こうか
6 ちょし
7 かくてい
8 ちんじ
9 とそつてん
10 へきえん
11 ごうとう
12 じょうしょう／しょうじょう
13 れんさつ
14 かんちょく
15 いんか
16 れいびょう
17 がいふう
18 わじん
19 さかん
20 おうご
21 にわ(か)
22 まま
23 おお(う)
24 くるわ
25 ひつじさる
26 あぶみ
27 な(ぐ)
28 しばら(く)
29 こ
30 まこも

2 文書管理、記録を職掌とする人。
11 豪快で小事にはこだわらないさま。
14 気性が強く正しいこと。
17 南風。春風。
19 急に寒くなること。「乍」は「たちまち」。
30 浅い水の中に生える植物。

(二) 表外の読み

グレーの部分は送りがなです　各1点　計10点

1 なじ(る)
2 うべな(う)
3 そよ(いで)
4 やや
5 ほぼ
6 す(べる)
7 はしゃ(ぎ)
8 つて
9 ながら(え)
10 せま(る)

(三) 熟語の読み・一字訓読み

グレーの部分は送りがなです　各1点　計10点

ア　1 ちょうけつ　2 ふ(む)
イ　3 ろうき　4 かた(い)
ウ　5 ぼうしょく　6 むさぼ(る)
エ　7 ひっせい　8 お(わる)
オ　9 えいきょ　10 み(ちる)

1 流血をふむこと。
3 しっかりと心にとどめて記憶すること。
7 終生。また一生をかける意で使う語。
9 満ち欠け。栄えることと衰えること。

(四) 共通の漢字

各2点　計10点

1 恒(こう)
2 春(しゅん)
3 修(しゅう)
4 販(はん)
5 報(ほう)

(五) 書き取り

グレーの部分は送りがなです　各2点　計40点

1 倦(む)(あぐ)
2 樟脳(しょうのう)
3 撫(でる)(な)
4 弛(まぬ)(たゆ)
5 菖蒲(しょうぶ)
6 澱粉(でんぷん)
7 黙禱(もくとう)
8 閏年(うるうどし)
9 櫓(やぐら)
10 前哨(ぜんしょう)
11 手鞠(てまり)
12 稜線(りょうせん)
13 鴨居(かもい)
14 投錨(とうびょう)
15 閃(いた)(ひらめ)
16 捧持(ほうじ)
17 褒辞(ほうじ)
18 鳳児(ほうじ)
19 鋤(く)(耡(く))(す)
20 漉・抄(く)(す)

2 クスノキの木片を蒸留して得られる結晶体。白色で芳香がある。防虫剤などに用いる。
10 本格的活動前の小手調べ的動き。
12 山の尾根の線。
16 ささげ持つこと。
17 おほめのことば。
18 非常に優秀な子供のこと。
19 鋤などで土を掘り起こすこと。
20 薄く平たいものを作ること。

(六) 誤字訂正

グレーの部分は解答の補足です　各2点　計10点

	〔誤〕		〔正〕
1	鬱壮	→	鬱蒼
2	円垂	→	円錐
3	暑光	→	曙光
4	容膨	→	容貌
5	総集	→	湊集

(七) 四字熟語

各2点 計30点

グレーの部分は解答の補足です

問1 各2点／計20点

1 放蕩無頼（ほうとうぶらい）
2 朝蠅暮蚊（ちょうようぼぶん）
3 首鼠両端（しゅそりょうたん）
4 並駕斉駆（へいがせいく）
5 飛鷹走狗（ひようそうく）
6 雲竜井蛙（うんりゅうせいあ）
7 宛転蛾眉（えんてんがび）
8 蘭亭殉葬（らんていじゅんそう）
9 吉日良辰（きちじつりょうしん）
10 終南捷径（しゅうなんしょうけい）

1 酒色にふけり、勝手きままで素行が悪いこと。
2 小人物がはびこるたとえ。
3 形勢をうかがい、判断が下せないでいるたとえ。
4 能力や地位に差がないこと。
5 タカを飛ばし猟犬を走らせて狩りをすること。
6 地位や賢愚の差が大きいこと。
7 美女の容貌。「宛転」は緩やかなカーブ。
8 書画骨董に異常なまでの愛着心を持つこと。
9 縁起のよい、めでたい日。「辰」は日、とき。
10 正規の手続きを経ずに官職につくこと。

問2 各2点／計10点

1 うんとう
2 ゆうざ
3 りくごう
4 じち
5 きゅうとう

(八) 対義語・類義語

各2点 計20点

グレーの部分は解答の補足です

1 強健（きょうけん）⇔脆弱（ぜいじゃく）
2 安泰（あんたい）⇔騒擾（そうじょう）
3 断絶（だんぜつ）⇔連亘（れんこう）・連亙（れんこう）・聯亙（れんこう）
4 鮮明（せんめい）⇔模糊（もこ）
5 膨大（ぼうだい）⇔些少（さしょう）
6 豊年（ほうねん）＝稔歳（じんさい）
7 賢明（けんめい）＝聡明（そうめい）
8 片腕（かたうで）＝股肱（ここう）
9 詩集（ししゅう）＝篇什（へんじゅう）
10 暴漢（ぼうかん）＝兇徒（きょうと）・凶徒（きょうと）

1 もろく弱いこと。
2 集団で騒ぎ、秩序を乱すこと。
4 ぼんやりしたさま。
5 わずか。いささか。
8 主君の手足となって働く、頼れる家臣。
9 詩歌を集めたもの。

(九) 故事・諺

各2点 計20点

グレーの部分は送りがなです

1 塵（ちり）
2 塞（せ）・堰（せ）（く）
3 矧（は）（ぐ）
4 寵愛（ちょうあい）
5 奄奄（えんえん）
6 姦（かん）
7 姑（しゅうとめ）
8 魯魚（ろぎょ）
9 蟻穴（ぎけつ）
10 畦（あぜ）・畔（あぜ）

2 できるはずのないことのたとえ。また不可能とされることを試みるたとえ。
3 戦が始まってから戦仕度をすることから、処置が遅きに失するたとえ。「泥棒を捕らえて縄をなう」に同じ。
4 かわいがり過ぎるのも、本人には不幸であることのたとえ。溺愛する余り娘を嫁にやらず、ついには尼にしてしまうことから。
5 息も絶え絶えで今にも死にそうなさま。
6 「大姦」は大悪人。大悪人は本心を隠して誠実そうに振る舞うことから、見た目にだまされるなという教え。
9 非常に高い堤も小さな蟻の穴から水が浸み込み、崩れてしまうことから、小さな油断が大事を引き起こすというたとえ。
10 手段や経路は異なっても目指すところは同じだという意味。また、どうやろうとも結果は同じだという意味もある。

(十) 文章題

グレーの部分は送りがなです

書き取り 各2点／計10点

1 悉皆（しっかい）
2 雀躍（じゃくやく）
3 嘉（よみ）
4 夙（つと）（に）
5 鼎（かなえ）

読み 各1点／計10点

ア せま（り）
イ したが
ウ じっこん
エ ばんしょ
オ ほうさ
カ じんぜん
キ おさ（めて）
ク おもえらく
ケ とざ（す）
コ おも（う）

1 残らず。すべて。
3 言動をほめる語。
ウ 心やすく交わること。
エ 蘭書を中心とする外国書の総称。
カ 時間が空しく過ぎていくこと。
ク 「思うことには」の意。

(一) 読み

グレーの部分は送りがなです　各1点 計30点

1 とくしょく
2 えんゆう
3 ふんめつ
4 そうしゅう
5 ほうせん
6 がいし
7 たんたん
8 ちょうざん
9 きたい
10 ろうえい ろうせつ
11 けいろく
12 しそく ししょく
13 きせん
14 ようすい ゆうすい
15 あんきょ
16 ふんごう
17 かんぼく
18 ゆうさい
19 のうかつ
20 ぼうはん
21 よな(げる)
22 つぶさ
23 かいり
24 あらたか
25 えびづる
26 こ(し)
27 ついば(んで)
28 あつ(い)
29 つるばみ
30 なんじ

2 くまなく保有すること。
7 水を深くたたえたさま。
18 県城の長のこと。
20 朝食のこと。
29 どんぐりを砕いた汁で染めた色。濃いねずみ色。喪服の色。

(二) 表外の読み

グレーの部分は送りがなです　各1点 計10点

1 ゆる(す)
2 い(ける)
3 たず(ね)
4 わか(れて)
5 わきま(えて)
6 したがき
7 しつら(える)
8 ねぎら(い)
9 すく(ない)
10 ほぐ(れて)

(三) 熟語の読み・一字訓読み

グレーの部分は送りがなです　各1点 計10点

ア 1 はっこう　2 かも(す)
イ 3 きょうじん　4 しな(やか)
ウ 5 はんぱん　6 ひるがえ(る)
エ 7 せんこう　8 ひらめ(く)
オ 9 きくもん　10 とりしら(べる)

3 しなやかさを持った強さをいう。
5 旗などがひるがえるさま。
9 罪を問いただすこと。

(四) 共通の漢字

各2点 計10点

1 綿(めん)
2 留(りゅう)
3 避(ひ)
4 律(りつ)
5 策(さく)

(五) 書き取り

グレーの部分は送りがなです　各2点 計40点

1 糊塗(こと)
2 些(いささ)(か)
3 華僑(かきょう)
4 禾(のぎ)
5 喋(しゃべ)(る)
6 柑橘(かんきつ)
7 啓蒙(けいもう)
8 蕨(わらび)
9 雲霞(うんか)
10 甜茶(てんちゃ)
11 昏昏・昏々(こんこん)
12 掠(かす)(めて)
13 誤謬(ごびゅう)
14 頸動脈(けいどうみゃく)
15 揃(そろ)(えて)
16 烏有(うゆう)
17 蕩(とろ)(ける)
18 哩(まいる)
19 斯界(しかい)
20 死灰(しかい)

3 外国に定住した中国人。商業従事者が多い。
10 甘味のあるお茶。
16「烏有に帰す」は火事で焼き尽くされること。
19 この世界。この分野。
20「死灰復燃(また)ゆ」は一度衰えた勢力が再び盛んになること。また一度収まった問題がまた表面化すること。

(六) 誤字訂正

グレーの部分は解答の補足です　各2点 計10点

	〔誤〕		〔正〕
1	総明	↓	聡明
2	浮種	↓	浮腫
3	逸美	↓	溢美
4	謹喜	↓	欣喜
5	条相	↓	丞相

問題は本冊P38~43

（七）四字熟語

各2点 計30点

問1 各2点／計20点

1 嵐影湖光（らんえいここう）
2 常套手段（じょうとうしゅだん）
3 孟母三遷（もうぼさんせん）
4 夷険一節（いけんいっせつ）
5 鵬程万里（ほうていばんり）
6 因循姑息（いんじゅんこそく）
7 泥車瓦狗（でいしゃがこう）
8 街談巷説（がいだんこうせつ）
9 和光同塵（わこうどうじん）
10 社燕秋鴻（しゃえんしゅうこう）

グレーの部分は解答の補足です

1 青々とした山と、光に満ちた湖の風景。
2 昔からの決まりきった方法や手段。
3 子供の教育には環境が大事であるという教え。
4 太平と乱世、順境と逆境とにかかわらず節義を守る。
5 はるか遠くへ隔たった旅程や道程のたとえ。
6 古い習慣を改めず、その場しのぎに終始すること。
7 役に立たないもののたとえ。類「陶犬瓦鶏」
8 世間のつまらぬうわさ話。類「街談巷語」
9 自分の才能を隠し、世俗に混じって暮らすこと。
10 会って忽ち別れること。「鴻」は大きい雁。

問2 各2点／計10点

1 ろうし
2 はっく
3 ちんけん
4 ていえい
5 きょうしょく

（八）対義語・類義語

各2点 計20点

1 率直（そっちょく）⇔迂遠（うえん）
2 瞬間（しゅんかん）⇔永劫（えいごう）
3 冷静（れいせい）⇔激昂（げっこう）
4 頑健（がんけん）⇔蒲柳（ほりゅう）
5 没頭（ぼっとう）⇔倦怠（けんたい）
6 言行（げんこう）＝云為（うんい）
7 格言（かくげん）＝古諺（こげん）
8 吉祥（きっしょう）＝嘉瑞（かずい）
9 突如（とつじょ）＝俄然（がぜん）
10 土手（どて）＝堤塘（ていとう）

グレーの部分は解答の補足です

1 まわりくどいこと。
3 「げきこう」とも読む。
4 蒲柳＝川柳の葉は早く落ちることから、体が弱いこと。
6 言語と行為。
9 急に。にわかに。
10 「塘」もつつみ。土手の意。

（九）故事・諺

各2点 計20点

1 穿（うが）（つ）
2 芝（し）蘭（らん）
3 笠（かさ）
4 良（りょう）禽（きん）
5 窺（うかが）（う）
6 竿（かん）頭（とう）
7 矩（のり）
8 美（び）禄（ろく）
9 箕（み）
10 孤（こ）掌（しょう）

グレーの部分は送りがなです

1 小さい力でも根気よく続ければ成功に至るというたとえ。
2 徳のある人と交際して、知らないうちに感化されるたとえ。
3 女性が実際よりも美しく見える三つの場合。
4 賢い鳥のこと。賢臣はよい主君を選んで仕えるたとえ。
5 視野や見識が狭いたとえ。類「針の穴から天を覗く」
6 さおの先の意。目的に達しても、そこで満足することなく更なる向上を目指して努力すること。
7 その言動が心のままであっても人として守るべき道を踏み外すことはない。七十歳の心境をいう。「論語」にある孔子の言葉。
8 天からの立派な授かり物。酒のことをいう。
9 目の粗いふるい。升できちんと量ったものを箕に移して一度にこぼしてしまうことから、こつこつ貯めたものをあっけなく無くしてしまうたとえ。
10 片方の手のひらだけでは打ち合わせることができないように、人間は一人では何も成し得ぬことのたとえ。

（十）文章題

グレーの部分は送りがなです

書き取り 各2点／計10点

1 勝景（しょうけい）
2 流寓（りゅうぐう）
3 偏頗（へんぱ）
4 乃公（だいこう）
5 蒼生（そうせい）

読み 各1点／計10点

ア まさ（に）
イ かつ（て）
ウ かんれい
エ か（く）
オ ふ（したる）
カ めぐ（る）
キ かな（わず）
ク すべ（て）
ケ しき（り）
コ か（く）

1 よい眺め。絶景。
2 流浪して他郷に一時身を寄せること。
4 目上の者から目下の者に対する自称。自尊の語。
5 人民のこと。
ウ 箱根山の別称。

問題は本冊P44~49

(一) 読み

グレーの部分は送りがなです　各1点 計30点

1 かんかん
2 えんそう
3 がらん
4 しずい
5 ろうばい
6 せんがい
7 ぼれい
8 ようとう
9 ちはつ
ていはつ
10 せんけん
11 ちゅうたい
じゅうたい
12 りゅういん
13 けつけん
けっけん
14 きくじん
15 びゅうさく
16 こうきゅう
17 せいあ
18 すおう
19 こうせつ
20 えいたつ
21 あや
22 おだまき
23 ふすまえ
24 もすそ
25 まだき
26 また
27 もく
28 しとみ
29 はびこ(る)
30 なん(ぞ)

1 たけだけしいこと。
7 かきの殻を焼いて粉末にしたもの。「かき」と読むのは熟字訓。
10 美しくあでやかなこと。
13 わらびの芽。
18 染色の色。黒みを帯びた赤色。

(二) 表外の読み

グレーの部分は送りがなです　各1点 計10点

1 ころ
2 とざ(され)
3 あがな(う)
4 いつわ(り)
5 すく(う)
6 まめ
7 ひら
8 ふる(くて)
9 は(いて)
10 く(しくも)

(三) 熟語の読み・一字訓読み

グレーの部分は送りがなです　各1点 計10点

ア 1 びまん 2 あまね(し)
イ 3 きょうひつ 4 たす(ける)
ウ 5 あんじん 6 しら(べる)
エ 7 かいかく 8 ひろ(い)
オ 9 こうぶ 10 あ(れる)

1 一面にみなぎること。
3 非をただし、不足を補い助けること。
5 磁石の針を見て航路を定める職務の人。
7 心が広く、度量が大きいこと。

(四) 共通の漢字

各2点 計10点

1 閲(えつ)
2 渇(かつ)
3 携(けい)
4 甚(じん)
5 銘(めい)

(五) 書き取り

グレーの部分は送りがなです　各2点 計40点

1 僻(ひが)(む)
2 天秤(てんびん)
3 啄(ついば)(む)
4 灼熱(しゃくねつ)
5 燦然(さんぜん)
6 薙(な)(ぎ)
7 怯(ひる)(んだ)
8 這般(しゃはん)
9 梱包(こんぽう)
10 菱形(ひしがた)
11 匙(さじ)
12 紫檀(したん)
13 埴輪(はにわ)
14 姪(めい)
15 砂塵(さじん)
16 嬰児(えいじ)
17 禾穀(かこく)
18 苛酷(かこく)・過酷(かこく)
19 潰(つい)(える)
20 費(つい)(える)

2 重さを量るはかり。「天秤にかける」は両者の優劣、損得を比べどちらにするか決めること。
8 「これら」の漢語的表現。
12 熱帯の常緑高木。赤みを帯びた濃い紫色をしており堅い。高級家具材として使われる。
17 稲・麦・粟など穀物類の総称。
19 こわれてだめになること。
20 むだに経過すること。

(六) 誤字訂正

グレーの部分は解答の補足です　各2点 計10点

	〔誤〕		〔正〕
1	楼城	↓	籠城
2	固塗	↓	糊塗
3	蔑見	↓	瞥見
4	炊き	↓	焚き 薫き
5	産まず	↓	倦まず

（七）四字熟語

各2点 計30点

グレーの部分は解答の補足です

問1 各2点／計20点

1 尭階三尺（ぎょうかいさんじゃく）
2 猪突猛進（ちょとつもうしん）
3 獅子奮迅（ししふんじん）
4 蓬莱弱水（ほうらいじゃくすい）
5 瓜田李下（かでんりか）
6 亡羊補牢（ぼうようほろう）
7 一虚一盈（いっきょいちえい）
8 周章狼狽（しゅうしょうろうばい）
9 箪食瓢飲（たんしひょういん）
10 楚材晋用（そざいしんよう）

1 君主の質素な生活のさま。「尭」は伝説の聖天子。
2 目標に向かってむやみに突き進むこと。
3 獅子の猛進のように激しい勢いで活動するさま。
4 東方の山と西方の川。遠い隔たりのたとえ。
5 人に疑惑を持たせるような言動は慎めという教え。
6 失敗した後で、慌てて対処するたとえ。
7 常に変化して予測が難しいことのたとえ。
8 おおいに慌てふためくこと。
9 粗末な食事のこと。「箪食」は「たんし」と読む。
10 人材が流出し他国で登用されることのたとえ。

問2 各2点／計10点

1 あんこう
2 えんえん
3 らんけい
4 おんじん
5 うち

（八）対義語・類義語

各2点 計20点

グレーの部分は解答の補足です

1 板目（いため）⇔柾目（まさめ）
2 弊風（へいふう）⇔淳風（じゅんぷう）・醇風（じゅんぷう）
3 褒美（ほうび）⇔鉄槌（てっつい）・鉄鎚（てっつい）
4 晦日（みそか）⇔朔日（さくじつ）
5 絶版（ぜっぱん）⇔上梓（じょうし）
6 慈雨（じう）＝膏雨（こうう）
7 長寿（ちょうじゅ）＝椿寿（ちんじゅ）
8 剛直（ごうちょく）＝侃侃（かんかん）
9 悦楽（えつらく）＝欣喜（きんき）
10 切迫（せっぱく）＝逼迫（ひっぱく）

1 縦にまっすぐ通った木目。
2 人情の厚い風俗。
3 厳しい制裁をいう。
4 ついたちのこと。
5 本を出版すること。
6 恵みの雨。

（九）故事・諺

各2点 計20点

グレーの部分は送りがなです

1 錐（きり）
2 濡（ぬ）（れ）
3 金鍔（きんつば）
4 雀羅（じゃくら）
5 鞘（さや）
6 唐鞍（からぐら）
7 鉤曲（こうきょく）
8 鍋釜（なべかま）
9 采薪（さいしん）
10 木阿弥（もくあみ）

1 物事の成功のためには、皆で協力することが大切だという教え。
2 何事にも事前準備が大切だというたとえ。類「転ばぬ先の杖」
3 「金鍔」は甘い和菓子。取り合わせが悪いことのたとえ。
4 訪れる人もなく寂しいさま。「雀羅」はスズメ捕りの網。
5 失言への戒め。「鞘走り」は鞘がゆるくて刀身が滑り出る意。
6 似合わないことのたとえ。「駄賃馬」は荷運びの馬。「唐鞍」は儀式用の立派な鞍。
7 曲がった物体の影が真っ直ぐになることはないという意。
9 病身であることをへりくだって言ったもの。病身で薪を取りに行くこともできない。
10 一度高位に昇ったり財産ができたりした者や態度を改めた者が、元の悪い状態に戻ってしまうこと。

（十）文章題

グレーの部分は送りがなです

書き取り 各2点／計10点

1 僑居（きょうきょ）
2 鶯（うぐいす）
3 撒（ま）（き）
4 仲尼（ちゅうじ）
5 烏有（うゆう）

読み 各1点／計10点

ア おお（う）
イ くら（く）
ウ よろこ（び）
エ せきじん
オ また
カ けんきょ
キ だんぴ
ク しもべ
ケ こうとう
コ ゆる（す）

1 仮の住居。
4 孔子のこと。
5 何もなくなること。
エ 立派な人格の人。
カ 笑うさま。
キ 群盗。ここでは北清事変を起こした賊徒。
ケ ひれ伏すこと。

問題は本冊P50~55

(一) 読み

グレーの部分は送りがなです　各1点 計30点

1 せいげん
2 きげん
3 そがい
4 しゃり
5 ひっそく
6 しゅくや
7 せいたい
8 かくかく かっかく
9 すいか
10 ゆうぎ
11 けんしょく
12 しんゆう
13 しょくゆう
14 すいばん
15 いちゆう
16 しんきゅう
17 うっそう
18 ほどう
19 じゅし
20 じゅんわ
21 たど(って)
22 あかざ
23 とど(まって)
24 けこ けご
25 わだち
26 また(げ)
27 くつわ
28 うづち
29 そし(らず)
30 むぐら

2 善い言葉。
4 この間、このなか。「這裏」とも書く。
7 借りと貸し。貸借と同じ。
13 領地として与えられた行政区域。
19 年少者を見下して言う語。青二才。
28 桃の木を切り飾り糸を垂らした槌。

(二) 表外の読み

グレーの部分は送りがなです　各1点 計10点

1 こいねが(わく)
2 むご(い)
3 ばら(ける)
4 ゆた(か)
5 はす
6 よこしま
7 ふ(れる)
8 たか(って)
9 おもんぱか(って) おもんばか(って)
10 ほしいまま

(三) 熟語の読み・一字訓読み

グレーの部分は送りがなです　各1点 計10点

ア 1 ざっとう　2 かさ(なる)
イ 3 とんこう　4 あつ(い)
ウ 5 ちょうじょ　6 の(べる)
エ 7 じょうか　8 な(らす)
オ 9 とこう　10 ふさ(ぐ)

2 かさなり合う、混み合う意。
3 誠実で人情に厚いこと。
5 十分に述べること。
9 口をふさぐこと。

(四) 共通の漢字

各2点 計10点

1 錯(さく)
2 献(けん)
3 冠(かん)
4 符(ふ)
5 鮮(せん)

(五) 書き取り

グレーの部分は送りがなです　各2点 計40点

1 凌(ぐ)(しの)
2 惚(れ)(ほ)
3 安堵(あんど)
4 宥恕(ゆうじょ)
5 灸(きゅう)
6 上梓(じょうし)
7 袴(はかま)
8 馬鈴薯(ばれいしょ)
9 偏頗(へんぱ)
10 分娩(ぶんべん)
11 諫(める)(いさ)
12 界隈(かいわい)
13 挽回(ばんかい)
14 牽制(けんせい)
15 尤(も)(もっと)
16 思惟(しい)
17 四夷(しい)
18 恣意(しい)
19 弥(いや)
20 厭・嫌(いや)

4 大目に見てゆるすこと。
6 出版すること。版木として梓が使われたため、この語がある。
9 かたよって公平性を欠くさま。
12 その周辺地域。
15 「尤もらしい」は表面的には道理に適っているようであること。
17 中国の四辺に住む異民族。
18 その時々の気ままな思いつき。
19 ますます。いよいよ。

(六) 誤字訂正

グレーの部分は解答の補足です　各2点 計10点

	〔誤〕		〔正〕
1	層粕	→	糟粕
2	芙羊峰	→	芙蓉峰
3	貫直	→	侃直
4	快済	→	快哉
5	骨陶	→	骨董

(七) 四字熟語

問1 各2点／計20点

グレーの部分は解答の補足です　各2点 計30点

1 神祐天助（しんゆうてんじょ）・神佑天助（しんゆうてんじょ）
2 礪山帯河（れいざんたいが）
3 規矩準縄（きくじゅんじょう）
4 桑弧蓬矢（そうこほうし）
5 碧眼紅毛（へきがんこうもう）
6 馬牛襟裾（ばぎゅうきんきょ）
7 夏侯拾芥（かこうしゅうかい）
8 綱挙網疏（こうきょもうそ）
9 煩悩菩提（ぼんのうぼだい）
10 道傍苦李（どうぼう(の)くり）

1 天や神のご加護。類「天佑神助」
2 永久不変の堅い誓約。また永遠に安泰な国家。
3 物事の基準、手本となるもの。
4 男子が志を立てるたとえ。
5 西洋人の形容。類「紅毛碧眼」
6 学識無い者、礼儀知らずな者への批判の語。
7 学問を修める大切さを説いた語。
8 大綱を挙げ、細事にはこだわらないこと。
9 悟りの障害の迷いがあってこそ悟りに至ること。
10 見捨てられ見向きもされないことのたとえ。

問2 各2点／計10点

1 ほりん
2 ほうせつ
3 はっかく
4 てきとう
5 まんこう

(八) 対義語・類義語

グレーの部分は解答の補足です　各2点 計20点

1 安穏（あんのん）⇔危殆（きたい）
2 高貴（こうき）⇔卑賤（ひせん）
3 崇拝（すうはい）⇔冒瀆（ぼうとく）
4 解放（かいほう）⇔拘繋（こうけい）
5 彼岸（ひがん）⇔此岸（しがん）

6 模造（もぞう）＝贋作（がんさく）
7 料理（りょうり）＝割烹（かっぽう）・割亨（かっぽう）
8 危篤（きとく）＝瀕死（ひんし）
9 断固（だんこ）＝毅然（きぜん）
10 頑丈（がんじょう）＝堅牢（けんろう）

1 非常に危ないこと。
3 神聖なものをおかすこと。
5 この世。現世。
7 割き烹ることから、食物の調理。
10「牢」にかたい、しっかりしたという意がある。

(九) 故事・諺

グレーの部分は送りがなです　各2点 計20点

1 馴染（なじ）(み)
2 鰯（いわし）（鰮（いわし））
3 鸚鵡（おうむ）
4 瓜田（かでん）
5 鰻（うなぎ）
6 尾鰭（おひれ）
7 鱗（うろこ）
8 鴻鵠（こうこく）
9 鴛鴦（えんおう）
10 窮鼠（きゅうそ）

1 たとえどんな相手でも馴れ親しんだ者の方がよいということ。類「知らぬ仏より馴染みの鬼」
2 大勢の後に従うより、寧ろ小さな集団の指導者となった方がよいということ。類「鶏口牛後」
3 鸚鵡がいかにうまく人間の言葉をまねても鳥であることに変わりはない。人間がいかに言葉巧みに話しても内実を伴わなければ鳥獣とおなじであるという教え。
4 瓜畑で脱げた靴をかがんで履き直していると瓜泥棒に間違われる虞がある。疑われるような行為は慎めという教え。
5 ハゼと鰻は大きく習性は異なるが、一代限りの命であることに変わりはない。どのような人生も一代限りのものだというたとえ。
8 小人物には大人物の志や考えは分からないということ。「燕雀」は小人物の、「鴻鵠」は大人物のたとえ。
9 鴛鴦＝おしどりは雌雄仲がよい鳥であることから、夫婦がいつまでも連れ添うという約束。

(十) 文章題

グレーの部分は送りがなです

書き取り 各2点／計10点

1 嬉（うれ）(しく)
2 腹蔵（ふくぞう）・覆蔵（ふくぞう）
3 馳走（ちそう）
4 三伏（さんぷく）
5 塵紙（ちりがみ）

読み 各1点／計10点

ア ここ
イ や(って)
ウ およ(そ)
エ そば
オ したた(めて)
カ にわ(か)
キ たちま(ち)
ク しお(れて)
ケ あさがお
コ ばくしょ

2 考えを心の中に包み隠しておくこと。
4 夏の暑い盛り。
オ 書き記すこと。また、食事をとる意味でも使う。
コ 本の虫干しをすること。

問題は本冊P56~61

(一) 読み

グレーの部分は送りがなです　各1点 計30点

1 じゅんげつ
2 じんかい
3 たいせい
4 ぐぜい
5 しょうこ
6 りょうあん
7 だいご
8 たいこう
9 ぼくたく
10 きざ
11 ぎょしょう
12 しんぶ
13 わんせん
14 いくいくこ
15 いんきょう
16 せんせん
17 がんえい
18 だらに
19 ほうすう
20 こうきょ
21 もくず
22 しな(やか)
23 おもね(る)
24 つばひろ
25 やっこだこ
26 きっさき
27 すぎ
28 くま
29 かぶらや
30 まり

4 仏や菩薩が衆生を救おうとする誓願。
6 天子が父母の喪に服する期間のこと。
9 人々を教え導く人。
10 両足を前に投げ出した坐り方。
15 つつしみ敬うこと。「寅」はつつしむ。
20 人の心情や内情を探り出すこと。

(二) 表外の読み

グレーの部分は送りがなです　各1点 計10点

1 こな(す)
2 つづま(やか)
3 いとぐち
4 おもむろ
5 つい(で)
6 かたど(った)
7 あまつさ(え)
8 かたじけな(く)
9 かざ(った)
10 つまび(らか)

(三) 熟語の読み・一字訓読み

グレーの部分は送りがなです　各1点 計10点

ア 1 ついは　2 う(つ)
イ 3 そうせい　4 あお(い)
ウ 5 こうつう　6 とお(る)
エ 7 いたん　8 たい(らか)
オ 9 ちょうすい　10 た(まる)

1 うちやぶること。「椎」は打ちたたく。
5 順調にいく。「亨」は支障なく運ぶ意。
7 道の平らなこと。
9 水たまりのこと。

(四) 共通の漢字

各2点 計10点

1 露（ろ）
2 荘（そう）
3 伸（しん）
4 徴（ちょう）
5 儀（ぎ）

(五) 書き取り

グレーの部分は送りがなです　各2点 計40点

1 牢記（ろうき）
2 冴（さ）・冱（さ）(え)
3 醍醐味（だいごみ）
4 身悶（みもだ）(え)
5 相槌（あいづち）・相鎚（あいづち）
6 托鉢（たくはつ）
7 窄（すぼ）(め)
8 億劫（おっくう）
9 埴生（はにゅう）
10 捌（は）(け)
11 馴致（じゅんち）
12 捗（はかど）(る)
13 澱（おり）
14 惹起（じゃっき）
15 攪乱（かくらん）
16 庇（かば）(い)
17 立錐（りっすい）
18 藁（わら）
19 廟堂（びょうどう）
20 平等（びょうどう）

1 しっかり覚えておくこと。
3 そのことを経験して得られる何ものにも代え難い良き味わい。
8 面倒で何もやりたくないさま。
9 粘土質の土・土地。「埴生の宿」は土を塗った粗末な家を意味する。
15 平穏な状況に刺激を与えて混乱させ騒動を起こさせること。
19 王宮の政殿。政治を行うところ。

(六) 誤字訂正

グレーの部分は解答の補足です　各2点 計10点

	〔誤〕		〔正〕
1	報起	→	蜂起
2	差少	→	些少
3	放盗	→	放蕩
4	蛮回	→	挽回
5	安度	→	安堵

(七) 四字熟語

各2点 計30点

グレーの部分は解答の補足です

問1 各2点／計20点

1 栄耀栄華（えいようえいが）
2 粟散辺地（ぞくさんへんち）
3 百伶百利（ひゃくれいひゃくり）
4 碩師名人（せきしめいじん）
5 胡孫入袋（こそんにゅうたい）
6 情緒纏綿（じょうしょてんめん）
7 辛苦遭逢（しんくそうほう）
8 清濁併呑（せいだくへいどん）
9 無知蒙昧（むちもうまい）
10 竜跳虎臥（りょうちょうこが）

1 華やかに栄えること。「栄耀」は「えよう」とも読む。
2 粟粒を散らしたような辺境の小国。
3 たいへん賢く利発なさま。
4 大学者や名士のこと。
5 官職に就いて束縛されるたとえ。「胡孫」は猿。
6 いつまでも心にまつわりついて離れない感情。
7 辛く苦しい目にあうこと。
8 度量が広く、どんなものでも受け入れること。
9 知識がなく、物事の道理にくらいこと。
10 縦横自在な筆勢、書風のたとえ。

問2 各2点／計10点

1 いしゅう
2 せんもく
3 そくえん
4 あいこう
5 せんけい

(八) 対義語・類義語

各2点 計20点

グレーの部分は解答の補足です

1 愚鈍（ぐどん）⇔犀利（さいり）
2 怠惰（たいだ）⇔屑屑（せつせつ）
3 野鳥（やちょう）⇔家禽（かきん）
4 公平（こうへい）⇔偏頗（へんぱ）
5 下向（げこう）⇔上洛（じょうらく）
6 月日（つきひ）＝烏兎（うと）
7 抑止（よくし）＝牽制（けんせい）
8 猛進（もうしん）＝猪突（ちょとつ）
9 庶民（しょみん）＝蒼生（そうせい）
10 突然（とつぜん）＝卒爾（そつじ）・率爾（そつじ）

1 頭の働きが鋭い意。
2 つとめ励むさま。
3 鶏など家で飼う鳥。
8 一気に突進する意。
10 にわかに。「爾」は修飾語に添える助字。

(九) 故事・諺

各2点 計20点

グレーの部分は送りがなです

1 反哺（はんぽ）
2 五斗米（ごとべい）
3 僻目（ひがめ）
4 凌雲（りょううん）
5 叩（たた）（く）
6 不倶（ふぐ）
7 儲（もう）（けぬ）
8 一粟（いちぞく）
9 全豹（ぜんぴょう）
10 兜（かぶと）（冑（かぶと））

1 烏は育ててくれた恩に報いるため年取った親に口移しで餌を食べさせることから、孝心の大切さのたとえ。
2 わずかな俸禄を得るために上役のごきげんを取ること。
3 親は我が子がかわいい余り実際よりよく見ようとするが、他人はその逆であるということ。「僻目」は偏見。
4 雲をしのぐような目覚ましい出世をしたいという志。
5 師弟の問答は鐘のようで、問いかけの大小に応じて師の答にも大小があるということ。
6 殺してもあきたりないような憎い敵のこと。「不倶戴天」は「倶（とも）には天を戴（いただ）かず」と読む。
8 きわめて小さいことのたとえ。
9 一部分から全体をおしはかる意。「一斑」は豹の毛皮のひとつの模様。相手が狭い判断をした場合などに用いる。
10 戦いに勝ったからといって油断は禁物、成功した後は更に気持ちを引き締めるべきであるということ。

(十) 文章題

グレーの部分は送りがなです

書き取り 各2点／計10点

1 隈隈（くまぐま）・隈々（くまぐま）
2 霞（かすみ）
3 冴（さ）（え）
4 濡（ぬ）（れた）
5 怒濤（どとう）

読み 各1点／計10点

ア あま（る）
イ わた（って）
ウ むら
エ いぬい
オ つら（なって）
カ しず（か）
キ う（え）
ク あし
ケ がま
コ の（し）

1 「隅々」と同じ。
ウ 村里のこと。
エ 北西の方角。
ク 水辺に自生する多年草。「よし」ともいう。
ケ 水辺に自生する多年草。葉は干してすだれやむしろを編む。

問題は本冊 P62~67

(一) 読み

グレーの部分は送りがなです　各1点 計30点

1 えんけん
2 えこう
3 じゅんち
4 たんでき
5 しょびょう
6 すいたい
7 えんおう
8 ざっぱく
9 さんてん
10 けいぶん
11 おうせん
12 ていふつ
13 けつがん
14 りんず
15 ぐれん
16 けいつい
17 かんし
18 わいきょく
19 ようしゅん ようじゅん
20 かしょく
21 さきがけ
22 とまや
23 ときいろ
24 もてな(し)
25 うめ
26 あく
27 こうじ
28 おひれ
29 すこぶ(る)
30 つま

1 いかり肩。トビの姿に似た角張った肩。
2 死者の供養をして冥福を祈ること。
14 紋様を浮き織りにした厚手で光沢のある絹織物。
20 樺の皮で蠟を巻いて作った灯。
23 淡紅色のこと。トキの羽の色。

(二) 表外の読み

グレーの部分は送りがなです　各1点 計10点

1 ことさら
2 なんなん(とする)
3 にく(まれ)
4 ととの(え)
5 しばしば
6 しお(れて)
7 すさ(び)
8 すす(ぐ) そそ(ぐ)
9 ふ(んで)
10 よぎ(る)

(三) 熟語の読み・一字訓読み

グレーの部分は送りがなです　各1点 計10点

ア 1 りゅうてき 2 したた(る)
イ 3 ぼうとく 4 けが(す)
ウ 5 いんか 6 ゆる(す)
エ 7 きんぼ 8 うやま(う)
オ 9 いくぶん 10 さか(ん)

1 しずくがおちること。
3 神聖、清純なものをおかしけがすこと。
9 文化、文物が盛んなこと。

(四) 共通の漢字

各2点 計10点

1 魂(こん)
2 攻(こう)
3 丁(ちょう)
4 盤(ばん)
5 包(ほう)

(五) 書き取り

グレーの部分は送りがなです　各2点 計40点

1 投函(とうかん)
2 箔(はく)
3 杜撰(ずさん)
4 靴篦(くつべら)
5 襖(ふすま)
6 豹(ひょう)
7 抜擢(ばってき)
8 卒爾(そつじ)
9 慰撫(いぶ)
10 石膏(せっこう)
11 掻(い)(か)
12 斡旋(あっせん)
13 晒(す)・曝(す)(さら)
14 忽(ち)(たちま)
15 柚・柚子(ゆず)
16 鮎(あゆ)
17 巳(み)
18 箕(み)
19 誤算(ごさん)
20 午餐(ごさん)

2 「箔が付く」はあることによって人々の尊敬の念や注目がいっそう集まるようになること。
3 やり方がぞんざいなこと。
8 「卒爾ながら」は突然で失礼ですがの意。
9 なぐさめ、いたわること。
18 穀物を入れて上下に振り動かし混入している殻などを除く道具。

(六) 誤字訂正

グレーの部分は解答の補足です　各2点 計10点

	〔誤〕		〔正〕
1	都列	↓	堵列
2	造啓	↓	造詣
3	帰数	↓	帰趨
4	援蔽	↓	掩蔽
5	強甚 	↓	強靱 

（七） 四字熟語

問1 各2点／計20点

1 一蓮托生（いちれんたくしょう）
2 草茅危言（そうぼうきげん）
3 六菖十菊（りくしょうじゅうぎく）
4 朝盈夕虚（ちょうえいせききょ）
5 良禽択木（りょうきんたくぼく）
6 韓海蘇潮（かんかいそちょう）
7 秋風落莫（しゅうふうらくばく）
8 尭風舜雨（ぎょうふうしゅんう）
9 稲麻竹葦（とうまちくい）
10 暮色蒼然（ぼしょくそうぜん）

問2 各2点／計10点

1 へいせん
2 うはく
3 くにく
4 かくじゅ
5 そせつ

グレーの部分は解答の補足です　各2点 計30点

1 仲間と行動や運命を共にすること。
2 国政に対する民間の批判の声。
3 適切な時機が過ぎてしまい、役に立たないこと。
4 人生の無常をいう語。「虚」は「盈」の対語。
5 賢者は立派な主人を選んで仕えるということ。
6 唐の韓愈（かんゆ）と北宋の蘇軾（そしょく）の文体を評した語。
7 秋風が吹いて、もの寂しいさま。
8 天下泰平の世の中。風雨は聖天子の恵み。
9 多くのものが入り乱れ、群がっているさま。
10 夕暮れどき、辺りが薄暗くなっていく様子。

（八） 対義語・類義語

グレーの部分は解答の補足です　各2点 計20点

1 着工（ちゃっこう）⇔竣工（しゅんこう）・竣功（しゅんこう）
2 内陸（ないりく）⇔瀕海（ひんかい）
3 平然（へいぜん）⇔狼狽（ろうばい）
4 凝視（ぎょうし）⇔一瞥（いちべつ）
5 天神（てんじん）⇔地祇（ちぎ）
6 過褒（かほう）＝溢美（いつび）
7 大家（たいか）＝碩学（せきがく）
8 群盗（ぐんとう）＝匪賊（ひぞく）
9 満作（まんさく）＝豊穣（ほうじょう）
10 憤激（ふんげき）＝赫怒（かくど）

1 工事の完成。落成。
4 ちらりと見る。
5 地の神。くにつかみ。
6 ほめ過ぎること。
7 大学者。
8 集団で略奪、殺人などをする一味。

（九） 故事・諺

グレーの部分は送りがなです　各2点 計20点

1 咳唾（がいだ）
2 叢雲（むらくも）
3 漆喰（しっくい）
4 喧嘩（けんか）
5 嚢中（のうちゅう）
6 呑舟（どんしゅう）
7 甥（おい）
8 八卦（はっけ）
9 口吻（こうふん）
10 喬木（きょうぼく）

1 何気なく口にした言葉でも珠玉のように美しい。詩文の才能がゆたかであることのたとえ。
2 よいことにはとかく障害が起こりやすいということ。類「花発（ひら）いて風雨多し」
3 漆喰の上にまた漆喰を塗っても剝げてしまうように、借金でつなごうとしても結局続かないということ。
5 袋の中の物を手で探り取るようなものだということ。簡単であることのたとえ。
6 狭い土地に大人物は出ないというたとえ。「呑舟の魚」は舟を丸呑みするような大魚。
7 物事がさかさまであることのたとえ。
9 立派なことを口にすること。詩歌を口に出して詠むこと。
10 学問などが進み、地位が昇進するたとえ。「遷喬」は官吏が出世すること。

（十） 文章題

グレーの部分は送りがなです

書き取り 各2点／計10点

1 偏頗（へんぱ）
2 孜孜（しし）・孜々（しし）
3 蔦（つた）
4 纏（まと）（う）
5 苔（こけ）・蘚（こけ）

読み 各1点／計10点

ア じらい
イ かさ（ねて）
ウ ほぼ
エ よろん
オ けいじつ
カ おお（われ）
キ つら（ね）
ク ときわぎ
ケ まも（り）
コ しょうがい

1 不公平なこと。
2 懸命に励むさま。
ア それ以来。
エ 世間一般の人の意見。
オ 先日。過日。
ク 年間を通して葉が緑である木。常緑樹。

第8回テスト 解答・解説

問題は本冊P68～73

(一) 読み

グレーの部分は送りがなです　各1点 計30点

1 じりつ
2 そうち
3 ぞくりゅう
4 こうう
5 ここう
6 ひせん
7 ろうあしゃ
8 うろん
9 ぜいじゃく
10 てんめん
11 ほてい ほてつ
12 うしゅく
13 らくいん
14 けんりゅう
15 じょじょ

16 けいばく
17 よぼう
18 しょせい
19 しょうあい
20 かんそう
21 みはり
22 こぬかあめ
23 くちす(ぎ)
24 しの
25 かす
26 きぬた
27 みどり
28 さまた(げる)
29 つむぎ
30 たらば

1「論語」の「三十にして立つ」より。
4 大地を潤す恵みの雨。「膏」はうるおす。
5 君主の手足となって働く腹心の部下。
10 からみつくこと。
19 特にかわいがること。
23 生計を立てること。

(二) 表外の読み

グレーの部分は送りがなです　各1点 計10点

1 けづめ
2 まがい
3 はなぶさ
4 きざはし
5 なら(す)

6 しか(と)
7 ただ(しい)
8 いぬい
9 しばら(く)
10 わりあ(て)

(三) 熟語の読み・一字訓読み

グレーの部分は送りがなです　各1点 計10点

ア 1 えんそく　2 せ(く)
イ 3 はいかん　4 こま(かい)
ウ 5 びゅうせつ　6 あやま(る)

エ 7 がいき がいけ　8 せ(く) しわぶ(く)
オ 9 そうしゅう　10 むら(がる)

1 土砂などを積んで水の流れをせきとめること。
3 昔の中国の官職名。
5 まちがった説。
7 せきの出る病気。

(四) 共通の漢字

各2点 計10点

1 援(えん)
2 隔(かく)
3 聴(ちょう)
4 哀(あい)
5 御(ぎょ)

(五) 書き取り

グレーの部分は送りがなです　各2点 計40点

1 兜(かぶと)・甲(かぶと)
2 宥(なだ)(める)
3 毅然(きぜん)
4 溜(た)(め)
5 扮装(ふんそう)
6 首魁(しゅかい)
7 柊(ひいらぎ)

8 駿馬(しゅんめ)
9 正鵠(せいこく)
10 林檎(りんご)
11 芥子(けし)
12 鼠(ねずみ)
13 呑舟(どんしゅう)
14 馴染(なじ)(んだ)

15 堵列(とれつ)
16 簾(すだれ)
17 蔦(つた)
18 諫言(かんげん)
19 管絃(かんげん)・管弦(かんげん)
20 還元(かんげん)

7 山地に生える常緑小高木。固い葉の縁に鋭いとげがある。
8 足の速い馬。
9「正鵠を射る(得る)」は要点をついていること。
13「呑舟の魚」は大物のこと。
15 垣根や塀のように横に並んで立つこと。
18 目上の人に過失や誤りを指摘し、改めるよう進言すること。

(六) 誤字訂正

グレーの部分は解答の補足です　各2点 計10点

	〔誤〕		〔正〕
1	華飾	→	華燭
2	環木	→	灌木
3	根跡	→	痕跡
4	走軀	→	走狗
5	駒犬	→	狛犬

(七) 四字熟語

グレーの部分は解答の補足です　各2点 計30点

問1 各2点／計20点

1 梓匠輪輿（ししょうりんよ）
2 桂冠詩人（けいかんしじん）
3 旭日昇天（きょくじつしょうてん）
4 欣求浄土（ごんぐじょうど）
5 磨穿鉄硯（ませんてっけん）
6 四面楚歌（しめんそか）
7 鱗次櫛比（りんじしっぴ）
8 張三李四（ちょうさんりし）
9 意気軒昂（いきけんこう）
10 矛盾撞着（むじゅんどうちゃく）
矛盾撞著（むじゅんどうちゃく）

1 指物職人や大工、車作りの職人のこと。
2 詩人としての最高の称号。「桂冠」は月桂樹の冠。
3 朝日が昇るように勢いが極めて盛んなさま。
4 極楽往生を心から願い求めること。対「厭離穢土（えどり）」
5 物事を達成するまで強い意志を変えないこと。
6 周囲は全て敵で助けもなく、孤立していること。
7 魚のうろこ、また櫛の歯のように整然と並ぶさま。
8 ありふれた平凡なもの。張も李も中国に多い姓。
9 元気にあふれ、威勢のよい様子。類「意気衝天」
10 二つの事柄が論理的に食い違っていること。

問2 各2点／計10点

1 じが
2 けいせい
3 かくかく
かっかく
4 えきてつ
5 あんせん

(八) 対義語・類義語

グレーの部分は解答の補足です　各2点 計20点

1 敗走（はいそう）⇔凱旋（がいせん）
2 椿庭（ちんてい）⇔萱堂（けんどう）
3 仕官（しかん）⇔帰臥（きが）
4 混同（こんどう）⇔峻別（しゅんべつ）
5 緊張（きんちょう）⇔弛緩（しかん）
6 軽率（けいそつ）＝粗忽（そこつ）
7 紛争（ふんそう）＝悶（捫）着（もんちゃく）
悶（捫）著（もんちゃく）
8 容赦（ようしゃ）＝寛恕（かんじょ）
9 精通（せいつう）＝知悉（ちしつ）
10 養育（よういく）＝鞠育（きくいく）

2 母。「椿庭」は父。
3 官職を辞して帰郷すること。
4 厳しく区別する意。
6 そそっかしいこと。
7 もめごと。
8 寛大に許すこと。
9 詳しく知っていること。

(九) 故事・諺

グレーの部分は送りがなです　各2点 計20点

1 藁（わら）
2 鴻毛（こうもう）
3 鼎（かなえ）
4 袈裟（けさ）
5 莫逆（ばくぎゃく）（ばくげき）
6 浩然（こうぜん）
7 白袴（しろばかま）
8 蜘蛛（くも）・蜘（くも）・蛛（くも）
9 蓬莱（ほうらい）
10 蚊虻（ぶんぼう）

2 おおとりの軽い羽毛を炭火で焼けば、すぐ燃え尽きてしまうことから、物事の処理がきわめて簡単であることのたとえ。
3 宗廟の重要な祭器で、王位や権威の象徴。統治者に取って代わり天下を奪おうとするたとえ。
4 報酬が少ないと仕事に熱が入らないというたとえ。
5 「逆らうこと莫（な）し」と読み、反対しない意。気持ちが寄りそった親密な友人。
6 何ものにもとらわれない、のびのびと広く豊かな心持ちになること。
7 人のために忙しくしていて、自分のために持てる技術を使う暇がないこと。「医者の不養生」など同じ意味の諺は多い。
9 長生きすればこそ、意外な幸運にも巡りあえるということ。
10 弱小なものが強大なものを制するたとえ。

(十) 文章題

グレーの部分は送りがなです

書き取り 各2点／計10点

1 跨（また）（がり）
2 危殆（きたい）
3 沈澱（ちんでん）・沈殿（ちんでん）
4 禾穀（かこく）
5 荒蕪（こうぶ）

読み 各1点／計10点

ア な（して）
イ きょうじょう
ウ したが（い）
エ でんばた
たはた
オ そそ（ぐ）
カ かくき
こうき
キ そもそも
ク てんめん
ケ さくそう
コ すなわ（ち）

2 非常に危険なこと。
4 イネなどの穀物。
5 土地が荒れて草が生い茂ること。
イ 驚きみだれること。
カ かきまぜ、まぜ返すようにすること。
キ いったい。
ク 複雑に絡み合うこと。

問題は本冊 P74~79

(一) 読み

グレーの部分は送りがなです　各1点 計30点

1 けんどう
2 けいしょう
3 ろくろく
4 かちょう
5 こうらい
6 くり
7 うんじ
8 はいのう
9 だいおう
10 きゅうあい
11 けんきょう
12 じんこう / じんく
13 おうりょくこう
14 へいどん
15 えんそくこ
16 しくん
17 してき
18 けんこん
19 きか
20 こうじょう
21 よみ(する)
22 な(め)
23 いなが(ら)
24 つむ
25 きろめーとる
26 くさむら
27 さじ
28 はに
29 ひえ
30 いよいよ

1 母のこと。「椿庭」は父。
3 したたり落ちるさま。
5 荒れ地のこと。「莱」も荒れ地。
9 父が子に対して用いる一人称。
12 世俗のわずらわしさ。俗事。
20 川や沼地。

(二) 表外の読み

グレーの部分は送りがなです　各1点 計10点

1 あずか(り)
2 しるし
3 まも(る)
4 ひっさ(げて)
5 なず(まない)
6 たまたま
7 しんがり
8 ひとえ
9 まみ(れて)
10 おさ(める)

(三) 熟語の読み・一字訓読み

グレーの部分は送りがなです　各1点 計10点

ア 1 きかん　2 のぞ(く)
イ 3 さしゅ / さす　4 こまね(く) / こまぬ(く)
ウ 5 ずいじょう　6 みの(る)
エ 7 たくぼく　8 ついば(む)
オ 9 ぼくせい　10 やわ(らぐ)

1 細い管から天を見る。見識の狭いこと。
3 手出しをしないこと。
7 キツツキのこと。「啄木鳥」とも書く。
9 清らかでおだやか。

(四) 共通の漢字

各2点 計10点

1 系（けい）
2 昔（せき）
3 養（よう）
4 比（ひ）
5 促（そく）

(五) 書き取り

グレーの部分は送りがなです　各2点 計40点

1 篠突（しのつ）(く)
2 厭世観（えんせいかん）
3 按摩（あんま）
4 尾鰭（おひれ）
5 汲汲（きゅうきゅう）・汲々（きゅうきゅう）
6 鋸（のこぎり）
7 紫蘇（しそ）
8 歪（ゆが）(ませ)
9 片鱗（へんりん）
10 賑（にぎ）(わせ)
11 詫（わ）(びる)
12 煤（すす）(けた)
13 俄（にわ）(か)
14 背馳（はいち）
15 漕（こ）(いで)
16 先鞭（せんべん）
17 桂冠（けいかん）
18 舵（かじ）
19 石鹸（せっけん）
20 節倹（せっけん）

1 篠竹を束ねて突くように激しく降ること。
5 そのことだけで精一杯で他を顧みる余裕が無いこと。
9 高い水準を窺わせる一端の意。
14 正しい立場や基準に背くこと。
16「先鞭をつける」は他に先んじて着手すること。
17「桂冠詩人」は当代随一の詩人。
20 無駄をなくし質素にすること。

(六) 誤字訂正

グレーの部分は解答の補足です　各2点 計10点

	〔誤〕		〔正〕
1	筆生	→	畢生
2	挑残	→	凋残
3	垂蓮	→	垂簾
4	璧眼	→	碧眼
5	鍵	→	鉤

(七) 四字熟語

各2点 計30点

グレーの部分は解答の補足です

問1 各2点／計20点

1 郁郁青青（いくいくせいせい）
2 盈盈一水（えいえいいっすい）
3 迦陵頻伽（かりょうびんが）
4 狐死首丘（こししゅきゅう）
5 全豹一斑（ぜんぴょういっぱん）
6 百尺竿頭（ひゃくせきかんとう）
7 熱願冷諦（ねつがんれいてい）
8 天神地祇（てんじんちぎ）
9 浮花浪蕊（ふかろうずい）
10 加持祈禱（かじきとう）

1 草が青く生い茂り、よい香りを漂わせているさま。
2 愛する人に逢えない辛さのたとえ。
3 美しい声、また声が非常に美しいもののたとえ。
4 故郷を忘れないことのたとえ。
5 一部だけを見て全体を類推、批評するたとえ。
6 到達することのできる最高点。
7 熱心に願うことと、冷静に本質を見極めること。
8 天の神と地の神。すべての神々。
9 取り柄のない平凡なもののたとえ。
10 病気や災難を除くため、神仏の加護を祈ること。

問2 各2点／計10点

1 ほうよく
2 らくよう
3 たいと
4 あふ
5 ほうしん

(八) 対義語・類義語

各2点 計20点

グレーの部分は解答の補足です

1 必然（ひつぜん）⇔蓋然（がいぜん）
2 僅少（きんしょう）⇔莫大（ばくだい）
3 定住（ていじゅう）⇔僑寓（きょうぐう）
4 有能（ゆうのう）⇔樗材（ちょざい）
5 出立（しゅったつ）⇔逗留（とうりゅう）

6 払拭（ふっしょく）＝一掃（いっそう）
7 学生（がくせい）＝青衿（せいきん）
8 洗脳（せんのう）＝啓蒙（けいもう）
9 早道（はやみち）＝捷径（しょうけい）
10 兆候（ちょうこう）＝萌芽（ほうが・ぼうが）

1 ある程度確かであること。
3 仮住まい。旅住まい。
7 昔の中国の学生の服装から。
10 芽生え。転じて、物事のきざし。

(九) 故事・諺

各2点 計20点

グレーの部分は送りがなです

1 恢恢（かいかい）
2 怯（きょう）
3 庖厨（ほうちゅう）
4 屋烏（おくう）
5 蚤（のみ）
6 鶯（うぐいす）
7 煽（あお）（り）
8 御簾（みす）
9 繋（つな）（がれ）
10 李下（りか）

1 天の網は目が粗いようでも取りこぼしがない。天道は厳正で悪人を見逃さないということ。
2 本当の勇者は軽率に人と争わないので、一見臆病のように見える。同様に本当の知恵者は小賢しい知恵を働かせないので、一見愚者のように見える。
3 君子は仁愛の心が強いため、生きものが殺されて料理されるのを憐れみ、台所には近寄らないということ。類「君子は庖厨を遠ざく」
5 非常に小さなもののたとえ。
6 両者が調和して絵になる、よい取り合わせ。類「柳に燕」
8 意のままにならず、もどかしいたとえ。
9 一度死んだら生き返らないように、縁も一度切れたら繋ぐことはできないということ。
10 李の木の下で曲がった冠を直そうと手を上げると、李をとったと疑われる。疑惑を呼ぶ行動はすべきでないという教え。「瓜田に履（くつ）を納（い）れず」に続き、「瓜田李下」という四字熟語にもなっている。

(十) 文章題

グレーの部分は送りがなです

書き取り 各2点／計10点

1 接吻（せっぷん）
2 哉（かな）・乎（かな）
3 霞（かすみ）
4 林檎（りんご）
5 塵芥（じんかい）

読み 各1点／計10点

ア うち
イ もてあそ（び）
ウ かつ（て）
エ こうじ
オ らんぺき
カ かれ
キ お（わり）
ク ゆえん
ケ なかれ
コ しぶき

2 詠嘆の助字。
エ ミカン科常緑低木。果実はミカンより小さい。
オ あおみどり色。
カ「彼」に同じ。
ク 理由。わけ。
ケ 禁止を表す語。
コ「あわ」とも読む。

問題は本冊 P80~85

(一) 読み

グレーの部分は送りがなです　各1点 計30点

1 じょうし
2 せいてつ
3 かくしゃく
4 ちょうじ
5 けいがん
6 るじ
7 せつせつ
8 えいじょう
9 こうりょう
10 しょうたく
11 こうざ
12 とうい
13 しゅうしゅう
14 しゅんとう
15 こちゅう
16 そんよ
17 あとぶつ
18 ゆうぶつ
19 しゅくせい
20 しれい
21 めでた(い)
22 もみす(り)
23 あざむ(かれた)
24 そばだ(つ)
25 いんち
26 おもかじ
27 かさ
28 うば
29 かのえたつ
30 つたかずら

7 せわしく働くさま。
8 城を取り囲むこと。
15 俗世間を忘れさせる別世界。
16 「巽与の言」は、やさしく人に逆らわない言葉。人にゆずる言葉。
17 銭のこと。「阿堵」はものを指示する語。

(二) 表外の読み

グレーの部分は送りがなです　各1点 計10点

1 ただ(す)
2 うつ(ろ)
3 やや
4 かくま(い)
5 たむろ
6 にび
7 くだん
8 しお
9 たが(える)
10 きわ(まった)

(三) 熟語の読み・一字訓読み

グレーの部分は送りがなです　各1点 計10点

ア 1 てんめん　2 まつ(わる)
イ 3 そうじゅん　4 めぐ(る)
ウ 5 ぜいみ　6 やわ(らかい)
エ 7 がんしょう　8 あなど(る)
オ 9 えんゆう　10 おお(う)

3 十日間の意。
5 やわらかく、うまい味。
7 あなどり笑うこと。

(四) 共通の漢字

各2点 計10点

1 散(さん)
2 布(ふ)
3 疎(そ)
4 興(こう)
5 騰(とう)

(五) 書き取り

グレーの部分は送りがなです　各2点 計40点

1 接吻(せっぷん)
2 体軀(たいく)
3 挺(てい)(して)
4 旧套(きゅうとう)
5 桶(おけ)
6 揺曳(ようえい)
7 蔓延(まんえん)
8 彫琢(ちょうたく)
9 逸(そ)(らし)
10 鷹揚(おうよう)
11 燦燦・燦々(さんさん)
12 跨(また)(いで)
13 狛犬(こまいぬ)
14 勿(なか)(れ)
15 燕尾(えんび)
16 葦(あし)
17 些少(さしょう)
18 査証(さしょう)
19 偲(しの)(んで)
20 忍(しの)(んで)

3 使命感に駆られて他に先んじて事を行うこと。
4 古い形式。ありきたりのやり方。
8 文章などをより立派なものにしようと工夫すること。
10 ゆったりとしたさま。
15 「燕尾服」は裾が燕の尾のように割れている男子用夜会服。
17 わずかなこと。
18 旅券の裏書証明。ビザ。

(六) 誤字訂正

グレーの部分は解答の補足です　各2点 計10点

	〔誤〕		〔正〕
1	憩留	→	繋留・係留
2	題醐味	→	醍醐味
3	芳順	→	芳醇
4	俊元	→	俊彦
5	厭しい	→	賤しい・卑しい

(七) 四字熟語

各2点　計30点

グレーの部分は解答の補足です

問1　各2点／計20点

1 一碧万頃（いっぺきばんけい）
2 鎧袖一触（がいしゅういっしょく）
3 阿鼻叫喚（あびきょうかん）
4 瓦釜雷鳴（がふらいめい）
5 鞭声粛粛（べんせいしゅくしゅく）
6 門前雀羅（もんぜんじゃくら）
7 史魚屍諫（しぎょしかん）
8 紫電一閃（しでんいっせん）
9 沈魚落雁（ちんぎょらくがん）
10 一世木鐸（いっせいぼくたく）

1 海などの水面が青々と広がっていること。
2 簡単に相手を打ち負かしてしまうこと。
3 地獄の責め苦のように非常にむごたらしいさま。
4 能力のない者が得意気に威張り散らすさま。
5 相手に気付かれぬよう静かに馬に鞭を当てるさま。
6 訪ねて来る人もなく、人の往来もない寂しいさま。
7 自分の屍で主君を諫めた故事に基づく語。
8 研ぎ澄ました刀を振ったときの一瞬のひらめき。
9 美人の形容。
10 世の中の人々を教え導く人のたとえ。

問2　各2点／計10点

1 たいろう
2 えんじ
3 もうちゅう
4 ていしん
5 てんぷう

(八) 対義語・類義語

各2点　計20点

グレーの部分は解答の補足です

1 出陣（しゅつじん）⇔按兵（あんぺい）
2 蓄積（ちくせき）⇔蕩（盪）尽（とうじん）
3 失神（しっしん）⇔蘇生（そせい）
4 賢明（けんめい）⇔檮昧（とうまい）
5 還俗（げんぞく）⇔剃髪（ていはつ）・薙髪（ていはつ）

6 極意（ごくい）＝秘訣（ひけつ）
7 苦悩（くのう）＝煩悶（はんもん）
8 容赦（ようしゃ）＝宥恕（ゆうじょ）
9 雌雄（しゆう）＝牝牡（ひんぼ）
10 花畑（はなばたけ）＝花圃（かほ）

1 兵を抑えとどめること。
2 使い果たすこと。
5 仏門に入ること。「還俗」は出家した者が俗世にかえること。
8 寛大にゆるすこと。

(九) 故事・諺

各2点　計20点

グレーの部分は送りがなです

1 杓子（しゃくし）
2 掻（か）(き)
3 八朔（はっさく）
4 朋友（ほうゆう）
5 杵柄（きねづか）
6 逆鱗（げきりん）
7 藍田（らんでん）
8 有卦（うけ）
9 巧詐（こうさ）
10 蠟燭（ろうそく）

1 できるはずもないこと。形式だけのこと。
3 陰暦八月一日である八朔を過ぎると稲の収穫で忙しくなる。のんびり麦まんじゅうを食べるのはおしまいということ。
4 「六親」は父母兄弟妻子。または父母兄弟夫婦。友人は六親と同じくらい大切だということ。
5 若いころ修練した能力。年を取っても衰えない腕前。
6 目上の人を怒らせること。「逆鱗」は竜の顎の下に逆さに生えているという鱗。ここに触れると竜に殺されることから、元は天子の怒りをいう。
7 中国陝西（せんせい）省にある美玉の産地。すぐれた家からすぐれた子弟が出ることのたとえ。
8 当分続きそうな幸運に巡り合うこと。
9 巧みにごまかすことは、拙くとも誠実な言動には及ばない。拙誠の方が勝っているということ。
10 自分を犠牲にして人のために尽くすことのたとえ。

(十) 文章題

グレーの部分は送りがなです

書き取り　各2点／計10点

1 竹竿（たけざお）
2 樫（かし）
3 藤蔓（ふじづる）
4 強（こわ）(き)
5 繋（つな）(ぐ)

読み　各1点／計10点

ア くびすじ
イ ま(いて)
ウ か(く)
エ うなじ
オ まま
カ おお(い)
キ また
ク ひとえ
ケ もっと(も)
コ しか(り)

4 かたいこと。
エ 首すじのこと。
ク 裏地をつけない着物。初夏から初秋にかけて着る。対袷（あわせ）。
ケ きわめて。とりわけ。
コ そうであるの意。

(一) 読み

グレーの部分は送りがなです　各1点 計30点

1 しゅんげん
2 ひまつ
3 えんがい
4 きゅうしゃ
5 しい しゅい
6 ひご
7 けいこつ
8 かっぷく
9 ぼしん
10 わくもん
11 びほうさく
12 ほひつ
13 しょうしゃ
14 ちしつ
15 ひっきん
16 おういつ
17 ごふん
18 じきょう
19 びょうどう
20 きゅう
21 にら
22 さば(けた)
23 いささ(か)
24 えびすがね
25 くりや
26 ひる(んだ)
27 かし
28 むす(んで)
29 なだ(める)
30 おお(い)

10「或問形式」は一問一答形式のこと。
13 軍隊が演習先などで泊まるための屋舎。
17 天然のかき殻から取る白色顔料。
18 自ら勉め励むこと。
24 にせがね。にせ小判のこと。
28 両てのひらを合わせて水をすくうこと。

(二) 表外の読み

グレーの部分は送りがなです　各1点 計10点

1 は(ぜる)
2 ま(して)
3 つが(い)
4 とばり
5 ま(つ)
6 し(く)
7 つかさど(った)
8 しか(し)
9 ことづ(け)
10 あ(たった)

(三) 熟語の読み・一字訓読み

グレーの部分は送りがなです　各1点 計10点

ア 1 もうまい　2 くら(い)
イ 3 ほそう　4 し(く)
ウ 5 しゅうぜん　6 つくろ(う)
エ 7 とうり　8 ただ(す)
オ 9 せんご　10 そむ(く)

2 ものの道理にくらい。知識がない。
5 修繕と同じ意味。
7 ただしおさめること。
9 違背すること。また、たがうこと。

(四) 共通の漢字

各2点 計10点

1 壮（そう）
2 喫（きつ）
3 拠（きょ）
4 収（しゅう）
5 荷（か）

(五) 書き取り

グレーの部分は送りがなです　各2点 計40点

1 快哉（かいさい）
2 猛禽（もうきん）
3 縞柄（しまがら）
4 鱒（ます）
5 鷲摑(み)（わしづか）
6 馬蹄（ばてい）
7 微塵（みじん）
8 倭（わ）
9 胡弓（こきゅう）
10 堰（せき）
11 祇園（ぎおん）
12 歩哨（ほしょう）
13 紺碧（こんぺき）
14 轟(く)（とどろ）
15 筏（いかだ）
16 濡(れ)（ぬ）
17 洩・漏(れて)（も）
18 危殆（きたい）
19 鬼胎（きたい）
20 奇態・奇体（きたい）

1「快哉を叫ぶ」は愉快な気分を大声で表すること。
2 小鳥や小動物を捕食する大きい鳥。ワシやタカなど。
9 弓をこすって弾く弦楽器。形は三味線に似てひと回り小さい。
10 水流調節のための仕切り。
12 警戒や監視を任務とする兵。
18 非常にあやういこと。
19 心中のひそかな恐れ。心配。

(六) 誤字訂正

グレーの部分は解答の補足です　各2点 計10点

	〔誤〕		〔正〕
1	険粗	→	険阻
2	亡然	→	呆然
3	泡	→	粟
4	悠容	→	悠揚
5	鉄堅	→	鉄拳

問題は本冊P86~91

(七) 四字熟語

グレーの部分は解答の補足です　各2点　計30点

問1　各2点／計20点

1 九鼎大呂（きゅうていたいりょ）
2 魯魚章草（ろぎょしょうそう）
3 風餐露宿（ふうさんろしゅく）
4 鳴蟬潔飢（めいせんけっき）
5 鳩首凝議（きゅうしゅぎょうぎ）
6 麦秀黍離（ばくしゅうしょり）
7 一飲一啄（いちいんいったく）
8 不失正鵠（ふしつせいこく）
9 甲論乙駁（こうろんおつばく）
10 魚網鴻離（ぎょもうこうり）

1 貴重な物、重要な地位などのたとえ。
2 文字の書き誤り。
3 旅の苦労、野宿の苦しさのこと。
4 気高く潔い人はどんな時にも節操を変えない意。
5 人々が額を集めて熱心に議論するさま。
6 亡国の歎き。殷王朝滅亡後のありさまから。
7 わずかな飲食。分際に応じて自由に生きること。
8 物事の急所・要点を外さないこと。
9 互いに主張し合って議論がまとまらないこと。
10 求めていなかった意外なものが手に入ること。

問2　各2点／計10点

1 がんい
2 えいへい
3 かくぜん
4 はいかん
5 しゃくし

(八) 対義語・類義語

グレーの部分は解答の補足です　各2点　計20点

1 捕縛（ほばく）⇔遁走（とんそう）
2 直行（ちょっこう）⇔迂回（うかい）
3 一斑（いっぱん）⇔全豹（ぜんぴょう）
4 富貴（ふうき）⇔貧賤（ひんせん）
5 艶麗（えんれい）⇔楚楚（そそ）・楚々（そそ）
6 領地（りょうち）＝采邑（さいゆう）
7 友情（ゆうじょう）＝友誼（ゆうぎ）
8 忠告（ちゅうこく）＝諫言（かんげん）
9 密偵（みってい）＝間諜（かんちょう）
10 動向（どうこう）＝趨勢（すうせい）

3 物事の全体の様子。「一斑」は一部分。
6 「采」は知行地。「邑」は村。
7 友人同士のよしみ。
9 スパイのこと。
10 物事のなりゆき。

(九) 故事・諺

グレーの部分は送りがなです　各2点　計20点

1 樽（たる）
2 棲（す）（まず）
3 梁上（りょうじょう）
4 燕雁（えんがん）
5 櫓（ろ）
6 塵（ちり）
7 栴檀（せんだん）
8 櫛（くしけず）（梳）（くしけず）（る）
9 松柏（しょうはく）
10 鋤（すき）

2 すぐれた人物はつまらぬ仕事や地位、環境に甘んじていたりはしないものだということ。
3 泥棒のこと。また、鼠のこともいう。
4 飛ぶ季節が異なることから、人と人が隔てられていること。
5 似たようなものでも習得時間に差があるということ。
6 塵を包んで紐で結んだようなつまらない贈り物でも誠意は表せるということ。
7 将来大成する人物は幼い時からその徴候が見られるというたとえ。「栴檀」は香木の白檀のことで、芽生えの時からよい香りがする。
8 つまらぬことにこだわり、少しも実効が上がらないことのたとえ。「簡して」は髪の毛を一本ずつえらぶ意。
9 「松柏」は常緑樹で一年中緑を保つことから、どんな時にも節操を変えない強い志をいう。
10 よく働く者は健康を保つことのたとえ。柱は虫に食われても、毎日使う鋤は大丈夫であることから。

(十) 文章題

グレーの部分は送りがなです

書き取り　各2点／計10点

1 凱陣（がいじん）
2 長逗留（ながとうりゅう）
3 済済（せいせい）・済々（せいせい）
4 兎（と）
5 垢抜（あかぬ）（け）

読み　各1点／計10点

ア ひたお（し）
イ えんしょう
ウ ちまた
エ いよいよ
オ よ（く）
カ こおどりじゃくやく
キ ことごと（く）
ク ゆう（なる）
ケ おおむ（ね）
コ やや（も）

1 戦いに勝って軍を引き上げること。
3 数が多くて盛んなこと。「サイサイ」とも読む。
5 洗練されていること。
コ 「動もすれば」は、どうかすると。ともすれば。

問題は本冊P92~97

(一) 読み

グレーの部分は送りがなです　各1点 計30点

1 しょうほう
2 しし
3 しかい
4 しゅもく
5 ふせい
6 ほうゆう
7 さいひ
8 りゅうちょう
9 ふんじょう
10 きょうさく
11 かいとく
12 せいち
13 はしゅき
14 こんとう
15 とうたん
16 もりょう
17 ゆうじょう
18 ひんぴん
19 きんぎょう
20 じゅせん
21 かき
22 ぬき(んでて)
23 きこり
24 さら(す)
25 よ(り)
26 しゃく(う)
27 やり
28 くまざさ
29 もり
30 ひいらぎ

1 勝利の知らせ。
2 熱心に休みなく励むさま。
5 人に詩文の添削を頼むときの謙譲語。
12 官職を離れて静かに暮らすこと。
15 むさぼりとること。
18 外形、実質ともに備わっていること。

(二) 表外の読み

グレーの部分は送りがなです　各1点 計10点

1 ないがし(ろ)
2 うた(た)
3 なにがし
4 ゆる(されて)
5 みだ(り)
6 つづま(やか)
7 おび(き)
8 くみ(して)
9 あらかじ(め)
10 まか(り)

(三) 熟語の読み・一字訓読み

グレーの部分は送りがなです　各1点 計10点

ア 1 とうよう　2 うご(く)
イ 3 ちゅうしゃく　4 ときあか(す)
ウ 5 そうき　6 はや(い)
エ 7 ぶじ　8 あ(れる)・みだ(れる)
オ 9 まんせい　10 はびこ(る)

1 ゆれ動くこと。
4 意味がよく分かるよう説明すること。
5 早起きのこと。「早」と同音なので「はやい」の意がある。

(四) 共通の漢字

各2点 計10点

1 尋(じん)
2 紋(もん)
3 踏(とう)
4 斉(せい)
5 担(たん)

(五) 書き取り

グレーの部分は送りがなです　各2点 計40点

1 外套(がいとう)
2 瓢箪(ひょうたん)
3 糟糠(そうこう)
4 撒(ま)(き)
5 編纂(へんさん)
6 卵塔(らんとう)・蘭塔(らんとう)
7 脊椎(せきつい)
8 錯綜(さくそう)
9 頗(すこぶ)(る)
10 籾殻(もみがら)
11 霞(かすみ)
12 誼(よしみ)
13 綴(つづ)(る)
14 屍(かばね)
15 壺(つぼ)
16 玉葱(たまねぎ)
17 煽(おだ)(て)
18 禽獣(きんじゅう)
19 嵩(かさ)
20 笠(かさ)

2「瓢箪から駒」は起こるはずもないことが起こること。
3「糟糠の妻」は貧しいとき苦労を共にした妻。
6 卵形に作った塔婆。「卵塔場(蘭塔場)」は墓地。
12 何らかの縁でつながり、頼みをすげなく断れない関係。
20「笠に着る」は権勢のあるものをたのんで威張ること。

(六) 誤字訂正

グレーの部分は解答の補足です　各2点 計10点

	〔誤〕		〔正〕
1	遺浪	→	遺漏
2	可恋	→	可憐
3	跳児	→	寵児
4	口奮	→	口吻
5	線光	→	閃光

（七）四字熟語

グレーの部分は解答の補足です　各2点　計30点

問1　各2点／計20点

1 天佑神助（てんゆうしんじょ）
2 鵠面鳥形（こくめんちょうけい）
3 凋零磨滅（ちょうれいまめつ）
4 剃髪落飾（ていはつらくしょく）
5 飛兎竜文（ひとりゅうぶん）
6 未来永劫（みらいえいごう）
7 衡陽雁断（こうようがんだん）
8 七堂伽藍（しちどうがらん）
9 竹頭木屑（ちくとうぼくせつ）
10 動静云為（どうせいうんい）

1 天や神のご加護。類「神佑天助」
2 飢えてやせ衰えている姿。類「鵠面鳩形」
3 文物などが滅びてなくなること。
4 髪をそって出家すること。
5 才能のある優秀な子供。「飛兎・竜文」は共に駿馬。
6 これから先の果てしなく長い年月。類「万劫末代」
7 音信が途絶えることのたとえ。
8 主要な七つの建物がそろっている大寺院。
9 役に立たないようなものでも粗末にしないこと。
10 立ち居振る舞いと発言。言動のこと。

問2　各2点／計10点

1 えんがん
2 ばんしょ
3 きんそう
4 かしん
5 しょうぼく

（八）対義語・類義語

グレーの部分は解答の補足です　各2点　計20点

1 強硬（きょうこう）⇔荏弱（じんじゃく）
2 至近（しきん）⇔遼遠（りょうえん）
3 号泣（ごうきゅう）⇔雀躍（じゃくやく）
4 酷暑（こくしょ）⇔祁寒（きかん）
5 悪臭（あくしゅう）⇔馨香（けいこう）
6 頑丈（がんじょう）＝強靭（きょうじん）
7 前駆（ぜんく）＝先鞭（せんべん）
8 教導（きょうどう）＝木鐸（ぼくたく）
9 出航（しゅっこう）＝抜錨（ばつびょう）
10 粗略（そりゃく）＝忽諸（こっしょ）

4 とても寒いこと。
5 かぐわしい香り。
6 しなやかな強さ。
7 人より先に着手すること。
10 おろそかにすること。

（九）故事・諺

グレーの部分は送りがなです　各2点　計20点

1 阿漕（あこぎ）
2 焚（た）（かず）
3 漉（こ）（濾（こ））（し）
4 洛陽（らくよう）
5 太牢（たいろう）・大牢（たいろう）
6 淵（ふち）
7 溜（だ）（め）
8 鈍（なま）（り）
9 耽（ふけ）（る）
10 弥陀（みだ）

1 隠し事も度重なれば遂には知られてしまうことのたとえ。「阿漕ケ浦」は今の三重県の地名。伊勢神宮に供える魚を捕るため禁漁地だったが、禁を犯して網を引いた者が罰せられた伝説から。
2 良くも悪くもない、また役に立たないが害もない、ごく平凡であることのたとえ。
4 本の評判が高く、よく売れること。ある書の評判がよく、洛陽の人々が争って書き写したため紙の値段が上がった故事から。
5 盛大な（肉類のそろった）ご馳走のこと。「太牢（大牢）」は古代中国で天子が土地の神と五穀の神を祭るときの供え物（いけにえ）で、牛・羊・豚の三種。
6 用心のため初めに試してみて危険を知るたとえ。
10 世の中はすべて金で解決するということ。類「地獄の沙汰も金次第」

（十）文章題

グレーの部分は送りがなです

書き取り　各2点／計10点

1 藪（やぶ）
2 蒔絵（まきえ）
3 寵愛（ちょうあい）
4 倦（う）（倦（う））（む）
5 鞠（まり）（毬（まり））

読み　各1点／計10点

ア かいわい
イ たちまち
ウ りんぱ
エ なおさら
オ かたち
カ さか（しき）
キ もと（より）
ク あめ
ケ かるた
コ さなが（ら）

2 漆の上に金銀粉等で模様を表す漆工美術。
3 特別に愛すること。
4 飽きること。
ア その辺り一帯。
ウ 尾形光琳の流れを汲む美術工芸の一派。
コ まるで。ちょうど。

準1級 第13回 テスト 解答・解説

問題は本冊 P98~103

(一) 読み

各1点 計30点　グレーの部分は送りがなです

1 ほけい
2 うつぜん
3 とくひつ
4 かいてい
5 ちょうちょう
6 ずさん
7 じょうし
8 けんしょく
9 しっぴ
10 うろ
11 りつれつ
12 きゅうたん／きゅうだん
13 しゃくじょう
14 てっつい
15 ろくさい
16 だいじょうえ
17 かくど
18 ちょぎゅう
19 すいれん
20 ふそう
21 かす(めて)
22 すわえ／しもと
23 くちひげ
24 とどまつ
25 めぐ(み)
26 まこと
27 さかき
28 こけ
29 たつみ
30 むくどり

10 黒いカラスと白いサギ。転じて囲碁のこと。
12 はやい流れ。「灘」は水が奔流する所。
15 枝付きの木や竹で作った逆茂木。
16 天皇が即位後初めて行う新嘗祭。
22 細く長く伸びた若い小枝。

(二) 表外の読み

各1点 計10点　グレーの部分は送りがなです

1 そもそも
2 あらた(める)
3 ことわり
4 かど
5 いずく(んぞ)
6 じょう
7 かな(う)
8 すだ(く)
9 つぶさ(に)
10 にわ(かに)

(三) 熟語の読み・一字訓読み

各1点 計10点　グレーの部分は送りがなです

ア 1 かんし　2 いさ(める)
イ 3 すうせい　4 おもむ(く)
ウ 5 びゅうせつ　6 あやま(る)
エ 7 よぼう　8 おお(い)
オ 9 ししゅ　10 はか(る)

3 世の中のなりゆき。動向。
7 多くの人から寄せられている期待。人望。
9 はかり相談すること。「諮」もはかる意。

(四) 共通の漢字

各2点 計10点

1 泉(せん)
2 縁(えん)
3 顧(こ)
4 邦(ほう)
5 隷(れい)

(五) 書き取り

各2点 計40点　グレーの部分は送りがなです

1 蓋(し)［けだ］
2 撞着［どうちゃく］・撞著［どうちゃく］
3 湿疹［しっしん］
4 嚙(んで)［か］
5 菩提［ぼだい］
6 葡萄［ぶどう］
7 緊縛［きんばく］
8 蒔絵［まきえ］
9 黛［まゆずみ］
10 喧(しい)［かまびす］
11 八幡［はちまん］
12 茜［あかね］
13 溢(れた)［あふ］
14 芳醇［ほうじゅん］
15 粟［あわ］
16 牢乎［ろうこ］
17 屑［くず］
18 葛［くず］
19 芙蓉［ふよう］
20 浮揚［ふよう］

1 まさしく。
2 つじつまが合わないこと。矛盾。
5「菩提を弔う」は死者の冥福を祈ること。
8 日本独自の漆工芸。
14 酒などの香りがよく、深い味わいがあること。
15「粟立つ」は恐ろしさや寒さのために肌が粒立つこと。
16 固いさま。しっかりしたさま。

(六) 誤字訂正

各2点 計10点　グレーの部分は解答の補足です

	〔誤〕		〔正〕
1	渡絶	↓	杜絶・途絶
2	猛菌類	↓	猛禽類
3	歩装	↓	鋪装・舗装
4	要兵	↓	傭兵
5	鐘叩き	↓	鉦叩き

（七）四字熟語

各2点／計30点

グレーの部分は解答の補足です

問1　各2点／計20点

1 卿相雲客（けいしょううんかく）
2 啐啄同時（そったくどうじ）
3 鷹視狼歩（ようしろうほ）
4 邑犬群吠（ゆうけんぐんばい）
5 鳶飛魚躍（えんぴぎょやく）
6 臥薪嘗胆（がしんしょうたん）
7 錦心繡口（きんしんしゅうこう）
8 虚心坦懐（きょしんたんかい）
9 純真無垢（じゅんしんむく）
10 紫幹翠葉（しかんすいよう）

1 公卿や殿上人のこと。高位高官。類「月卿雲客」
2 逃すことの出来ない絶好の機会。
3 猛々しく残忍な人物の形容。
4 小人が集まって噂話などを盛んに言い合うたとえ。
5 万物がそれぞれ所を得て、自由に楽しむこと。
6 目的達成のため苦難に耐えること。
7 詩文の才能にすぐれていることのたとえ。
8 心にわだかまりがなく、さっぱりしていること。
9 汚れなく純真で清らかなさま。類「純情可憐」
10 青々とした美しい山の景色の形容。

問2　各2点／計10点

1 しゅんあ
2 しざん
3 とうり
4 こうもう
5 らいごう

（八）対義語・類義語

各2点／計20点

グレーの部分は解答の補足です

1 同調（どうちょう）⇔反駁（はんばく）
2 駄馬（だば）⇔駿馬（しゅんめ）
3 伶利（れいり）⇔魯鈍（ろどん）
4 老練（ろうれん）⇔黄吻（こうふん）
5 不幸（ふこう）⇔休禎（きゅうてい）
6 要点（ようてん）＝正鵠（せいこく）
7 夕食（ゆうしょく）＝晩餐（ばんさん）
8 手紙（てがみ）＝雁書（がんしょ）
9 頭目（とうもく）＝首魁（しゅかい）
10 卓抜（たくばつ）＝凌駕（りょうが）・陵駕（りょうが）

4 経験浅い年少者。
5 「休」にもさいわいの意がある。
8 雁の足に手紙を結んだ故事から。
9 特に悪事を働く集団の統率者をいう。
10 他のものをしのいでいること。

（九）故事・諺

各2点／計20点

グレーの部分は送りがなです

1 盃中（はいちゅう）
2 一瓢（いっぴょう）
3 瑠璃（るり）
4 狗肉（くにく）
5 狐狸（こり）
6 釣瓶（つるべ）
7 鐸（たく）
8 竈（かまど）
9 蛇首（だしゅ）
10 牢（ろう）

1 酒におぼれることを戒めた言葉。
2 わずかなものでも時と場合によってははかり知れない価値を持つ。船が沈んだら、たった一つのヒョウタンでも浮袋の代わりになり千金の価値を持つということから。
3 優秀な人物はどこにいても目立つ。また優秀な人物は機会を与えれば必ず真価を発揮するということ。
4 見かけと実際が一致しないたとえ。四字熟語「羊頭狗肉」はこれを略した形。
5 隠し事がばれること。
7 有能な人物は、その才能のため却って災いを受けるということ。「鐸」は命令を発するとき鳴らした大きな鈴。何度も使われて最後は壊れてしまう。
8 自活していければ誰にも気兼ねのいらぬ一家の主であるということ。「竈将軍」は家中で一番偉い人。
9 物事の一部から全体を推察することのたとえ。蛇のもたげた頭の高さから長さを推量することから。
10 四字熟語「亡羊補牢」の訓読。あとのまつり。

（十）文章題

グレーの部分は送りがなです

書き取り　各2点／計10点

1 乃至（ないし）
2 卑賤（ひせん）
3 繁昌（はんじょう）・繁盛（はんじょう）
4 嘲（とん）
5 敢（あ）（えて）

読み　各1点／計10点

ア よ（かろう）
イ ちりめん
ウ ひ（く）
エ しめ
オ み（る）
カ すこぶ（る）
キ つい（に）
ク さき（に）
ケ ゆた（か）
コ ちんき

1 または。
イ 絹織物の一種で、表面に細かな凹凸がある。
エ 注連縄の略。
コ 落ち着いて動じないこと。

(一) 読み

グレーの部分は送りがなです　各1点 計30点

1 ろせい
2 きょうりん
3 えんせいかん
4 じんぜん
5 しょうりょう・ひょうりょう
6 がいかく
7 そうが
8 ぎょうが
9 とくし
10 もうじょう
11 ほりゅう
12 てんさい
13 こっとう
14 しゅぼば
15 すいのう
16 いつび
17 しゅうばつ
18 ごせん
19 りょうか
20 ぼうおく
21 こまいぬ
22 しぎ
23 こも
24 みなが(ら)
25 わた
26 しばしば
27 つが・とが
28 そぞろ
29 まと(める)
30 ねぎ

4 物事が捗らずのびのびになること。
9 篤実なこと。
15 すぐれたものは必ず表に現れること。
16 ほめすぎること。過分の褒賞。
19 ひし採りをするときの歌。
20 粗末な家。自分の家の謙称。

(二) 表外の読み

グレーの部分は送りがなです　各1点 計10点

1 すべ
2 かち
3 ばか(り)
4 ただ(す)
5 へりくだ(った)
6 ほこ(る)
7 うべな(う)
8 すさ(み)
9 うなじ
10 ゆめゆめ

(三) 熟語の読み・一字訓読み

グレーの部分は送りがなです　各1点 計10点

ア 1 ゆうぶつ　2 すぐ(れる)
イ 3 ちょうしん　4 めぐ(み)
ウ 5 ふせつ　6 いさぎよ(い)
エ 7 けんそ　8 そばだ(つ)
オ 9 ばくしょ　10 さら(す)

1 すぐれた物。すぐれた人物。
3 お気に入りの家来。
8 高くそびえること。
9 本を日に当てて虫干しすること。

(四) 共通の漢字

各2点 計10点

1 鋭（えい）
2 概（がい）
3 希（き）
4 戒（かい）
5 弦（げん）

(五) 書き取り

グレーの部分は送りがなです　各2点 計40点

1 凱旋（がいせん）
2 舌鋒（ぜっぽう）
3 脆（もろ）(くも)
4 逼塞（ひっそく）
5 撚（よ）(り)
6 凋落（ちょうらく）
7 窪（くぼ）
8 罫紙（けいし）
9 倦（う）(まず)
10 兎角（とかく）
11 偲（しの）(ぶ)
12 永劫（えいごう）
13 鮭（さけ）
14 乃至（ないし）
15 凌駕（りょうが）・陵駕（りょうが）
16 喧嘩（けんか）
17 櫛（くし）
18 楓（かえで）
19 雪（そそ）(ぐ)
20 濯（そそ）(ぎ)

2 鋭い弁舌のこと。
4 おちぶれて世間に出ないこと。
6 衰えること。勢いを失うこと。
12 永久。「劫」は仏教で極めて長い時間をいう。
14 範囲を限定することを表す語。
15 他者を超えてその上に出ること。
19 恥や不名誉のつぐないをすること。また恨みなどをすすぎ清めること。

(六) 誤字訂正

グレーの部分は解答の補足です　各2点 計10点

	〔誤〕		〔正〕
1	粕	→	箔
2	投缶	→	投函
3	清郎	→	清朗
4	陵線	→	稜線
5	剝げ	→	禿げ

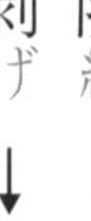

問題は本冊P104~109

(七) 四字熟語

グレーの部分は解答の補足です　各2点　計30点

問1　各2点／計20点

1 黍離之歎（しょりのたん）
2 焚書坑儒（ふんしょこうじゅ）
3 泡沫夢幻（ほうまつむげん）
4 剛毅果断（ごうきかだん）
5 長汀曲浦（ちょうていきょくほ）
6 採薪汲水（さいしんきゅうすい）
7 容貌魁偉（ようぼうかいい）
8 一張一弛（いっちょういっし）
9 閉明塞聡（へいめいそくそう）
10 庸中佼佼（ようちゅう(の)こうこう）

1 亡国の嘆き。黍畑となった宮殿跡を目にして。
2 言論・思想などを弾圧すること。「坑」は穴埋め。
3 人生のはかなさのたとえ。「泡沫」は水のあわ。
4 意志が強く決断力に富んでいるさま。対「優柔不断」
5 長く続くなぎさと入り江の曲線。海辺の風景。
6 薪を採り谷川の水を汲む。自然の中の質素な生活。
7 姿かたちが大きく、堂々として立派なさま。
8 時には厳格に、時には寛大に人と接すること。
9 外界との接触を断ち切ること。
10 平凡な人の中の、やや優れた人のこと。

問2　各2点／計10点

1 せいえん
2 じえい
3 けいふう
4 ふしゃく
5 ひょうへん

(八) 対義語・類義語

グレーの部分は解答の補足です　各2点　計20点

1 払暁（ふつぎょう）⇔黄昏（こうこん）
2 平穏（へいおん）⇔擾乱（じょうらん）
3 綿密（めんみつ）⇔杜撰（ずさん）
4 明快（めいかい）⇔晦渋（かいじゅう）
5 緩慢（かんまん）⇔敏捷（びんしょう）

6 旺盛（おうせい）＝軒昂（けんこう）
7 矛盾（むじゅん）＝撞着（どうちゃく）・撞著（どうちゃく）
8 選出（せんしゅつ）＝抜擢（ばってき）
9 流布（るふ）＝伝播（でんぱ）
10 佳肴（かこう）＝好下物（こうかぶつ）

1 夕暮れのこと。
2 乱れさわぐこと。
4 言葉や文章などが難解で意味が分かりにくいこと。
6 意気が高まるさま。
7 前後が一致せず辻つまが合わない意。
10 「下物」は酒の肴。

(九) 故事・諺

グレーの部分は送りがなです　各2点　計20点

1 讃岐（さぬき）
2 貧賤（ひんせん）
3 二竪（にじゅ）
4 輿（こし）
5 轍鮒（てっぷ）
6 釈迦（しゃか）
7 賑（にぎ）(わい)
8 轡（くつわ）(銜（くつわ）・勒（くつわ）)
9 洞（ほら）
10 長鞭（ちょうべん）

1 ある土地の風俗習慣が他の土地へ伝わったり影響を与えたりすること。「阿波」は現在の徳島県、「讃岐」は香川県。
3 病魔に侵されること。「二竪」は病気の化身である二人の子供。
5 わだちの水たまりの中であえいでいるフナのように、危機が差し迫った状態のたとえ。
7 たとえ取るに足りない者であっても、いないよりは良いということ。本人が謙遜して言う言葉。
8 困難な事に対処する場合は、小細工を弄せず正面から立ち向かえという教え。
9 形勢の良い方に味方しようとして様子を窺うこと。日和見。明智光秀と羽柴秀吉の山崎の合戦の折、筒井順慶が取った態度から。
10 力があってもなお及ばないというたとえ。また、長過ぎたり大き過ぎたりして役に立たないという意味もある。

(十) 文章題

グレーの部分は送りがなです

書き取り　各2点／計10点

1 尖（とが）(って)
2 針鼠（はりねずみ）(彙（はりねずみ）・蝟（はりねずみ）)
3 醤油（しょうゆ）
4 樽（たる）
5 兎（うさぎ）

読み　各1点／計10点

ア つか(まり)
イ てんとう
ウ かつ(て)
エ たっと(び)／とうと(び)
オ いくばく
カ はた
キ もと(より)
ク こ・これ
ケ いたずら
コ う

オ どれほど。ある程度。若干。
カ あるいは。それとも。はたまた。
コ 遠回り。

第15回 テスト 解答・解説

問題は本冊 P110〜115

(一) 読み

各1点 計30点

グレーの部分は送りがなです

1 せんよう
2 ごかん
3 しゅうりょう
4 きんせん
5 さいり
6 ゆうしょう
7 かんじ
8 えいだつ
9 ろうしゅう
10 しょうがん
11 れんこう
12 ひつらん
13 ひんば
14 ぼうぜん
15 こうゆう
16 そうちゅう
17 さりゅう
18 えいまん
19 きき
20 ひょうしゃく
21 みずたま(り)
22 かが(めた)
23 いずく(んぞ)
24 いびつ
25 おろそ(か)
26 あぜ
27 しずく
28 みめよ(い)
29 すべ(て)
30 さざなみ

4 尊敬する一方、うらやましくもある。
7 にっこりと微笑むこと。
9 憂愁。「牢」に寂しい、心細いの意がある。
14 牛が鳴く声の形容。
15 大いなるはかりごとのこと。
19 多くの人が行き来すること。

(二) 表外の読み

各1点 計10点

グレーの部分は送りがなです

1 すべ(て)
2 まいな(い)
3 はじ(め)
4 したた(める)
5 つらつら
6 ひ(いた)
7 あげつら(って)
8 あさ(り)
9 つまび(らか)
10 さなが(ら)

(三) 熟語の読み・一字訓読み

各1点 計10点

グレーの部分は送りがなです

ア 1 しゅうえい 2 すぐ(れる)
イ 3 しょっけい／しょくけい 4 しばら(く)
ウ 5 きゅうしゅ 6 あつ(める)
エ 7 へんぱ／へんば 8 かたよ(る)
オ 9 ほじ 10 はじ(め)

3 食事をするほどのわずかな時間。
5 人々が相談のため集まること。
9 はじめての意。

(四) 共通の漢字

各2点 計10点

1 展（てん）
2 幅（ふく）
3 廉（れん）
4 抵（てい）
5 抜（ばつ）

(五) 書き取り

各2点 計40点

グレーの部分は送りがなです

1 強靭（きょうじん）
2 蠟燭（ろうそく）
3 趨勢（すうせい）
4 位牌（いはい）
5 良辰（りょうしん）
6 晦（くら）(ませ)
7 真贋（しんがん）
8 余禄（よろく）
9 落胤（らくいん）
10 貼付（ちょうふ）
11 蝶（ちょう）
12 椋鳥（むくどり）
13 叩（はた）(いて)
14 樽柿（たるがき）
15 轡（くつわ）
16 将（はた）
17 機（はた）
18 秦（はた）
19 狭量（きょうりょう）
20 橋梁（きょうりょう）

3 移りすすみゆく勢い。
5 めでたい日。吉日。
8 正規の収入以外の所得、利益。
14 酒樽に詰め渋を抜き甘くした柿。
16 あるいは、の意。
17 はたおりの道具。「機を織る」は布を織ること。
18 応神天皇のとき帰化した渡来民族の子孫に賜った姓。
19 人を受け容れる心が狭いこと。

(六) 誤字訂正

各2点 計10点

グレーの部分は解答の補足です

	〔誤〕		〔正〕
1	山展	↓	山巓
2	食治	↓	食餌／食事
3	蜂密	↓	蜂蜜
4	練瓦	↓	煉瓦
5	魚	↓	肴

(七) 四字熟語

各2点 計30点　グレーの部分は解答の補足です

問1 各2点／計20点

1 西戎東夷（せいじゅうとうい）
2 廓然無聖（かくねんむしょう）
3 捲土重来（けんどちょうらい）
4 輪廻転生（りんねてんしょう）
5 麟子鳳雛（りんしほうすう）
6 窮鼠囓猫（きゅうそごうびょう）
7 天網恢恢（てんもうかいかい）
8 文質彬彬（ぶんしつひんぴん）
9 桂宮柏寝（けいきゅうはくしん）
10 干将莫邪（かんしょうばくや）
干将莫耶（かんしょうばくや）

1 中国の西方と東方の異民族。漢民族からの蔑称。
2 何ものにもとらわれない禅の悟りの境地。
3 一度負けたり失敗したりした者が再び巻き返す意。
4 車輪が回り続けるように人が生死を繰り返すこと。
5 将来性のある子どものたとえ。類「飛兎竜文」
6 弱者が窮地で予想外の力を発揮すること。
7 天道は厳正で悪事を見逃さないということ。
8 外面の美しさと内面の質朴さの調和をいう言葉。
9 桂と柏は香木。美しい宮室のこと。
10 名剣の名。春秋時代の刀鍛冶夫婦の名から。

問2 各2点／計10点

1 ふうち
2 びしゅ
3 ゆうゆう
4 けんでん
5 はくと

(八) 対義語・類義語

各2点 計20点　グレーの部分は解答の補足です

1 質朴（しつぼく）⇔絢飾（けんしょく）
2 灌木（かんぼく）⇔喬木（きょうぼく）
3 楽天（らくてん）⇔厭世（えんせい）
4 乾徳（けんとく）⇔坤徳（こんとく）
5 豪邸（ごうてい）⇔環堵（かんと）
6 至純（しじゅん）＝無垢（むく）
7 長方形（ちょうほうけい）＝矩形（くけい）
8 谷川（たにがわ）＝渓澗（けいかん）
9 痛快（つうかい）＝快哉（かいさい）
10 四月（しがつ）＝卯月（うづき）

2 高い木。
4 大地が万物を育む力。転じて、婦人の徳。皇后の徳。
5 小さくて狭い家。貧しい住居。
9 「快なる哉」の意。「快哉を叫ぶ」のように使う。

(九) 故事・諺

各2点 計20点　グレーの部分は送りがなです

1 繋（つな）（がる）
2 紐（ひも）
3 糊（こ）（餬）口（こう）
4 糟糠（そうこう）
5 膏薬（こうやく）
6 肘（ひじ）・肱（ひじ）（臂）
7 纏（まと）（まる）
8 晦朔（かいさく）
9 簸（ひ）（る）
10 聾（ろう）（せしむ）

1 どんな堅固な心の持ち主でも、女性の魅力には引かれるというたとえ。
3 どうにか生計を立てること。類「口を糊する」
4 酒粕と米ぬかのような貧しい食事をして共に苦労してきた妻は、自分がどんなに出世しても大切に扱い、家から出すようなことはしないということ。「堂」は表座敷。
8 朝生えて夕方には枯れる「朝菌」というきのこは、ついたちもみそかも知らないことから、命の短くはかないこと。
9 他人のために働くばかりで自分自身のことには構っていられないたとえ。穀物をふるうのに商売物の箕は使わず笠で済ますことから。類「紺屋の白袴」
10 人の意見を聞くのに自分に都合のよいことばかりに耳を貸し、不都合なものは聞かないというように、客観的に話を聞けない人は、自ら耳を塞ぎ大切なことを聞き逃すということ。

(十) 文章題

グレーの部分は送りがなです

書き取り 各2点／計10点

1 勿（なか）（れ）
2 専恣（せんし）
3 我儘（わがまま）
4 箪笥（たんす）
5 桐箱（きりばこ）

読み 各1点／計10点

ア すべ（からく）
イ すなわ（ち）
ウ よ（り）
エ すべ（て）
オ また
カ のぞ（いた）
キ ひきだし
ク つば
ケ まきえ
コ さび（しく）

1 禁止を表す。してはならない。
2 ほしいままにすること。わがまま。
ア 当然すべきこと。なすべきこと。
ケ 金粉などで漆器の表面に模様をつける美術工芸。

（一）読み
グレーの部分は送りがなです　各1点 計30点

1 しゅうしゅう
2 かんせん
3 けいほ
4 したん
5 さんしょく
6 そうせい
7 ばくしょ
8 ちょま
9 あや
10 すうそう
11 しょうふく
12 ちょうき
13 とんぼく
14 ちゃっこ
15 りゅうらん
16 こううん
17 そうじゅん
18 ふうりん
19 きゅうてい
20 ごうすい
21 ゆる（す）
22 わらび
23 なわてみち
24 はなし
25 わた（り）
26 もっと（も）
27 とろ
28 むさぼ（り）
29 とき
30 つちのえとら

1 風が穏やかに吹くこと。
5 蚕が桑の葉を食べるように他の領域を侵すこと。
6「蚤」は「早」と通じ、早死にのこと。
15 目を通すこと。通覧に同じ。
29 大切なときのこと。

（二）表外の読み
グレーの部分は送りがなです　各1点 計10点

1 きぬ
2 かがみ
3 た（つ）
4 かり
5 したた（か）
6 ひとしき（り）
7 おおむ（ね）
8 やから
9 あ（え）
10 あたら（しい）

（三）熟語の読み・一字訓読み
グレーの部分は送りがなです　各1点 計10点

ア 1 しょうあい　2 あつ（める）
イ 3 きょうせい　4 ただ（す）
ウ 5 さいもん　6 ふさ（ぐ）
エ 7 はんしょく　8 しげ（る）
オ 9 あせい　10 おもね（る）

1 非常にかわいがること。
8「繁る、茂る」と同じ意味。
9「曲学阿世」という四字熟語がある。
10 気に入ってもらえるようにこびること。

（四）共通の漢字
各2点 計10点

1 為（い）
2 薄（はく）
3 滑（かつ）
4 忍（にん）
5 躍（やく）

（五）書き取り
グレーの部分は送りがなです　各2点 計40点

1 藻屑（もくず）
2 遅蒔（き）（おそま）
3 斧（おの）
4 酉（とり）
5 帰趨（きすう）
6 鯉口（こいぐち）
7 逗留（とうりゅう）
8 半纏（はんてん）
9 脆弱（ぜいじゃく）
10 歪（み）（ひず）
11 煤煙（ばいえん）
12 肴（さかな）
13 曙光（しょこう）
14 画鋲（がびょう）
15 嬉（しい）（うれ）
16 鸚鵡（おうむ）
17 芹（せり）
18 獅子（しし）
19 四肢（しし）
20 死屍（しし）

4「酉の市」は11月の酉の日に行われ、熊手など縁起物を売る市。
5 おもむき。その情勢の将来はどうなるのかということ。
6 刀の鞘口のこと。楕円形で鯉の口に似ていることから。「鯉口を切る」は刀がすばやく抜けるよう鯉口を緩めておくこと。
10 外から力が加わった場合の変化。
19 両手両足。
20 しかばね。死体。

（六）誤字訂正
グレーの部分は解答の補足です　各2点 計10点

	〔誤〕		〔正〕
1	微繊	→	微賤
2	安摩	→	按摩
3	立垂	→	立錐
4	樟嚢	→	樟脳
5	紙透き	→	紙漉き 紙抄き

問題は本冊P116～121

(七) 四字熟語

グレーの部分は解答の補足です　各2点 計30点

問1　各2点／計20点

1 斗粟尺布（とぞくしゃくふ）
2 客塵煩悩（きゃくじんぼんのう）
3 牽強附会（けんきょうふかい）
4 長鞭馬腹（ちょうべんばふく）
5 氷壺秋月（ひょうこしゅうげつ）
6 規行矩歩（きこうくほ）
7 釜底抽薪（ふていちゅうしん）
8 黄茅白葦（こうぼうはくい）
9 疾風怒濤（しっぷうどとう）
10 枯木寒巌（こぼくかんがん）

1 兄弟仲の悪さを批判した語。
2 外から偶然にもたらされる様々な心の迷い。
3 自分の都合に合わせ強引に理屈をこじつけること。
4 いかに力が強くとも、なお及ばないものがある。
5 心が清らかに澄んでいることのたとえ。
6 規則や法則に適い、きちんとして正しいさま。
7 問題解決には根本原因を除く必要があるという意。
8 荒れて痩せた土地の形容。
9 時代が激しく変化することのたとえ。
10 世俗を超越した悟りの境地。

問2　各2点／計10点

1 さんそう
2 かぼう
3 さいじゅう
4 こうそう
5 きひょう

(八) 対義語・類義語

グレーの部分は解答の補足です　各2点 計20点

1 恩人（おんじん）⇔仇敵（きゅうてき）
2 服従（ふくじゅう）⇔謀叛（むほん）・謀反（むほん）
3 重視（じゅうし）⇔蟻視（ぎし）
4 都会（とかい）⇔僻村（へきそん）
5 平坦（へいたん）⇔険岨（けんそ）・険阻（けんそ）
6 注目（ちゅうもく）＝寓目（ぐうもく）
7 朝臣（ちょうしん）＝公卿（くぎょう）
8 番兵（ばんぺい）＝歩哨（ほしょう）
9 台所（だいどころ）＝厨房（ちゅうぼう）
10 波止場（はとば）＝埠頭（ふとう）

2「叛」は通常は「はん」と読む。叛逆・叛意など。
3 他をひどく軽視すること。
4 片田舎の村。
7「こうけい、くげ」とも読む。
8 見張りの兵。

(九) 故事・諺

グレーの部分は送りがなです　各2点 計20点

1 猪（いのしし）
2 蔓（つる）
3 尺璧（せきへき）
4 爾汝（じじょ）
5 窮鳥（きゅうちょう）
6 猿（さる）
7 憂患（ゆうかん）
8 鳩（はと）
9 暖簾（のれん）
10 愚痴（ぐち）

2 平凡な親から非凡な子は生まれないというたとえ。我が子について謙遜した言い方。対「鳶が鷹を生む」
3「尺璧」は直径一尺もある宝玉。「寸陰」はわずかな時間。聖人は宝玉よりも、わずかな時間を惜しみ大切にすること。

4「爾」「汝」はともに「なんじ」。お互いに「おまえ」と気軽に呼び合う親しい交際のこと。
5 困窮して頼ってくる人があれば、見捨てず助けるべきだというたとえ。「窮鳥」は追われて逃げ場を失った鳥。
6 はた目には大変そうに見えても本人にはそれが合っているということ。
7 字を覚え学問を身につけて知識を得ることは、あれこれ思い悩むことの始まりでもある。自分の姓名がやっと書ける程度の無学でいた方がよいということ。
8 親の仕事を子供が見習ってまねること。
9 意見などしても何の手ごたえもないこと。類「糠に釘」

(十) 文章題

書き取り　グレーの部分は送りがなです　各2点／計10点

1 竿（さお）
2 鮒（ふな）
3 大袈裟（おおげさ）
4 稜稜（りょうりょう）・稜々（りょうりょう）
5 荏苒（じんぜん）

読み　各1点／計10点

ア かつお
イ いかだ
ウ ほ（め）
エ しき（り）
オ ほとん（ど）
カ また
キ と（え）　おとな（え）
ク ひ（き）
ケ ふ（し）
コ い（えず）

4 強く威厳があるさま。
5 歳月がいたずらに過ぎていくこと。
オ あと少しで。
カ これもやはり。
ク 引き入れる。招き入れる。

問題は本冊P122〜127

(一) 読み

グレーの部分は送りがなです　各1点 計30点

1 きぼう
2 さんか
3 きょうさん
4 ちょうこう
5 ていしょ
6 こうじょく
7 そうたく
8 きゅうとう
9 えんとく
10 ほしゅう
11 しんがん
12 ちょすい
13 ろうしゅく
14 ひしゅ
15 ふつふつ
16 きくじん
17 しゃてつ
18 きつりょく
19 ぼうげき
20 てきか
21 うつく（しい）
22 はなわ
23 くま
24 まこと
25 つか（む）
26 きりかぶ
27 ふさ（がる）
28 ゆる（す）
29 のだけ
30 もみじ

2 にんにくのこと。
13 二十八宿の一、たたら星のこと。
14 手綱とくつわ。
15 風が強くさかんなさま。
16 黄の強い萌黄色で天皇だけが用いる禁色。
23 山や川、道が曲がって入り込んだ所。

(二) 表外の読み

グレーの部分は送りがなです　各1点 計10点

1 そぞ（ろ）
2 とうと（ぶ）・たっと（ぶ）
3 ひそ（か）
4 たず（ねる）
5 あらた（まる）
6 たてまつ（る）
7 さら（す）
8 あまね（く）
9 つか（える）
10 くつろ（ぎ）

(三) 熟語の読み・一字訓読み

グレーの部分は送りがなです　各1点 計10点

ア 1 とういん　2 かさ（ねる）
イ 3 こうきょく　4 へつら（う）
ウ 5 せいしゃ　6 ゆる（す）
エ 7 さんすい・さっすい　8 ま（く）
オ 9 そせい　10 よみがえ（る）

1 重ね刷りのこと。
3 へつらって不正をすること。
5 罪をゆるすこと。
7 「散水」は書きかえ字。

(四) 共通の漢字

各2点 計10点

1 欄（らん）
2 更（こう）
3 端（たん）
4 随（ずい）
5 冒（ぼう）

(五) 書き取り

グレーの部分は送りがなです　各2点 計40点

1 高嶺（たかね）
2 白樺（しらかば）
3 暗渠（あんきょ）
4 呆然（ぼうぜん）
5 捲（めく）（る）
6 珊瑚（さんご）
7 巷説（こうせつ）
8 瑞兆（ずいちょう）
9 教鞭（きょうべん）
10 通牒（つうちょう）
11 喧（やかま）（しい）
12 硯（すずり）
13 八朔（はっさく）
14 睦（むつ）
15 厭（いと）（う）
16 黍（きび）
17 鴫（しぎ）
18 錦旗（きんき）
19 禁忌（きんき）
20 欣喜（きんき）

1 「高嶺の花」は格の違いなどから欲しくても手に入れられぬもの。
10 通知する書面。「最後通牒」は話し合いを打ち切り、相手に通達する最後的要求。
13 夏ミカンに似た果物。
17 水辺に棲む鳥。飛翔力が強い。「鴫立つ沢の秋の夕暮れ」は西行の和歌の下の句。
19 社会的に厳しく禁止される事柄。

(六) 誤字訂正

グレーの部分は解答の補足です　各2点 計10点

	〔誤〕		〔正〕
1	参稽	→	参詣
2	賢まって	→	畏まって
3	閉息	→	閉塞
4	掌胆	→	嘗胆
5	好儀	→	好誼

(七) 四字熟語

問1 各2点／計20点

1 憐香惜玉（れんこうせきぎょく）
2 僑軍孤進（きょうぐんこしん）
3 芝蘭玉樹（しらんぎょくじゅ）
4 白虹貫日（はくこうかんじつ）
5 蚊虻走牛（ぶんぼうそうぎゅう）
6 鬱鬱葱葱（うつうつそうそう）
7 魚目燕石（ぎょもくえんせき）
8 珍味嘉肴（ちんみかこう）・珍味佳肴（ちんみかこう）
9 五穀豊穣（ごこくほうじょう）
10 前途遼遠（ぜんとりょうえん）

グレーの部分は解答の補足です　各2点 計30点

1 女性を慈しみ愛することのたとえ。
2 助けもなく孤立して事を行うこと。類「孤軍奮闘」
3 すぐれた人材。他家の有能な子弟を褒めていう語。
4 白い虹が太陽を貫くこと。兵乱が起きる前触れ。
5 小さくても強大なものを制し得るというたとえ。
6 草木のうっそうと茂るさま。
7 似て非なるもののこと。
8 珍しく、たいへんおいしいご馳走。
9 穀物が豊かに実ること。
10 目標までの道程や時間がまだ長く続くさま。

問2 各2点／計10点

1 おうばん
2 しかん
3 はは
4 いんぷ
5 くほう

(八) 対義語・類義語

グレーの部分は解答の補足です　各2点 計20点

1 祖先（そせん）⇔後胤（こういん）
2 卑近（ひきん）⇔迂遠（うえん）
3 残光（ざんこう）⇔曙光（しょこう）
4 俗世間（ぞくせけん）⇔塵外（じんがい）
5 沈着（ちんちゃく）⇔軽忽（けいこつ）

6 全部（ぜんぶ）＝悉皆（しっかい）
7 添削（てんさく）＝斧正（ふせい）
8 仲間（なかま）＝朋輩（ほうばい）・傍輩（ほうばい）
9 劇壇（げきだん）＝梨園（りえん）
10 夢中（むちゅう）＝耽溺（たんでき）

3 夜明けの光。
4 けがれたこの世の外。
5 そそっかしいこと。
7 人に添削してもらうことの謙譲語。
9 狭義では歌舞伎の劇壇。

(九) 故事・諺

グレーの部分は送りがなです　各2点 計20点

1 仇（あだ）・徒（あだ）
2 烏鷺（うろ）
3 近憂（きんゆう）
4 勘定（かんじょう）
5 砥柱（しちゅう）
6 塊（つちくれ）
7 釜中（ふちゅう）
8 蛸（たこ）・章魚（たこ）
9 鳶（とんび）
10 桃李（とうり）

1 水の深い所より浅い方にこそ、いたずらに立ち騒ぐ波がある。浅慮の者ほど無闇に騒ぎ立てるものだというたとえ。
2 囲碁の勝負のこと。「烏」は黒い石「鷺」は白い石を表す。
3 遠い将来のことを考えずにいると、必ず身近なところに急な心配事が生じるものだという戒め。「遠慮」は遠き慮り。
5 黄河の激流の中でびくともせぬ砥石を思わせる岩石のように、困難な中にあっても節義を守り通すこと。
6 雨の降り方が静かなので土のかたまりを壊さない。世の中が安泰であることのたとえ。
7 すぐ煮られるとも知らずに魚が釜の中で泳いでいることから、危険が迫っているとも知らずに呑気に構えていることのたとえ。
8 分かり切っていることのたとえ。
9 ごく平凡な親がすぐれた子を生むたとえ。第16回(九)の2と逆の意味になる。
10 門下に大勢の優秀な人材がいること。

(十) 文章題

グレーの部分は送りがなです

書き取り 各2点／計10点

1 八重葎（やえむぐら）
2 馬蹄（ばてい）
3 夙（つと）(に)
4 寧（むし）(ろ)
5 恰（あたか）・宛（あたか）(も)

読み 各1点／計10点

ア くだん
イ たちま(ち)
ウ あらわ(れた)
エ おか
オ くさむら
カ いにしえ
キ すな
ク あ(った)
ケ しばら(く)
コ はげ(しい)

1 幾重にも生い茂る草。
5「恰も好し」はちょうどよい折に。
ア 例の。いつもの。
カ 過ぎ去った昔。

(一) 読み

グレーの部分は送りがなです　各1点 計30点

1 りょくや
2 とんせい
3 きんたい
4 やくし
5 がいげつ
6 せんこう
7 えんきょ
8 しょうほん
9 めいてき
10 ひぜん
11 じゅたい
12 こうふん
13 りょうしん
14 かえい
15 ゆうあく
16 すうせい
17 しゅうしゅう
18 けいりょ
19 じんじつ
20 しこん
21 ふ(れた)
22 さか(ん)
23 むさぼ(り)
24 うまや
25 たす(けて)
26 お(す)
27 やわ(らぐ)
28 すぎ
29 うしとら
30 みずのえさる

3えりと帯のように山と川が取り巻いている要害の地のこと。
8折り本仕立ての本。
10あやのある美しさ。
17虫などの多いさま。
19終日。一日中。

(二) 表外の読み

グレーの部分は送りがなです　各1点 計10点

1 じ(れる)
2 うら(む)
3 おか(す)
4 みだ(りに)
5 ぬさ
6 こぼ(れる)
7 い(てつく)
8 あつ(める)
9 つぶ(らな)
10 たの(む)

(三) 熟語の読み・一字訓読み

グレーの部分は送りがなです　各1点 計10点

ア 1 ばんか　2 ひ(く)
イ 3 めんし　4 はる(か)
ウ 5 えいけつ　6 わか(れる)
エ 7 ちょうこく　8 はじ(める)
オ 9 えんらく　10 くつろ(ぐ)

5死別すること。
7はじめて国を建てること。
10「燕」は同音の「宴」と通用し、酒盛りやくつろぎ楽しむの意がある。

(四) 共通の漢字

各2点 計10点

1 漫(まん)
2 鎖(さ)
3 途(と)
4 吹(すい)
5 陰(いん)

(五) 書き取り

グレーの部分は送りがなです　各2点 計40点

1 満腔(まんこう)
2 纏(まつ)(わり)
3 溜飲(りゅういん)
4 化膿(かのう)
5 知悉(ちしつ)
6 刺繍(ししゅう)
7 鞄(かばん)
8 淘汰(とうた)
9 麒麟(きりん)
10 逼迫(ひっぱく)
11 謂(いわ)(れ)
12 御簾(みす)
13 犀利(さいり)
14 厨(くりや)
15 曙(あけぼの)
16 朋輩(ほうばい)
17 枇杷(びわ)
18 琵琶(びわ)
19 卯(う)
20 鵜(う)

1全身のこと。転じて、心からの。
3「溜飲が下がる」は胸がすっきりして気持ちがよくなること。
9中国で、聖人が出現する前に現れると言われる霊獣。
10切迫していること。金回りが行き詰まること。
11理由。根拠。
13武器などがかたく鋭いこと。
15夜がほのぼのと明けそめる頃。

(六) 誤字訂正

グレーの部分は解答の補足です　各2点 計10点

	〔誤〕		〔正〕
1	踏留	→	逗留
2	緊少	→	僅少
3	逆隣	→	逆鱗
4	裁いて	→	捌いて
5	猟駕	→	凌駕 陵駕

問題は本冊P128〜133

(七) 四字熟語

グレーの部分は解答の補足です　各2点 計30点

問1　各2点／計20点

1 乗輿播越（じょうよはえつ）
2 禽困覆車（きんこんふくしゃ）
3 叢軽折軸（そうけいせつじく）
4 破釜沈船（はふちんせん）
5 捧腹絶倒（ほうふくぜっとう）・抱腹絶倒（ほうふくぜっとう）
6 行住坐臥（ぎょうじゅうざが）
7 多士済済（たしせいせい）
8 資弁捷疾（しべんしょうしつ）
9 玄裳縞衣（げんしょうこうい）
10 株連蔓引（しゅれんまんいん）

1 天子が都落ちして他国をさすらうこと。
2 弱い者でも追い詰められると意外な力を出すこと。
3 小さなものでも集まれば大きな力を発揮すること。
4 生きて帰らぬ決意を表すこと。類「背水之陣」
5 腹を抱えて大笑いするさま。
6 日常の立ち居振る舞い。類「坐作進退」「常住坐臥」
7 すぐれた人材が数多くいるさま。
8 生まれつき能弁で行動が素早いこと。
9 黒い袴と白い上着。鶴の姿の形容。
10 芋蔓式に多くの関係者が罰せられること。

問2　各2点／計10点

1 えんもく
2 せんけつ
3 さっしゅ
4 じゅせつ
5 きふ

(八) 対義語・類義語

グレーの部分は解答の補足です　各2点 計20点

1 凶兆（きょうちょう）⇔瑞祥（ずいしょう）・瑞象（ずいしょう）
2 令閨（れいけい）⇔荊妻（けいさい）
3 攻撃（こうげき）⇔防禦（ぼうぎょ）・防御（ぼうぎょ）
4 鈍足（どんそく）⇔駿足（しゅんそく）・俊足（しゅんそく）
5 豪邸（ごうてい）⇔茅屋（ぼうおく）
6 通覧（つうらん）＝劉覧（りゅうらん）
7 朝日（あさひ）＝旭光（きょっこう）
8 尾根（おね）＝稜線（りょうせん）
9 秘書（ひしょ）＝祐筆（ゆうひつ）・右筆（ゆうひつ）
10 扶持（ふち）＝秩禄（ちつろく）

2「令閨」は他者の妻への敬称。「荊妻」は自分の妻の謙称。
5 粗末な家。
9 貴人に侍して文章を書く役目の人。
10 上から頂く俸給。

(九) 故事・諺

グレーの部分は送りがなです　各2点 計20点

1 栄辱（えいじょく）
2 梁（うつばり）
3 蕩蕩（とうとう）・蕩々（とうとう）
4 金箔（きんぱく）
5 虎口（ここう）
6 鍬（くわ）
7 雀（すずめ）
8 掌（たなごころ）
9 鞍（くら）
10 狸（たぬき）

1 衣食が充分な生活になって、はじめて名誉を重んじ恥を知るようになる。類「衣食足りて礼節を知る」
2 歌のうまいこと、音楽のすぐれていることを褒めるたとえ。歌の名手が歌うと梁の上の塵まで感動して動いたという故事から。
3 徳の高い人はゆったりとして心も穏やかだが、小人物はいつもくよくよと思い悩んでいること。
4 表面の飾りが取れて、隠れていた本性が現れるということ。
5 非常に危険な場所や状況から逃れるたとえ。
6 いつも使われているくわが錆びずに光っているように、いつも活動している者は生き生きとしているということ。
8 掌の上で物を転がすように自由に動かす。物事を思い通りに操るということ。
9 物事の順序が逆であるということ。

(十) 文章題

グレーの部分は送りがなです

書き取り　各2点／計10点

1 模糊（もこ）
2 枕頭（ちんとう）
3 勿論（もちろん）
4 筈（はず）
5 蓋（けだ）（し）

読み　各1点／計10点

ア もっと（も）
イ ぼうおく
ウ おお（い）
エ てんてい　てんてつ
オ もと（より）
カ しか（れども）
キ な（せる）
ク ごと（き）
ケ はなは（だ）
コ よろこ（ぶ）

1 ぼんやりとしたさま。
2 枕元のこと。
5 考えてみるに。恐らく。
ア とりわけ。甚だ。
イ 粗末な家。
エ あちこちにほどよく散らばっていること。
ク「〜のような」もののこと。

MEMO

MEMO

矢印方向に引くと別冊の解答・解説が外れます。▶